Hugo Kuhn / Kleine Schriften Band 3

Liebe und Gesellschaft

Hugo Kühn

HUGO KUHN

LIEBE UND GESELLSCHAFT

HERAUSGEGEBEN
VON
WOLFGANG WALLICZEK

MCMLXXX

J. B. METZLERSCHE VERLAGSBUCHHANDLUNG

STUTTGART

CIP-Kurztitelaufnahme der Deutschen Bibliothek

Hugo Kuhn:
[Sammlung]
Liebe und Gesellschaft / Hugo Kuhn. Hrsg. von
Wolfgang Walliczek. – Stuttgart: Metzler, 1980.
  (Kleine Schriften / Hugo Kuhn; Bd. 3)
  ISBN 3-476-00436-8

ISBN 3-476-00436-8

© J. B. Metzlersche Verlagsbuchhandlung und
Carl Ernst Poeschel Verlag GmbH in Stuttgart 1980
Satz und Druck: Gulde-Druck, Tübingen
Printed in Germany

VORWORT

Hugo Kuhn hat noch in seiner letzten Lebenszeit den Plan für einen dritten Band »Kleine Schriften« skizziert. Er wollte unter dem Titel »Liebe und Gesellschaft« nicht nur die Sammlung seiner verstreuten Aufsätze fortführen, sondern das Thema an weiteren Beispielen aus der Literatur des deutschen Mittelalters diskutieren. Der Hinweis »neu, zu schreiben« kennzeichnet auf einer Liste die Aufsätze, die für diesen Band noch ausgearbeitet werden sollten: Aufsätze zum Kürenberger-Corpus, über »Reimars Frauen« und die »Walther-Reimar-Fehde«, dazu die schriftliche Fassung eines Vortrags, den Hugo Kuhn im Rahmen der Stuttgarter Staufer-Ausstellung gehalten hatte. Er arbeitete bis zuletzt an den Entwürfen. Vollenden konnte er sie nicht mehr.

Titel und Gliederung der vorliegenden Sammlung sind so weit wie möglich aus den hinterlassenen Notizen abgeleitet, die sich auf den Inhalt der »Kleinen Schriften 3« beziehen. Eine erste Liste hat Hugo Kuhn nach einer Anordnung in drei Abteilungen entworfen, um – wie schon in »Text und Theorie« – Beiträge zu Autoren und Texten, zur Literatursystematik und zu Epochen, zuletzt zum Thema »Wissenschaft und Politik« zusammenzufassen. Diese Gliederung wurde beibehalten. Neu zu bestimmen war aber die Anordnung im ersten Teil der Sammlung, weil in dieser Gruppe die Aufsätze fehlen, die Fragment geblieben sind oder schon im Stadium vorbereitender Stichwortlisten abgebrochen wurden. Ohne die Entscheidung des Autors über eine neue Reihenfolge mußte jeder Versuch, wenigstens anzudeuten, welches programmatische Konzept Hugo Kuhn hatte realisieren wollen, ein schmerzvoller Kompromiß bleiben. Das Leitthema des Bandes wird so vielfältig auf die Diskussion verschiedenster Gegenstände bezogen, in einem dichten Geflecht von Zusammenhängen und Variationen vorgeführt und unter wechselnden neuen methodischen Perspektiven entfaltet, daß für die mögliche Anordnung der Aufsätze immer nur konkurrierende Argumente geltend gemacht werden können. In diesem Dilemma erschien es sinnvoll, die Sammlung chronologisch zu ordnen. Der Rundfunkvortrag über »Die *hêre frouwe*« ist in der ersten Abteilung der Aufsätze der früheste Beitrag. Das zentrale Thema entwirft er einerseits sehr allgemein, in einem ersten Umriß, andrerseits in seiner ganzen Weite, wenn er für die Darstellung sein Material aus Minnesang wie höfischem Roman und Heldendichtung gewinnt und auf den umfassenden Zusammenhang der europäischen Literatur des Mittelalters verweist. Die Reihe, die dieser Aufsatz anführt, soll kenntlich machen, welche Bedeutung das Thema »Liebe und Gesellschaft« für die wissenschaftliche Reflexion Hugo Kuhns gewonnen hat und seine Forschung in den letzten Lebensjahren bestimmte.

Zu danken habe ich vor allem Frau Margherita Kuhn, die mich mit Rat und vielfacher Hilfe unterstützt und das Buch in allen Stadien seiner Entstehung begleitet hat. Ihrer offenen und anregenden Gesprächsbereitschaft verdanke ich die Klärung schwieriger Einzelprobleme. Frau Kuhn hat meine Arbeit auch dadurch sehr gefördert, daß sie mir für die Zusammenstellung des Schriftenverzeichnisses viele frühe Publikationen ihres Gatten zugänglich machte und wichtige Dokumente aus dem Nachlaß zur Einsicht überließ.

Bei der Drucklegung half mir Gisela Kornrumpf mit größtem Engagement. Ihrer intensiven Mitarbeit und ihrer Beratung in wissenschaftlichen, drucktechnischen und bibliographischen Fragen bin ich sehr verpflichtet. Ganz besonders Claudia Händl und auch Maria Stieglitz danke ich herzlich für treue Hilfe bei den Korrekturen. Christoph Cormeau und Norbert H. Ott waren freundschaftliche Gesprächspartner.

Die Metzlersche Verlagsbuchhandlung hat für rasche und sorgfältige Herstellung des Bandes gesorgt.

München, im Juni 1980 Wolfgang Walliczek

INHALT

I.

II.

III.

I.

DIE *HÊRE FROUWE*[1]

Fɪɴ' ᴀᴍᴏʀꜱ, ʜᴏʜᴇ Mɪɴɴᴇ: die hochstilisierte Liebesdichtung der französischen Troubadours und deutschen Minnesänger und der Erzähler von Liebesromanen im europäischen Mittelalter – ihre *Herrin, domina, hêre frouwe*: Dame der Hofgesellschaft und zugleich höchstes Gut, *summum bonum*, auf Erden – die *vita nova*: ein neues Leben durch und für sie mit *edelem herzen, cor nobile* – lohnt es, heute noch davon zu reden? Was soll uns die historische Rekapitulation einer solchen Frauenrolle, auch wenn sie immerhin jahrhundertelang die Literatur beherrschte – Literatur von Männern? Idealisten haben sie längst zum Klischee zerrieben, als romantisches Mittelalter aufgebauscht und abgebraucht, bis daß sie heute nur noch etwa im Super-Vamp der comics fortlebt. Realisten aber haben sie seit dem Don Quichotte immer wieder entlarvt als närrisch-tragische männliche Illusion, und heute kann sie jeder gelehrt wegerklären als bedenkliche psychische Projektion, die die wirklichen Beziehungen zwischen Mann und Frau krankhaft verfehlt oder ideologisch verfälscht.

Niemand darf Stimmungen, Lebensformen, Erkenntnisse von heute ungestraft ignorieren. Sie sind ja auch der Standort, von dem aus wir fremde und vergangene Kulturen anvisieren müssen. Aber wir brauchen auch, gerade heute, solche Visionen anderer Kultursituationen und Sozialstrukturen, brauchen sie als kritische Korrektur, die uns hindert, unser Heute als die einzig mögliche Welt anzusehen, – die uns Zukunft öffnet, auch aus der Vergangenheit heraus.

Frauenrollen in Liebesgedichten und Liebesgeschichten hat es immer gegeben und wird es wohl auch immer geben. Denn die komplementäre Rolle der Geschlechter hat sich nie erschöpft in biologisch sexueller Lust, in der Fortpflanzung, in Familien- und Sozialstrukturen, in der Aufteilung der Arbeitswelt und in der religiösen Orientierung, die für Mann und Frau im Laufe der Geschichte der Menschheit immer neue Rollen-Verteilungen und Rollen-Zusammenführungen entwickelten. Der Zwang der Geschlechter zueinander trieb immer auch Stilisierungen der Liebe zwischen Mann und Frau hervor, Bilder und Figuren, Gedichte und Geschichten, Lieder und Tänze, Gesellschaftsregeln – Formen einer Superkultur, die typischerweise sich nie direkt aus den geschichtlichen, ökonomischen und sozialen Verhältnissen erklären läßt, die immer ohne die Sicherung der Institutionen frei schwebend sich erhält. Typen solcher Liebeskultur aus der gesamten überlieferten Literatur der Menschheit und Typen ihrer geschichtlichen Hintergründe kann man erarbeiten. Für einen Sonderfall, die Dawn-songs, Lieder vom Abschied der Liebenden beim Morgengrauen, hat das der Londoner Germanist HATTO versucht mit dem monumentalen Sammelwerk »EOS«, 1965 erschienen.[2]

Für heute können wir diesen weitesten Aspekt beiseite lassen. Was uns heute beschäftigt: die *hêre frouwe*, die Frau in Minnesang und Minneepik des europäischen Mittelalters, entwickelte sehr rasch ein Sondermodell, das trotz möglicher Anregungen von außen in sich geschlossen war. Minnesang und Minneroman stellen sich dar als eine Liebeskultur in der Gesellschaft mittelalterlicher Fürstenhöfe. Gelebt wurde sie *so* nie, aber eben als Gesellschaftsform betrieben, die sich über alle anderen Gesellschaftsformen hinaushob – gerade auch durch den Ernst und Gedankenreichtum ihrer Reflexionen so faszinierend, daß sie gesellschaftlich gebundene Literaturen in ganz Europa und bis ins 18. Jahrhundert immer neu beherrschte. Die 'Dame' als Frauenrolle stammt von daher, der 'Kavalier' stammt vom Reiter, dem Ritter dieser höfischen Liebeskultur! Und Höflichkeit stammt – als Wort – auch von damals.

Es begann in der Provence um 1100 mit Liedern des Fürsten Wilhelm IX. von Aquitanien. Elf *chansons* haben sich unter seinem Namen in den Manuskripten des 13. Jahrhunderts erhalten. Sie zeigen eine sicher breitere Mode von Sängerkunst an, Sängerkunst von Jongleurs als Beruf und von adeligen Dilettanten, aus der dann die provenzalischen Troubadours und, von ihnen angeregt, die französischen und deutschen Sänger die neue Liebesdoktrin entwickelten. In Deutschland findet sich eine mit Wilhelm IX. unmittelbar vergleichbare Figur allerdings erst viel später, um 1400: der Südtiroler Oswald von Wolkenstein, auch er Soldat, Politiker, Hofmann, Hanswurst, Weiberheld, alles in einem. Die unbekümmerte Direktheit dieses Lebens- und Liebesspiels, die beider Lieder über drei Jahrhunderte hinweg verbindet, schwimmt beidemal auf der Publikumserwartung höchster Gesellschaftskreise. Sie erlauben solche Libertinage offenbar ungehemmt, zumindest als Künstler-Rolle, als solistisch vorgeführtes kunstvolles Spiel. Denn der Fürst Wilhelm wie der adelige Herr in fürstlichen Diensten Oswald binden die Libertinage und närrische Rolle ihrer Lieder und vielleicht auch ihres Lebens durch den hohen Anspruch einer meisterlichen Kunstfertigkeit. Wilhelm hat das *trobar*, die *Erfindung* von Vers und Reim, Strophe und Melodie sehr selbstbewußt zur Begründung seiner Lieder angeführt, wohl nicht ohne Zusammenhang mit der zu gleicher Zeit im Limousin aufblühenden geistlichen Liedkunst. Und Oswald ist der erste Vermittler der französischen und italienischen Mehrstimmigkeit seiner Zeit ins deutsche Lied.

Die Rolle der Frauen in diesen Vortragskunststücken ist zunächst nicht sehr erhebend. Sie nährt sich von zu allen Zeiten verbreiteten Schwankmotiven, erotischen Abenteuern, listiger Verführung und peinlichem Abblitzen: Frauen sind Freiwild schweifender männlicher Visionen von sexueller Lust. Das lebt kulturtypologisch immer neu auf in geschlossenen Männergesellschaften, z. B. in der erotischen Prahlerei unter Soldaten. Und da wird auch der anfängliche Inhalts-Umkreis des Minnesangs zu suchen sein.

Aber bei Wilhelm wie bei Oswald mischt sich unter diese 'männischen' Amouren auch ein anderer Ton: der Ton demütiger Unterwerfung des Mannes unter den Reiz und die Würde der Frau als Person! Oswald folgt da natürlich der schon jahrhundertelangen Tradition des Minnesangs. Bei dem Provenzalen

Wilhelm aber taucht dieser Ton zum erstenmal im mittelalterlichen Europa auf, sogleich mit der ersten literarischen Liedkunst eines Laien in einer Volkssprache. Und aus diesem Ton entsteht die hohe Minne, die Rolle der *hêren frouwe* im europäischen Mittelalter.

Die Liedkunst der provenzalischen Troubadours unter diesem Stichwort wurde etwa zur gleichen Zeit, um die Mitte des 12. Jahrhunderts, in Nordfrankreich und in Deutschland zum Funken, der Lieder und Verserzählungen in der Volkssprache von höchstem künstlerischen und menschlichen Anspruch entzündete. Die deutschen Minnesänger und Minneerzähler kopierten zeitweise direkt die großen Troubadours und Conteurs in Frankreich. Aber wie sie gerade dabei kongenial den Anspruch der Minne-Idee erfaßten, so sind auch die Anfänge und Weiterführungen so selbständig aus den gemeinsamen gesellschaftlichen und gedanklichen Ansätzen entwickelt, daß Minnesang und Minneroman in Deutschland uns ein angemessenes Bild von der Rolle der *hêren frouwe* bieten.

In den großen Sammelhandschriften, die in Deutschland erst seit etwa 1300 den Minnesang schriftlich machten, darunter die berühmte Große Heidelberger oder Manessesche Handschrift mit ihren bekannten Sängerbildern und Szenen – in diesen Handschriften sind auch Strophen gerettet, die eigene Frühformen deutschen Minnesangs bewahren. So die folgende Strophe des Kürenbergers, eines Sängers, von dem wir sonst nichts wissen (MF 8, 25):

> *Ez hât mir an dem herzen   vil dicke wê getân*
> *daz mich des geluste   des ich niht mohte hân*
> *noch niemer mac gewinnen.   daz ist schedelîch.*
> *jone meine ich golt noch silber: ez ist den liuten gelîch.*

> Es hat mich im Herzen sehr oft geschmerzt,
> daß ich Lust hatte auf etwas, was ich nicht besitzen konnte,
> und auch niemals erwerben werde, das tut mir weh:
> Es ist aber nicht Gold noch Silber, wonach ich mich sehne:
> es ist so beschaffen wie – die Menschen.

Eine Frauenrolle spricht hier. Sie spürt den Zwang nach etwas, das zu besitzen ihr verwehrt ist. Denn dieses Etwas hat nichts zu tun mit allem, was üblicherweise besitzenswert und erwerbbar erscheint: Gold und Silber. Es ist ein Menschenwesen, – ein Mann, den sie nur auf eine andere Weise gewinnen könnte.

So leise andeutend wird hier zunächst der Zwang der Geschlechter zueinander stilisiert. Nicht mehr rascher Gewinn der Lust miteinander ist gesagt – und nicht sicherer Besitz der Liebe oder der Ehe. Sondern gerade ein Warten auf jemand, eine Erwartung von etwas, der zwar so ist wie »die Leute«, die bekannten Damen und Herren der Gesellschaft, und doch kein Besitz, sondern verwandelt und verwandelnd durch das Warten auf etwas 'Anderes', Neues, noch nicht mit den geläufigen Worten und Erwartungen Sagbares.

Das ist ein frühester Spruch über das Wesen der Minne, als Frauenrolle stilisiert. Deutlicher noch sagt ihre Bedingungen ein anderes, ebenfalls frühestes Frauen-Rollenlied unter dem Namen eines Freiherrn Dietmar von Aist (MF 37, 4):

Ez stuont ein frouwe alleine
und warte uber heide
und warte ire liebe,
so gesach si valken fliegen.
'sô wol dir, valke, daz du bist!
du fliugest swar dir liep ist:
du erkíusest dir in dem walde
einen bóum der dir gevalle.
alsô hân ouch ich getân:
ich erkôs mir selbe einen man,
den erwélten mîniu ougen.
daz nîdent schœne frouwen.
owê wan lânt si mir mîn liep?
jô 'ngerte ich ir dekeiner trûtes niet.'

Allein stand eine Dame
und schaute wartend über das Brachfeld
und erwartete ihren Geliebten.
Da sah sie einen Falken im Flug:
»Glück zu dir, Falke!
Du fliegst dahin, wo es dir Freude macht:
du suchst dir im Wald
einen Baum, wie er dir gefällt.
So habe auch ich getan:
ich suchte mir frei einen Mann,
den erwählten meine Augen.
Das beneiden schöne Damen.
O weh, warum lassen sie mir nicht meinen Geliebten?
Ich habe ja auch nie irgend einer ihren Freund weggelockt.«

Die altertümlich erzählende Einleitung sagt doch gleich zu Anfang das erregend Neue der Frauen-Situation: die Dame hat die Gesellschaft verlassen, auch sie wartet, aber in wilder Einsamkeit, allein wartet sie auf ihren Geliebten, und im Bild des Falken, den sie erblickt, deutet sie sich ihre Rolle: wie *er* frei seinen Ruheplatz wählend fliegen kann, so hat *sie* frei wählend, jenseits der Ehe wie der gesellschaftlichen Tabus, ihren Geliebten sich gewählt. Aber auf ihn wartend übermannt sie fast das gesellschaftliche Risiko: Andere Damen, womöglich schönere, neiden ihr die Wahl, können ihn locken: die Bindung aus Freiheit wie Falkenflug ist ebenso bedroht. Nur wenn ihr, als freier Person, *und* dem Geliebten das unbedingte Stehen zur freien Wahl gelingt, wird das Glück der Begegnung möglich.

So also führt zu Anfang das vom Mann gemachte und gesungene Lied die neue Frauenrolle der hohen Minne vor: Indem sie frei, allein, als Person eigener Verantwortung, sich den Partner wählt, antwortet auch er in freier Verantwortung. Noch sind beide Partner gleichgestellt in ihrer gesellschaftlichen Rolle und im Verlangen: ein Wechsel gleich sprechender Stimmen. Das Risiko der Selbstverantwortung liegt nur in der Gesellschaft, in der ebenso freigewordenen Konkurrenz. Aber die auf eine absolute Geltung gestellte Bindung von Ritter und Dame, Mann und Frau, kann Freiheit mit bisher unbekanntem Glück beantworten.

Bald darauf, etwa um 1180, setzt sich auch in Deutschland die inzwischen in Frankreich ins Esoterische gesteigerte Minnedoktrin durch, z. T. mit unmittelbaren Kopien süd- und nordfranzösischer Strophen und Melodien, im Inhalt aber mit selbständiger Reflexion, anders als dort wohl auch aufgrund einer weniger sicheren gesellschaftlichen Basis des Solo-Kunstliedes der hochadeligen und dienstadeligen Sänger in Deutschland. Diese Doktrin fordert weiterhin die freie Liebe des Sängers zu einer, meist verheirateten, Dame der Gesellschaft. Die Realisierung solcher, strikt gesagt, ehebrecherischen Liebesbeziehungen wird aber nur noch in Sondertypen ausgesagt, z. B. dem Tagelied vom Abschied der Liebenden im Dunkel und der Heimlichkeit der verbotenen Liebesnacht.

Im Minnelied aber werden die Damen nun stilisiert als zugleich überaus gewissenhafte und überaus kapriziöse Wesen, unzugängliche heimliche Adressatinnen des öffentlichen solistischen Liedvortrags. Den Ritter zwingt das, unaufhörlich und in immer neuen Variationen sein Liebesleid zu klagen, es zu demonstrieren, aber auch über die Bedingungen zu reflektieren, die die dennoch geforderte ehebrecherische Vereinigung rechtfertigen könnten. Die Sänger, ob aus hohem Adel oder aus fast schon beruflich zum Hof gehörendem dienstadeligen Künstlertum heraus, berufen sich immer neu auf die von Gott geschaffene Schönheit der Dame und auf ihre gesellschaftliche Rolle als preziöses Schmuckstück für die feudale Repräsentation. Je höher die Frau in solchem Rang, desto mehr von ihr getroffen, reagieren sie mit einem Streben nach Adel, das fort und fort mehr ihre eigene Existenz verwandelt, sie zwingt zu einer Unbedingtheit des Einsatzes ihrer ganzen Person, zu Treue, Beständigkeit, vollendeter Ergebenheit, zu fast christlichen Tugenden gegenüber der Frau als rätselhaft ins Jenseitige entrückter Glücksverheißung. Immer aber bleibt die Frage, was diese Minne auf Erden, wenn ohne Erfüllung, soll. Als Beispiel diene eine Strophe aus einem Lied des rheinpfälzischen Freiherrn Friedrich von Hausen, der in Chroniken als bedeutender Beamter Friedrich Barbarossas in Frankreich, Italien und beim Kreuzzug von 1189 erwähnt wird, bei dem er 1190 fiel (MF 49, 29):

Wer möhte mir den muot
getrœsten, wan ein schœne frouwe,
diu mînem herzen tuot
leit diu nieman kan beschouwen?
dur nôt sô lîde ich solhen rouwen,
wan sichz ze hôhe huop.
wirt mir diu Minne unguot,
sô sol ir niemer man voltrouwen.

Wer könnte für all mein Streben Glücksgewährung bringen,
es sei denn eine schöne Dame,
die doch meinem Herzen solches Leid zufügt,
wie es niemand verstehen kann?
Gezwungen erleide ich diesen Schmerz,
weil mein Herz sich zu hoch hinauf wagte. –
Wenn mir diese Minne aber zum Bösen ausschlägt,
dann sollte ihr niemals mehr ein Mann vertrauen.

Hoch hinauf zwingt jetzt die Minne das edle Herz. Ob diese Höhe gemeint wird als sozialer oder als menschlicher Rang, bleibt ungesagt. All diese Anziehungskraft faßt das Lied einfach in der Frauenschönheit zusammen. Mit weniger aber gibt sich der männliche Liebeszwang nicht zufrieden. Er versagt sich vor dieser Kraft der höchsten Liebesanziehung jedes billigere Glück. Und damit wird der männliche Liebeszwang zum Leidzwang. Das darf nun nicht mißverstanden werden als Ersatzbefriedigung für Zukurzgekommene, wie es immer wieder geschieht. Sondern – so sagen es die letzten Zeilen der Strophe unmißverständlich: der stärkste irdische Glückszwang, die hohe Minne, und sein höchstes irdisches Gut, die *hêre frouwe,* sie werden dem Sänger zum Problem einer irdischen *Theodizee.   Wirt mir die Minne unguot*: wenn die Minne dem Sänger zum Bösen ausschlagen könnte, dann deshalb, weil die in der *hêren frouwe* verkörperte höchste Glücksverheißung gebunden ist an ihren freien Willen als Person, weil die Dame auch Nein sagen kann zum natürlichen Liebeszwang, weil auch sie von der Minne zur Reflexion gezwungen wird über ihre nun auch selbst zu verantwortende Liebesrolle. Die Minnesänger haben dieses Problem durchprobiert in allen denkbaren Variationen zwischen absolutem Glück der Vereinigung und absolutem Leid der Verweigerung. Solange die Liebesrolle der Frau noch in der Schwebe bleibt zwischen ihrem gesellschaftlichen und ihrem personalen Wert, kann die Dame auch sagen: *Minne daz ist der tôt*: Gewährung, d. h. ihre Preisgabe, wäre ihr Tod in der Gesellschaft – die rechtlichen und religiösen Sanktionen bleiben auch da ganz außerhalb der Reflexion. Walther von der Vogelweide aber löst das Frauenbild der hohen Minne mehr und mehr von der gesellschaftlichen Rolle und versucht in immer anderen Reflexionen und Frauengestalten ihre Rolle als höchstes irdisches Glücksziel zu *vereinigen* mit einer wechselseitig verantworteten Partnerschaft.

In dem Lied *Muget ir schouwen waz dem meien wunders ist beschert* (51, 13) stellt er noch einmal allgemeiner das Problem der *hêren frouwe.* Der Mai, die Zeit der Freude, der Freiheit nach langem winterlichen Abgeschlossensein, ist die Zeit auch der Liebeslust in der ganzen Natur. Aber da ist der rote Mund seiner Dame, Farbtupfen auch er im farbigen Frühlingsblühen, Symptom der glückverheißenden Frauennatur, geschaffen und einladend zu Kuß und Umarmung. Frauenrolle ist also noch immer Verheißung körperlicher Lust. Wie sie aber jetzt einerseits eingebettet erscheint in ein allumfassendes Naturgesetz der Frühlingslust, so ist sie andrerseits rätselhaft herausgelöst: der *minneclîche* rote Mund, zur Frühlingsliebeseinheit geschaffen, spricht *unminneclîche*: er sagt Nein, versagt die Vereinigung! Wenn also das Naturgesetz des Frühlings *guot* ist, gottgeschaffen richtig – dann ist die Dame doch »nicht gut«, dann bringt sie etwas Böses in diese Welt. Die raffinierte Fiktion ist offenkundig: die Dame hat ja, zur Pflicht der Ehe hinzu, auch jedes Recht, unerbetene Bewerber sich vom Leib zu halten. Gerade diese Fiktion trägt aber die Frauenrolle der hohen Herrin überhaupt. Die *hêre frouwe* wird von Walther zur vollkommenen Natur stilisiert, weil sie nur *so* vollkommenes, höchstes Glück auf Erden verheißt. Damit aber muß ihr der Sänger auch konzedieren, was zur fast göttlichen Vollkommenheit gehört: die Freiheit, zu erwählen oder zu verdammen, die Freiheit, einen Dienst zu fordern, der alles Fordern aufgibt.

Das ist in der Tat ein fast religiöses Modell der naturgegebenen Bindung zwischen Mann und Frau. Und man kann es verstehen, daß gerade auch Frauen mit Abscheu darauf reagiert haben. Zwingt es sie doch in eine Rolle, die ihrem natürlichen Wunsch nach Partnerschaft, nach Gleichberechtigung in der gelebten Welt, nach vollmenschlicher Teilhabe an der Gestaltung von Gegenwart und Zukunft negiert – zugunsten einer hochstilisierten Isolierung. Charakteristischerweise erklärte denn auch im Mittelalter die Minnedoktrin, daß solche Minne in der Ehe nicht möglich sei – so zu lesen, als Spruch der französischen Minnegerichtshöfe fürstlicher Damen, im lateinischen Traktat De amore des Hofkaplans Andreas. Denn: in der Ehe ist der Liebesakt ja nur Pflicht der Frau. Darum war aber auch die eheliche Liebe so lange nur auf die Aufgabe eingeschränkt, Kinder zu erzeugen und zu erziehen – neben der Arbeitsteilung im Alltag. Sowie aber die Probleme der Freiheit und Selbstbestimmung der Person auch für die Frau auftauchen, ob außerhalb der Ehe wie im Minnesang oder innerhalb der Ehe wie endgültig heute, wiederholt sich doch das anthropologische Liebes-Paradox der Minnesänger. Liebeszwang und eheliche Pflicht einerseits und andrerseits Freiheit in der Partnerschaft – kann man das zusammen leben? Sicher nicht, wenn auch die Ehe, wie eine Augenblicksmode es will, aus der Alltags-Routine heraus nur sexuell aufgeputscht werden soll, sei es durch Promiskuität, sei es durch Raffinement. Der Anspruch der Frau auf selbstverantwortete Partnerschaft, den die hohe Minne der Männer in Europa einmal so paradox aufgestellt hat, läßt sich anthropologisch nie mehr zum Schweigen bringen.

Diese Paradoxie in der Rolle der *hêren frouwe* ist nun auch in der Laienkunst des Mittelalters schon mannigfach kritisch bedacht worden, am klarsten in den zwei Versromanen des Mittelalters, die tragisch enden. Der eine erzählt die Geschichte von Tristan und Isold, nach französischen und deutschen Vorformen durch Gottfried von Straßburg zu fast unglaublicher Höhe der Reflexion und der Form gesteigert.

Der bretonische Königssohn Tristan hat nach allen Regeln des Minnehelden die irische Prinzessin Isold für sich erkämpft. Aber er erwirbt sie nur für seinen Oheim König Marke. Ungern sieht sich Isold aus dem Glanz ihrer Schönheit zu Hause in die Ehe, in die Fremde gerissen, mißmutig folgt sie dem Werber über Meer. Ein Minnetrank, von der Mutter gebraut, soll deshalb die Ehe versiegeln. Aber Tristan und Isold trinken ihn versehentlich auf der Fahrt, das süße Gift des Liebeszwangs wird fortan ihr Schicksal, das ehebrecherische Dreiecksverhältnis wird in immer neuen Variationen ausgespielt. Tristan und Isold macht die Unbedingtheit ihrer Liebe gegenüber allen Widerständen zum Vorbild, macht sie geradezu zu Minneheiligen für alle edlen Herzen. Aber die Kluft zwischen dieser Unbedingtheit und der Welt, in der sie doch leben müssen, reißt immer tiefer auf, zerstört ihr Leben und ihre Liebe, nur im Tod können sie schließlich auf immer eins werden. Die Paradoxie der hohen Minne, die sonst im Minnesang und in den Minneromanen nur spielerisch oder märchenhaft gelöst wird, hier ist sie unerbittlich realistisch durchgeführt: Leid ist das Siegel der *edelen herzen*.

Noch radikaler wendet das Nibelungenlied diese Paradoxie ins Tragische.

Das Nibelungenlied ist ja weniger ein heroisches Epos, als man glaubt, viel eher ein tragischer Gesellschaftsroman, freilich archaischer stilisiert und mit viel härteren Konturen als die Minneromane. Auch Kriemhild will zu Anfang, wie Isold, das stolze schöne Mädchen im Glanz des burgundischen Königshofes bleiben:

> sus scœn' ich wil belîben unz an mînen tôt,
> daz ich von mannes minne sol gewinnen nimmer nôt. (15, 3 f.)

Doch Siegfried, an den sie sich dann trotz ihres Vorsatzes verliert, erkämpft sich wie Tristan das Recht auf sie. Auch hier entsteht daraus ein Dreiecksverhältnis, freilich ganz anders gewendet. Denn König Gunther, dessen Herrlichkeit so hohl ist wie die des Königs Marke, wirbt um die riesenstarke Brünhild, aber nicht er, nur der starke Siegfried in Gunthers Gestalt kann sie im Wettkampf und im Brautbett überwältigen, und als Lohn dafür erhält Siegfried Kriemhild zur Ehe. Seine hohe Minne zu Kriemhild, ihre *hôhen êre*, scheinen im fernen Xanten als Minne-Ehe harmonisiert. Doch der Betrug schwelt weiter, bei einem Besuch in Worms bricht im Konflikt der Königinnen über den Rang ihrer Männer alles wieder auf, Siegfried muß sterben. Der Verlust ihrer Ehre als hohe Minnedame Siegfrieds und als mächtige Königin schwelt nun jahrelang in Kriemhild, bis sie in einer neuen, nur widerstrebend eingegangenen Ehe mit Etzel sich der Macht dieses exotischen Hunnenkönigs bedienen kann, um den Burgunden ihr altes Selbstsein in Minne und Ehre noch einmal abzutrotzen – und dabei alle und sich selbst in den Untergang reißt.

So aufgefaßt, scheint die Mischung von hoher Minne und höfischem Glanz im Nibelungenlied mit dem krassen Realismus der Handlungen, die man oft als Unkunst getadelt hat, von erstaunlicher Konsequenz und gedanklicher Kraft zu sein. Und die Kriemhild-Biographie, die das Nibelungenlied ja ist, erscheint als direkteste und radikalste Kritik an der Rolle der *hêren frouwe*, die hier politisiert und so zum tragischen politischen Untergang bestimmt wird.

Besinnen wir uns zum Schluß noch einmal darauf, was das anthropologische Modell der *hêren frouwe*, nachdem wir seine Erscheinungsformen und seine Kritik im deutschen Mittelalter kennengelernt haben, von heute aus gesehen besagt.

Erstaunlich ist 1.) die freie Haltung zur Sexualität. Neben dem religiösen Ideal der Askese, neben der Ehe als Institution, sanktioniert durch göttliches und weltliches Recht und durch die Arbeits- und Lebenswelt, sagt sich hier ohne jedes Tabu eine Freiheit des Begehrens und Gewährenkönnens an, wie wir sie gewöhnlich nur in exotischen Kulturen, etwa in japanischen und chinesischen Romanen erwarten. Sie ist sicher wirklicher, wahrer als eine übertünchte Moral.

2.) Die Gesellschaftsformen der *hêren frouwe* aber, Kleidung, Leben, Feste, sind im Gegenteil sehr streng stilisiert, je höher in der Gesellschaft, um so mehr. Frauen und Mädchen leben da fast klösterlich abgeschlossen und erscheinen in der Gesellschaft nur unter strengen Repräsentationsformen. Um so erregender sind diese Augenblicke zeremonieller gesellschaftlicher Begegnungen, um so tiefer greift das dabei sich anbahnende freie Wagnis der Liebe den ganzen Menschen an. Die erotische Reizschwelle liegt so tief, daß schon ein einziger

Blick, ja schon das Hörensagen von Schönheit den ganzen Einsatz hervorrufen kann, die *grande passion*. Diese Frage der Reizschwelle verdient auch heute anthropologische Erwägungen.

3.) Das Ansagen der Liebe im Vortrag eines Liedes, im Vorlesen einer Erzählung teilt aber doch der ganzen Gesellschaft einen Spielraum zu, der das Begehren unverkrampft läßt und ihm gerade dadurch eine Welt von Gedanken erschließt, Gedanken über das Glück durch die Freiheit des Menschen, als paradoxe Anerkennung der Freiheit auch des Anderen, des Partners, innerhalb dieser Gesellschaft. Zum erstenmal im Mittelalter tritt so neben die religiöse, immer neu christlich gelebte und bedachte Selbstverantwortung des Menschen eine freie, innerweltliche Selbstverantwortung der Laien – beide noch unverbunden nebeneinander, Laiensprache und seiner bewußt werdendes Laiendenken nur erst frei als Kunstspiel in der Gesellschaft schwebend. Aber es geht ein Glanz und ein Ernst der irdischen Liebe davon aus, der durch alle Schichten des Menschen dringt und nie mehr ganz vergessen werden kann.

TRISTAN, NIBELUNGENLIED,
ARTUSSTRUKTUR

WAS ICH HIER VORLEGE, ist nicht mehr als die Anmeldung einer Hypothese, so daß es nur in Abstraktionen und *âne der buoche stiure vert*, ohne Verweise auf die überreiche Forschung zu jedem der Themenkomplexe. Ich weiß: ich gebe mich so dem berechtigten Besserwissen aller Kenner preis – solange ich das Buch nicht schreiben kann, das mit konzipiert ist. Ich stelle aber zwei *Strukturerzählungen* (was das nun sein mag) voran – nach dem gemeinsamen Bestand nur bei Eilhart von Oberg und Gottfried von Straßburg bzw. nur in den Fassungen des Nibelungenlieds –, aus denen auch meine Stellung zu wichtigen Forschungsfragen immerhin herauszuhören ist (1.1 und 1.2). Aus ihnen folgere ich zwei z. T. parallele *Strukturschemata* (2.1 bis 2.3), die ich auf einer zweiten Abstraktionsstufe weltliterarischen zeitgenössischen *Strukturtypen* zuordne (3.1 und 3.2). Auf einer dritten Stufe abstrahiere ich aus diesen eine Diskussion von *Strukturgedanken*, die ich am Gegensatz zum Artusroman chrétienscher Prägung präzisiere (4.1 und 4.2). Den neuen Aspekt von *Literaturgeschichte,* der sich daraus ergeben könnte, deute ich nur noch an (5). Der *Anmerkungsteil* (6.1 bis 6.8) stellt erste vorläufige Forschungshinweise, Belege und Argumentationen zu den verwendeten Stichworten bereit.

1.1 Tristan, ein Held verwegener noch in seinen Künsten und Listen als in seinen kühnen Taten, erwirbt die schöne und kluge Isold aus dem Tod drohenden Irland nach dem Schema der gefährlichen Brautwerbung. Aber er erwirbt sie nicht für sich – er führt sie seinem Onkel König Marke von Cornwall zur Ehe übers Meer.

Denn der junge Tristan hatte gleich nach seiner Ankunft als Wunderkind in Cornwall (1) als einziger den Holmgang mit Isoldens Onkel Morolt gewagt, ihn erschlagen, Cornwall damit vom Menschentribut für Irland befreit (A); Marke hatte ihn zum Avunculatserben eingesetzt, Isold als einzig kundige Ärztin ohne ihn zu erkennen in Irland seine unheilbare Wunde von Morolts vergiftetem Schwert geheilt (2,1).

Das alles neiden ihm Markes Barone. Sie dringen auf eine exogame Königsehe, Marke aber stellt die unmögliche Aufgabe, ihm Isold zu gewinnen. Einzig Tristan kann – und muß auf Drängen der Barone die Brautwerbung wagen (3). Er unternimmt den Drachenkampf in Irland (B), weil Isold als Preis für den Sieger ausgesetzt ist, wird von Isold noch einmal unerkannt vor dem Tod durch das Drachengift gerettet (2, 2), weil sie gegen einen falschen Drachensieger den wahren suchte, übersteht die Erkennungsszene – Isold schwingt Tristans Schwert über dem hilflos im Bad liegenden Mörder ihres Onkels (C) – und stiftet mit der Werbung für Marke Frieden zwischen Irland und Cornwall (D). Widerstrebend folgt Isold diesem Brautwerber-Recht Tristans. Und um die weder von Marke noch von Isold gewollte Königsehe zu versiegeln, gibt ihre Mutter als Trank in der Hochzeitsnacht einen Liebeszauber dem Schiff mit, auf dem Tristan Isold übers Meer führt.

Hier trifft die beiden ihr Schicksal. Sie trinken zusammen den nicht für sie bestimmten Hochzeitstrank – rein aus Versehen! Von da an sind sie einander verfallen, physisch und psychisch, untrennbar und unrettbar. Ihre Liebe jetzt erst, anstelle von Isoldens Hochzeit mit Marke, bedeutet schon Ehebruch, Betrug an Marke (4); in der Hochzeitsnacht wird der König mit Isoldens *niftel* Brangäne als unterschobener Braut getäuscht (5). Tristan ist und bleibt 'der Mann vorher' in der Königsehe.

Sexuelle *unio* wird ihr Himmel und ihre Hölle; Mißtrauen gegen Freund und Feind, Verfolgung durch die Camarilla, Heimlichkeit, List, Weltflucht ihr Leben (6); ein Ehebruchsprozeß und später, getrennt, Glück und Qual hastiger gefährlicher Begegnungen ihr Weg. Tristan untersteht dabei einem Zwang, beim Namen Isold sich zu stellen.

Zu Hause ergibt sich Isold der legitimen Ehe mit Marke; in der Fremde ergibt sich Tristan der Namen-Magie einer zweiten Isold, nimmt sie legitim zur Ehe und vollzieht die Ehe nach langem Zögern (7). Aber die erste Bindung bleibt die einzige. Zerteilt zwischen ihrer Legitimation, der Legitimität der beiden Ehen, der Feindseligkeit des Hofes in Cornwall und dem äffischen Minnewesen von Tristans Freund in der Fremde, dem Bruder der zweiten Isold, werden die beiden immer mehr sich selbst entfremdet: als Tristan Isold beim letzten seiner Besuche in Cornwall zum letztenmal im Leben umarmt, ist er – der Narr.

Erst ihr beider Tod in der Fremde – als Isold herbeieilt, ihren Freund zum drittenmal von einer tödlichen Giftwunde zu heilen (2, 3), die zweite Isold das weiße Segel der Hoffnung schwarz nennt, Tristan darüber (8, 1), Isold über seiner Leiche stirbt (8, 2) – vereinigt sie vor aller Welt.

1.2 Wie der listenreiche Tristan die kluge Isold, so erwirbt der starke Siegfried die starke Brünhild von der Insel Isenstein, die jedem Freier mit einem Wettkampf den Tod droht, nach einem primitiveren Schema der gefährlichen Brautwerbung. Aber auch er erwirbt sie nicht für sich – er macht sie dem König Gunther von Worms zur Ehe gefügig, der als Burgunderkönig, gefallen 437 im Kampf gegen ein Hunnenheer, historisch bezeugt ist.

Denn der junge Siegfried hatte schon in unbestimmter Vorzeit – Gunthers Gefolgsmann Hagen berichtet sie nachholend erst bei Siegfrieds Ankunft in Worms! (1) – mit einem Drachensieg sich die Hornhaut erkämpft (B), mit dem Sieg über die Nibelungenbrüder die Tarnkappe, das Schwert Balmung, den Nibelungenhort und die Wünschelrute. In dieser Rolle präsentiert er sich bei seiner Ankunft in Worms mit der Länderwette gegen Gunther.

Aber Siegfried warb auch schon seit seiner Prinzen-Jugend in Xanten – die das Nibelungenlied von Anfang an ohne Zeitlücke für Siegfrieds Märchentaten erzählt! – um die ferne schönste Prinzessin Kriemhild, Gunthers Schwester, in fast grotesk hoher Minne: Er bekommt sie, nachdem er ihretwegen ins friedliche Bleiben mit den Wormsern eingewilligt hat, ein Jahr lang überhaupt nicht zu sehen – über den Frauen in Worms liegt zuerst eine Art Haremsatmosphäre – und nach seiner Bestreitung des Sachsenkriegs (A) auch nur zu höfischer Geselligkeit. Zur Ehe bekommt er sie schließlich nicht durch seinen Minnedienst, geschweige durch eine Entführung nach dem Brautwerbungsschema, sondern – durch ein Tauschgeschäft mit Gunther.

König Gunther hört von der schönen Jungfrau-Königin Brünhild auf der Insel Isenstein und will um sie werben. Weil sie aber auch übermenschlich stark ist und mit der Haupteswette ihrer drei Sportkämpfe, Speerwurf, Steinwurf und Weitsprung, auf den einzig noch stärkeren Freier zielt (2), kann nur Siegfried diese Brautwerbung wagen, und Siegfried willigt ein, weil ihm Gunther dafür Kriemhild zur Ehe verspricht (3). Er bezwingt Brünhild anstelle Gunthers betrügerisch als sein *man* und Sieger in der Tarnkappe bei den Wettspielen (4) und als Bändiger ihrer Jungfrauschaft, wieder in der Tarnkappe, in Gunthers Hochzeitsbett (5). So wird auch Siegfried der *frumver*, 'der Mann vorher' in der Königsehe, obwohl er Brünhild nicht gewollt und nicht 'gehabt' hat. Die zwei Königsehen stiften jedoch, als späte Antwort auf die Länderwette Siegfrieds bei seiner Ankunft, zunächst verwandtschaftlichen Frieden zwischen zwei Königreichen, Worms und Xanten (D).

Der Betrug aber schwelt weiter. Nach Jahren lockt die unbefriedigte Brünhild das andere Königspaar nach Worms, das *man*- und Bett-Geheimnis wird ruchbar durch einen von Kriemhild provozierten Zank der Königinnen, Siegfried wird mit Wissen Gunthers von Hagen ermordet (8, 1), der Nibelungenhort nach Hagens Rat in den Rhein versenkt, Brünhild tritt von der Bühne ab, Kriemhild bleibt trost- und hilflos in Worms (6).

Wieder nach Jahren geht sie widerstrebend auf die Brautwerbung des exotischen Königs Etzel, des historischen Attila (gest. 453), zu seiner und ihrer zweiten Ehe ein (7). Und wieder nach Jahren gelingt es ihr, Gunther mit seiner ganzen Macht an Etzels Hof zu locken, historisches Zentrum für viele auch germanische Fürsten, in der Sage vor allem für Dietrich von Bern im Exil, den historischen Theoderich den Großen (gest. 526). Sie will hier endlich den nie aufgegebenen Prozeß gegen Hagen um den Verlust Siegfrieds und des Nibelungenhorts zu Ende bringen.

Doch auch das ungeheure Morden aller Helden auf beiden Seiten, das sie anstiftet, um den Prozeß gegen Hagen zu erzwingen, trägt ihr nur ein, daß am Ende doch noch Gunther und Hagen, von Dietrich von Bern besiegt und gefesselt, aber mit ihrem Überleben trotzend, ungefährdet vor den letzten Heroen des Etzelhofs stehen: Etzel-Attila selbst, Dietrich von Bern-Theoderich und sein Waffenmeister Hildebrand. Da läßt Kriemhild ihren Bruder Gunther hinter der Bühne umbringen, um von Hagen das Versteck des Nibelungenhorts zu erfahren, sieht, als Hagen die Hortfrage nun gerade verweigert, Siegfrieds Schwert an seiner Seite, erschlägt damit den Hilflosen (C) und muß selbst unter Hildebrands Schwert mit Geschrei den Tod leiden (8, 2).

2. Die Unterschiede zwischen beiden Erzählungen könnten nicht größer sein – obwohl ich sie schon fast unerlaubt aufeinanderhin abstrahiert habe. Dort der Tristanroman: als Ritterbiographie Tristans eine aristokratische Ehebruchstragödie ohne Schranken und Grenzen – hier das Nibelungenlied: als Frauenbiographie Kriemhilds ein weltpolitisches Familiendrama ohne Schranken und Grenzen. Dort neueste französische Minnefiguren aus dunkler keltischer Sage und zwei Stufen ihrer deutschen Rezeption (Eilhart; Gottfried) – hier z. T. historische Heroenfiguren aus breiter aber verborgener Tradition der germanischen Völkerwanderung. Dort Hofintrigen und ein Ehebruchsprozeß in der Mitte – hier Machtkämpfe und ein Mord in der Mitte. Dort keltischer Seefahrerraum – hier archaisiertes Deutschland des 12. Jahrhunderts. Dort geraffte Zeit – hier gestreckte Zeit. Dort Episodenstil – hier Szenenstil. Dort Reimpaarepik – hier Strophenepik.

Und doch gibt es dort und hier eine lange Reihe paralleler Szenen und Motive, an der man auch nicht vorbei kann. Diese Parallelen erscheinen allerdings auf den ersten Blick so grundverschieden in der grundverschiedenen Materie der beiden Erzählungen, daß man sie bisher nur okkasionell verstehen konnte. Sind es einfach Wandermotive? Oder gar zeitlose Erzählpointen? Eine Urfassung werde ich nicht rekonstruieren.

Ich versuche aber, Parallelen und Unterschiede zunächst in ein Strukturschema zu ordnen, dessen Möglichkeit anschließend diskutiert werden muß.

Eine Gesellschaftshandlung, die 'Hofrolle' Tristans wie Siegfrieds, enthält vor allem die Parallelen. Eine Liebeshandlung, die 'Minnerolle' einerseits Tristans mit Isold, andrerseits Siegfrieds mit und später durch Kriemhild, enthält vor allem die Unterschiede.

2.1 Die gemeinsame Gesellschaftshandlung ergibt sich aus dem Kontrast der Einzigartigkeit beider Helden, Tristans wie Siegfrieds, zur Normalität der Hofakteure: Markes Barone, Hagen bei den Burgunden (der trotz dämonischer Züge doch ausdrücklich der normal-menschliche Held ist und bleibt, gerade gegenüber dem Märchenhelden Siegfried). Diese Hofakteure sind es, die beidemal gleich bei der Ankunft der Helden deren Einzigartigkeit erkennen (1); sie verstehen es aber auch, eben diese Einzigartigkeit zu kalkulieren für nationale Befreiungssiege (A) und für die Brautwerbungen der Könige (3); gerade sie bestreiten dann die Verfolgung des Ehebetrugs (4; 5) bis zum bitteren Ende, dem Tod Tristans und Isoldens, dem Tod Siegfrieds und Kriemhilds samt einer ganzen Heldenwelt (6; 7; 8).

Den Konfliktstoff für diese Gesellschaftshandlung liefert die beidemal gleiche Konstellation, daß hier, im Gegensatz zum üblichen Brautwerbungsschema, der König-Ehemann gerade nicht zur einzigartigen Braut 'paßt' – Marke wie Gunther sind strukturell gesehen zaudernde, nach beiden Seiten verstrickte Statisten –, sondern allein der einzigartige Brautwerber. Diese Paare sind beidemal strukturell füreinander bestimmt, sie rasten sozusagen ineinander ein: der listenreiche Tristan und die kluge Isold, leitmotivisch vor allem als giftkundige Ärztin (2,1; 2,2; 2,3); der starke Siegfried und die starke, auf den einzig noch stärkeren Freier rechnende Brünhild (2).

Beidemal führt jedoch gerade diese ihre strukturelle Bestimmung füreinander zum gleichen Konflikt: Brautwerbung für den König, aber Kurzschluß zwischen Brautwerber und Königsbraut – obwohl er in den Liebeshandlungen ganz verschieden motiviert wird. Im Tristanroman macht das *factum brutum* des Liebestranks den Brautwerber für Marke, Tristan, zum 'Mann vorher' in der Königsehe, zum Betrüger hier des Königs, Marke, auf der Brautwerbungsfahrt (4) und in seinem Hochzeitsbett (5). Im Nibelungenlied macht Siegfrieds Brautwerbung um Kriemhild den Brautwerber, wieder Siegfried, ebenfalls zum 'Mann vorher' in der Königsehe, zum Betrüger hier der Königsbraut, Brünhild, in den Wettkämpfen (4) und im Hochzeitsbett des Königs (5).

2.2 Im Rahmen dieser parallelen Struktur bringen nur die Liebeshandlungen all die tiefgreifenden Unterschiede zwischen beiden Erzählungen hervor.

Die Minnerolle Tristans setzt den Konflikt des Brautwerbungsdreiecks von Werber, Königsbraut und König (3) direkt und konsequent um in die Ehebruchsminne Tristans und Isoldens (4–8), des einzigartigen Werbers und der einzigartigen Königsbraut. Im Nibelungenlied dagegen verbindet den einzigartigen Werber und die einzigartige Königsbraut, Siegfried und Brünhild, nur Siegfrieds Geschäft mit dem Betrug; seine erste Brautwerbung um die normale Prinzessin Kriemhild stellt sich von vornherein und von außen gegen das Dreieck der zweiten Brautwerbung: Gunther-Brünhild-Siegfried (3); dieses dient hier nur zur Auslösung eines latenten Konflikts zwischen den normalen Partnern und Parteien der so zustande gekommenen zwei Königs-Ehen (4–8), so daß sogar der einzigartige Werber und die einzigartige Königsbraut selbst, Kriemhilds Ehemann Siegfried und Gunthers Ehefrau Brünhild, schon in der Mitte der Handlung von der Bühne abtreten können: Siegfried wird ermordet, Brünhild geradezu vergessen, den Konflikt tragen weiter Kriemhild und Hagen.

Es läuft also die Tristanbiographie hinaus auf einen Minne-Ehebruchsroman um die einzigartigen Liebenden Tristan und Isold – darin vergleichbar der Minne Lancelots und Ginovers im Artuskreis. Das Nibelungenlied läuft hinaus auf einen Brautwerbungsminne-Eheroman um den starken Siegfried und die schöne Kriemhild, um Siegfrieds Tod und Kriemhilds Minnetreue weit über seinen Tod hinaus – darin vergleichbar der Minne Sigunes und Tschionatulanders bei Wolfram.

2.3 Parallelen und Unterschiede ordnen sich so in ein Strukturschema (siehe dazu das Schema auf der folgenden Seite: Zahlen = Handlungsparallelen; Buchstaben = Parallelen an verschiedener Handlungsstelle; eckige Klammern = ohne Parallele in den herangezogenen Texten; vgl. 1.1 und 1.2).

3. Ist dieses Strukturschema – so souverän parallel geführt in der Gesellschaftshandlung und so souverän verschieden motiviert in den Liebeshandlungen – möglich, d. h. für uns denkbar in seiner Zeit und Literatursituation? Seine Bausteine liegen da verschiedentlich bereit. Und man ist versucht, Ursprünglicheres in den beiden Erzählungen gegeneinander aufzurechnen: die Archaismen hier und dort als Kulturrelikte, die szenische Phantasie, beidemal außerordentlich aber ganz verschiedener Art, die menschliche und soziale Qualität der Konflikte, die Namen, die Herkunft der Stoffe, die von der Forschung aufgehäuften literarischen und historischen Zeugnisse sonst. Aber ich will wie gesagt

TRISTANROMAN		NIBELUNGENLIED	
[.]	Tristans Eltern und Jugend	Jugend Kriemhilds, Jugend Siegfrieds, Brautwerbung Siegfrieds um Kriemhild	[.]
1		Ankunft des einzigartigen Helden (Tristan/Siegfried)	1
A	Befreiungssieg Tristans (Morolt)		–
–		Bericht von Siegfrieds Drachenkampf und den Nibelungenschätzen	B [.]
–		Befreiungssieg Siegfrieds (Sachsenkrieg)	A
2	= 2,1; 2,2; 2,3	Die einzigartige Frau über Meer (Isold/Brünhild)	2
3		Gefährliche Brautwerbung für den König (Marke/Gunther)	3
B	Drachenkampf Tristans		–
C	Frau mit Schwert (Isold–Tristan)		–
D	Friedensstiftung Tristans (Irland–Cornwall)		–
4		Betrug auf der Werbungsfahrt	4
		[Keusches Beilager mit Schwert: nur nordisch!]	[E]
		Doppelhochzeit Gunther-Brünhild und Siegfried-Kriemhild	[.]
5		Betrug im Hochzeitsbett des Königs (Marke/Gunther)	5
–		Friedensstiftung Siegfrieds (Worms–Xanten)	D
6		Verfolgung des Betrugs an der Königsehe (bis zum Ehebruchsprozeß gegen Isold/zum unterdrückten Ehebruchsprozeß gegen Siegfried)	6
[E]	Keusches Beilager mit Schwert: Waldleben		
–		Tod Siegfrieds	8,1
7		Legitime Ehe Tristans/zweite Ehe Kriemhilds: Leben und Katastrophe in der Fremde	7
8,1	Tod Tristans		–
–		Frau mit Schwert (Kriemhild-Hagen)	C
8,2		Tod Isoldens/Tod Kriemhilds in der Fremde	8,2

nicht eine Urfassung monogenetisch rekonstruieren. Bleibt dann nur die poly-
genetische Alternative? Ich versuche eine Hypothese jenseits von beiden.

Sie kann sich freilich nur berufen auf das, was ich hier ganz andeutungsweise
Strukturgedanken nennen möchte. Weil es in diesem Zusammenhang unmöglich ist, alle alten und neuen Strukturbegriffe zu diskutieren, kann ich nur
versuchen, die in beiden Erzählungen selbst konkret erzählte Thematik nochmals zu abstrahieren, zunächst auf weltliterarische Strukturtypen hin.

3.1 Tristan wie Siegfried repräsentieren in der Gesellschaftshandlung weithin
den Typ des Auserwählten, des Heilskinds, des Heilbringers in Mythen und
Märchen (im folgenden: Heilbringermärchen). Ich folge zunächst dieser Spur:

Beide Helden kommen als einzigartige, als Wunderkinder an den Ort ihrer
Bestimmung (1), sind Befreiungssieger (A), Drachentöter (B), Friedensstifter
(D). Beide werben um die gefährliche Frau im gefährlichen anderen Land (2; 3).

Ins Heilbringermärchen ist an dieser Stelle beidemal das Brautwerbungs-
schema mit der Rolle des außergewöhnlichen Werbungshelfers (vgl. Oswalds
Rabe, Ortnits Vater Alberich, Rothers Riesen, Horand in der Kudrun u. a.)
integriert (3). Zu diesem Schema gehört aber auch die Szene der Frau mit dem
Schwert des Werbers (C). Im Tristanroman verarbeitet sie in den eigenen
Strukturzusammenhang ganz direkt die Stufe der gefährlichen Erkennung (ent-
sprechend der Schuhprobe im Rother, Pamige mit Oswalds Raben, Hilde und
Horand in der Kudrun usw.). Im Nibelungenlied hat die Szene andere Partner
(Kriemhild-Hagen), steht an anderer Stelle (ganz am Ende), ist anders motiviert
(Kriemhilds Hortfrage) und endet mit beider Tod. Und doch hat auch sie noch
den Struktursinn der Erkennungsszene: sie steht mit der Hortfrage am Ende von
Kriemhilds verzweifelter Suche nach Erkennung = Anerkennung, nach Legiti-
mation ihres Rechts auf ihre Minneehe mit dem starken Siegfried, ihres Besitzes
an ihm, den sie nach Siegfrieds Ermordung nur vergeblich noch in seine
Besitztümer projizieren kann, Nibelungenhort und Schwert – die Hagen in
Besitz nahm und mit ihnen Kriemhilds Liebesrecht.

Aber auch das Brautwerbungsschema ist hier beidemal zurückgebunden in
den Struktursinn des Heilbringermärchens. Das zeigt sich unmißverständlich
schon dadurch an, daß in beiden Erzählungen die exogame Brautwerbung
andere ethnische Strukturen ablöst, die als Unheil getönt sind – allerdings aus
verschiedenem Material. Tristan löst durch die Werbung um Isold Avunculate
in Cornwall und Irland ab, dort mit seiner illegitimen Geburt verbunden, hier
mit Menschentribut und Gift und Zauber. Siegfried löst durch die Werbung um
Brünhild wenigstens die Atmosphäre des Brüderkönigtums mit Haremsver-
schluß für die Frauen in Worms ab, dazu seine blutige Länderwette und
Brünhilds Todesbedingung der Haupteswette. Die Heilbringerstruktur ist es
wohl auch, die hier beidemal den Kurzschluß zwischen Werbungshelfer und
Königsbraut bewirkt mit seiner Tragik zum Tod – wofür es in der Weltliteratur
des Brautwerbermärchens keine Parallele zu geben scheint.

Ins Heilbringermärchen gehören auch Ambivalenzen in beiden Heldenrollen,
die der Interpretation immer wieder Schwierigkeiten gemacht haben. Tristan ist
illegitim, ja 'im Tod' (Gottfried) gezeugt und aus dem Tod der Mutter geboren,
weiter ein fast zu trickreicher Artist in vielerlei Künsten und Listen, moralisch

gespalten. Siegfried wird von Anfang an geradezu zerrissen in eine höfische Prinzenrolle und eine märchenhafte Kraftrolle: ihr hartes Aneinanderstoßen, meist mit Genuß burlesk ausgestaltet, charakterisiert fast all seine Auftritte von der Länderwette bei der Ankunft bis zur Jagd vor seinem Tod. (Da liegen also keineswegs genetische Bruchstellen frei!) Und vor allem: beide verschenken ihre Heilstaten an die Undankbarkeit, an die Feindschaft ihrer Nutznießer.

3.2 Wie weit diese Heilbringerstruktur, wie weit ihre Tragik zum Tod und ihre Ambivalenzen in der Handlung des Tristanromans und der des Nibelungenlieds konkret mitgedacht sind – das ist ein für jetzt zu weites Feld. Auf jeden Fall aber überlagert diesen Strukturplan der Gesellschaftshandlung in beiden Erzählungen – endgültig seit dem Kurzschluß zwischen Werbungshelfer und Königsbraut (4; 5) – das neue Thema der beiden Liebeshandlungen: die Dialektik der Minneehe, die hier beidemal auch eine Tragik zum Tod ist, obgleich ganz verschieden motiviert.

Tristan und Isold leben seit dem versehentlichen Gebrauch des Hochzeitstranks die Dialektik ihrer illegitimen Ehebruchsminne, die aber durch strukturelle Vorbestimmung, Brautwerberrecht und Liebes-Hochzeitstrank eine legitime Minneehe ist, gegen die legitimen aber durch ihre personalen Voraussetzungen illegitimen Ehen Isoldens mit Marke und Tristans mit der zweiten Isold, gegen die normale Gesellschaft überhaupt. Siegfried und Kriemhild leben seit Siegfrieds Betrug an Brünhild die Dialektik ihrer Brautwerbungs-Minneehe gegen deren Verfälschung durch sein Tauschgeschäft, der er selbst erliegt und die auch Kriemhilds verzweifelt zerstörische Suche nach nachträglicher Legitimation nicht mehr auflösen kann.

Zur Kontrolle ein Blick zurück auf das Schema (S. 17). Der Tristanroman erzählt zunächst konsequent fortlaufend die Heilbringerrolle Tristans (1; A; 2; B; D) mit der integrierten Brautwerbung für Marke (3; C). Dann gibt die Mutter der Preisgabe Isoldens an die von beiden Partnern nicht gewollte friedestiftende Königsehe den Liebeszauber für die Hochzeitsnacht mit – letztes Requisit aus dem unheilträchtigen Irland. (Der Liebeszaubertrank ist – ein Liebeszaubertrank!) Indem nun Tristan und Isold ihn rein aus Versehen trinken, werden sie einerseits entlastet vom bewußten und willentlichen Ehebruch (so besonders in Eilharts Fassung, als Sekundärmotivation weitergesponnen?). Andrerseits wird ihre Liebes-Partnerschaft schicksalhaft eingesetzt als die einzig legitime (so besonders bei Gottfried). Das neue Thema und die neue Handlung ist der konsequente tragische Weg ihrer illegitim-legitimen Minneehe (4; 5; 6; 7; 8). Von ihm her erhält aber auch die vorangegangene Heilbringer-Brautwerber-Erzählung den Ton der Vorbestimmung. Tristan hatte die zu ihm passende Frau an die Königsbrautwerbung verschenkt – im Struktursinn des Heilbringermärchens. Aber Isold wird durch den Zufall des Liebeszaubers die, als die sie ihm von Anfang an (ohne jedes Liebes-Erwachen vorher!) bestimmt war: Partnerin der tragischen Minnedialektik *edeler herzen*.

Das Nibelungenlied fügt die Heilbringer-Brautwerberrolle des märchenstarken Siegfried intermittierend in seine höfische Brautwerbungsminne mit und später durch Kriemhild ein: teils taucht sie als Vorgeschichte nur im Bericht bei der Ankunft in Worms (1) auf (B, dazu die Nibelungenschätze!), teils wird sie in die erste Brautwerbung Siegfrieds, um Kriemhild, hineingenommen (A; D) oder sogar hinausverlegt bis auf Kriemhilds und Hagens Ende (C); nur zum Teil auch in die Königsbraut-(Brünhild-)Werbung integriert wie bei Tristan, aber mit ausgesprochen burlesken Kraft- und Betrugs- und Angstszenen für Brünhild, Siegfried, Gunther, Hagen (3; 4; 5). Erzählt wird Kriemhilds Biographie: ihre Jugend und höfische Brautwerbungsminne mit Siegfried, ihre Ehe und Siegfrieds Tod (6; 8, 1), ihre Minnetreue über seinen Tod hinaus (7; 8, 2) – als Vordergrunds-Wirklichkeit. Aus dem Hintergrund aber wirkt immerfort Siegfrieds Märchenrolle herein (1; B; A; 2; D; C). Sie verführt die Wormser, auch Kriemhild selbst dazu, konsequent fortlaufend seine Märchenstärke und seine Märchenrequisiten Tarnkappe, Hornhaut und Nibelungenhort als Macht und Besitz zu kalkulieren mit Betrug, Mord und Untergang (A; 3; 4; 5; 6; 8, 1; 7; C; 8, 2: das ist also die 'Handlung' des Nibelungenlieds!). Denn Siegfried hat die zu ihm passende Frau (Brünhild) nicht nur verschenkt wie Tristan, dem sie zu tragischer Minnedialektik wieder zufällt – er hat sie negiert, ihre Einzigartigkeit gebrochen für seine Minne mit Kriemhild. Damit aber ist seine Heilbringerrolle, sind seine Märchenstärke und seine Märchenschätze (und Brünhilds Selbstbestimmung für den Stärksten – ohne jede Vorverlobung!) gerade unter der burlesken Kennmarke schon von Anfang an dialektisch determiniert zum unheilbringenden Sein, an dem seine höfische Minneehe und, mit Kriemhilds verzweifelt vergeblicher Minnetreue, die ganze historisch-politisch-höfische Wirklichkeit (bis in die sogenannten Schneiderstrophen hinein) tragisch zerbricht – als Schein.

4. Thema beider Liebeshandlungen ist die – tragische – Minneehe. Die Anwendung und die Durchführung sind denkbar verschieden.

4.1 Hier ist der Ort, auf die Artusromane des Chrétien de Troyes und seiner deutschen Aneigner Hartmann von Aue und Wolfram von Eschenbach einzugehen – wieder nur mit ganz knappen Andeutungen. Auch im Erec, Yvain-Iwein, Perceval-Parzival ist als Grundstruktur ein allgemeines Mythen- und Märchenschema aufgedeckt worden: Descensus-Ascensus, die Wiederkehr eines Gottes, Heroen, Märchenhelden aus dem Tod, der anderen Welt, der Tierverwandlung usw. (im folgenden: Descensusmärchen). Hier ist die Frau Pol und Partnerin für die Reintegration des Helden, die oft in doppeltem Kursus wiederholt wird.

Auch Chrétien aber überlagert diesem Strukturgerüst die Thematik der Minneehe. Der erste Kursus führt bei ihm ein Minnepaar zueinander zur Ehe und zur Werte-Sanktion durch den Artushof. Der zweite setzt es einem neuen, tieferen und bewußteren Descensus aus; der Ascensus aber führt nun, als Erkenntnisweg, die Minnepartner zu einer dauernden Minneehe und zu einem neuen sozialen Bewußtsein jenseits des Artushofs.

Chrétien harmonisiert also vor dem Hintergrund des selbst schon harmonisierenden Descensusmärchens personale Minneehe und Gesellschaftsrang zur Reintegration in ein höchstes – oder wie beide deutschen Bearbeiter formulieren: ein Gott und der Welt gerecht werdendes – irdisches Heil. Tristanroman und Nibelungenlied dagegen führen vor dem Hintergrund des selbst oft tragischen Heilbringermärchens ihre Minneehen einen zwar ganz verschiedenen

Weg, aber zur gleichen gesellschaftlichen und personalen Desintegration bis in den Tod.

4.2 Die Minneehe ist das zentrale Thema der neuen feudalen Laienliteratur im europäischen 12. Jahrhundert. Was nun Tristanroman und Nibelungenlied von allen sonstigen Diskussionen der Minneehe unterscheidet, ist nicht ihre Heilbringerstruktur: auch Chrétien hat in Lancelot und Perceval, Hartmann im Gregorius, das Descensusmärchen überlagernd, danach gegriffen. Auch nicht ihre Tragik: gerade den Fabeln im Artuskreis, die selbst tragische Aspekte haben, stehen beide ausgesprochen nahe: Tristan wäre ein Lancelot – ohne die Brautwerbung; Kriemhild wäre eine Sigune – ohne die (drei) Brautwerbungen.

Das Brautwerbungsschema mit dem außergewöhnlichen Werbungshelfer scheint im 12. und 13. Jahrhundert nur in Deutschland literarisch produktiv zu sein: vom Rother bis zu Kudrun und Ortnit. Was immer das besagen mag in der europäischen Literatursituation – nur im Tristanroman und im Nibelungenlied wird dieses Schema gestört, gebrochen durch den Kurzschluß zwischen Werbungshelfer und Königsbraut. Von der Signifikanz dieses Schema-Bruchs aus gesehen, ordnen sich die beiden Erzählungen noch einmal anders zueinander und zu ihrer literarischen Umgebung. Das Nibelungenlied bezieht, strukturell und inhaltlich komplexer, den Bruch des Schemas bei der Brautwerbung Gunthers um Brünhild direkt auf eine Brüchigkeit der Brautwerbungsminne Siegfrieds und Kriemhilds in all ihren historisch-politisch-höfischen Aspekten. Es macht aus der märchenhaften Heilbringerrolle Siegfrieds und den Staatsaktionen der Minne im Brautwerbungsschema einen kritischen, tragischen *Staatsroman der Minneehe*. Der Tristanroman benutzt den Bruch im Brautwerbungsschema für eine Zuspitzung der Legitimitäts-Dialektik der Minneehe, wie sie das Mittelalter in dieser strukturellen und inhaltlichen Klarheit sonst nicht kennt. Keiner hat das besser verstanden als Gottfried von Straßburg. Während Eilharts Fassung diese Dialektik auf Märchen und Schwank hin zu vereinfachen scheint, steigert er sie im Struktursinn des Heilbringermärchens bis zur Evangeliums- und Eucharistie-Analogie von Tristans und Isoldens Tod und Leben – wohl doch nicht blasphemisch oder häretisch, sondern skeptisch resigniert über die Transzendenz irdischen Minne-Heils. (Während Wolfram sie für Parzival, Belakane, Sigune wie für Willehalm und Giburg zur religiösen Transzendenz hin öffnen möchte!) Der Tristanroman macht so aus Heilbringermärchen, Brautwerbungsschema und Thematik der Minneehe einen kritischen, tragischen *Gesellschaftsroman der Minneehe*.

5. Zum Schluß meine Hypothese: Tristan und die Nibelungen, zwei Stoffe ganz verschiedener Herkunft und Tradition, geraten spätestens im 12. Jahrhundert in den Sog einer Handlungsstruktur, die aus Heilbringermärchen und Brautwerbungsschema einen ganz spezifischen Konflikt im Dreieck von Brautwerber, Königsbraut und König aufbaut und durchführt bis zum tragischen Ende – um daran das europäische Thema der Minneehe als tragisches, aber unter ganz verschiedenen Aspekten, zu diskutieren.

Dabei bewahrt einerseits jede der beiden Erzählungen die Welt ihrer Herkunft: der Tristanroman die keltische des französischen Artusromans, das

Nibelungenlied die historisch-fürstliche der Helden- und der Brautwerbungs-epen in Deutschland. Das Thema der Minneehe diskutiert der Tristanroman im Sinn der französischen Gesellschafts-Minnetheorie (vgl. z. B. Andreas Capellanus), das Nibelungenlied im Sinn des deutschen Brautwerbungs-Staatsromans. Auch das Heilbringermärchen ist mit jeweils spezifischem Material aufgefüllt: der Tristanroman stilisiert Tristans Heilbringerrolle in aristokratisch-gesellschaftlichen Ambivalenzen, nimmt sie damit direkt in die Diskussion der personalen Legitimität der Minneehe hinein; das Nibelungenlied stilisiert Siegfrieds Heilbringerrolle auf das Märchen hin, in burlesken Ambivalenzen, aber nimmt sie so als unheilvolle Gegenwelt gegen die höfische Wirklichkeit in die Diskussion der Minneehe der Brautwerbungs-Staatsaktion hinein. Sogar Details sind spezifisch aufgefüllt, z. B. die Ablösung ethnischer Unheilsstrukturen durch die exogame Brautwerbung (S. 18).

Andrerseits lassen beide Erzählungen fast gewaltsame Anpassungen ihres Stoffs an das gemeinsame Strukturschema erkennen. Der Tristanroman integriert in seine keltische Welt das für Frankreich fremde (deutsche?) Brautwerbungsschema und anderes mehr. Das Nibelungenlied zwängt die sonst überall nur lose verbundenen Sagenkomplexe um Siegfrieds Jugendtaten, Siegfrieds Tod und Burgundenuntergang in die Zeit- und Motivationsstruktur des Schemas, stellt sie um wie die Jugendtaten, schafft neue wie den Sachsenkrieg oder prägt sie um wie die Siegfried-Burlesken oder die Horterfragung und anderes mehr.

Wie soll man sich dieses Schema als historische *Wirklichkeit* vorstellen? Die genetische Forschung, alle Anstrengungen zur Rekonstruktion der Vorgeschichte der beiden Erzählungen helfen da nicht weiter. Statt der Alternative Monogenese oder Polygenese lassen sich auch Kontaminationen der Struktur hin und her und in mehreren Schichten denken. Wichtiger wäre die historische *Wirksamkeit* solcher Struktur-Experimente: Sie würden sich, wenn die Hypothese trägt, bezeugen als Vehikel einer Reflexion der obersten Laienschicht im 12. Jahrhundert, die mit Hilfe der Signifikanz von Mythen- und Märchentypen ihr soziales und personales Selbstbewußtsein kritisch diskutiert. Aber alle Schlüsse und Perspektiven muß ich einstweilen der produktiven Phantasie des Lesers überlassen.

6. Ich kann aber nicht umhin, einige Stichworte, die ich bisher kommentarlos hingestellt habe, wenigstens mit Andeutungen zu belegen.

6.1 Brautwerbungsschema (S. 15 ff.)

Im Sinn meines terminologischen Versuchs (S. 12) verstehe ich unter Brautwerbungsschema im strengen Sinn die Handlungsparallelen, das Strukturschema der 'gefährlichen Brautwerbung' in deutschen Reimpaarepen des 12./13. Jahrhunderts vom König Rother und den sog. Spielmannsepen bis zu Ortnit und Kudrun: Beratung über eine ebenbürtige Frau für den Fürsten – Rat zur einzigartigen Königstochter über Meer – Ausrüstung und Ausfahrt des Fürsten oder seiner Boten mit Helfern – Ankunftslist – gefährliche Erkennung zwischen Werber und Braut – Entführungslist – Verfolgung – Ehe; die Handlung wird öfter verdoppelt: Verlust der Frau + Schema zum zweitenmal.

Die Kudrun folgt diesem strengsten Schema im Hetel-Hilde-Teil (dabei älteren Sagenstoff umformend?). Sie baut aber ihren gesamten Stoff aus Varianten der Brautwerbung, die von der einfachen politischen Heirat (Sigebant mit der norwegischen Königstochter Uote) über das Greifenmärchen (Hagen mit Hilde von Indien) bis zur Komplizierung mehrerer Werber- und Brautwerbungstypen im Kudrunteil reichen: alle mit so vielen Schemazitaten ausgestattet, daß die Absicht der Variation unüberhörbar ist! Auch die sog. Spielmannsepen zeigen, wie labil das Schema gehandhabt werden konnte.[1]

Dem strengen Schema steht die Tristan-Brautwerbung näher als die Nibelungen-Brautwerbungen, nur leiten die Vorbegegnungen Tristans mit Isold vom Heilbringertyp gleich in die Ehebruchsminne hinüber. Sofern die Kudrun ein Anti-Nibelungenlied sein will[2], dürfen aber auch die drei Brautwerbungsansätze des Nibelungenlieds schon als Schema-Zitate genommen werden: einfache politische Heirat ist Etzels Werbung um Kriemhild; bei Siegfrieds Werbung um Kriemhild wird das Motiv der behüteten Braut (hier nur: 'Haremsatmosphäre') hinübergespielt in Siegfrieds 'hohe Minne' als Zitat im Umkreis der höfischen Vordergrundswelt; am nächsten steht dem Schema die Werbung Gunthers (+ Siegfrieds) um Brünhild (mit dem berühmten 'Neueinsatz' der 6. Aventiure), aber sie bringt die weltliterarische Variante der starken Braut (allgemeiner: Turandot-Typ) ins Spiel: ich sehe das in Zusammenhang mit der burlesken Kennmarke für Siegfrieds Märchen-Heilbringerrolle im Nibelungenlied, die in den nordischen Parallelen weder für Siegfried noch für Brünhild auch nur anklingt (die komplizierten Konglomerate der Thidrekssaga lasse ich hier beiseite).

Ich sehe also in den Brautwerbungen sowohl des Tristanromans wie des Nibelungenlieds Schema-Zitate oder genauer: Schema-Anfangs-Zitate, die einerseits an eine Hörererwartung des strengen deutschen Typs anknüpfen können, andrerseits bewußt Varianten ausformen können zwischen den verschiedenen Brautwerbermärchen-Typen der Weltliteratur, dem deutschen literarischen Typ der Brautwerbungs-Staatsaktion zur Erzielung einer legitimen Herrschaftsfolge und schließlich der hochmittelalterlichen Minnedialektik – wie es ja auch in der Kudrun, aber in nach-hochmittelalterlicher Literatursituation, gemacht ist. 'Beweise' für diese Hypothese lassen sich erbringen, wenigstens für das Nibelungenlied, wenn die Verfügbarkeit über die Stoffe im Umkreis aller überlieferten Parallelen – also der nordischen Nibelungenparallelen, der Dietrich-von-Bern-Fassungen, des Waltharius usw. – genauer auf ihre Motivationen hin eingegrenzt worden ist.[3]

6.11 Daß auch die Horterfragung am Ende des Nibelungenlieds – bei wörtlichem Anklang an die Atlakvida (Akv. Str. 27, NL Str. 2371) – dem Struktursinn der Erkennungsszene zwischen Werbungshelfer und Königsbraut (im Schema S. 17 Punkt C) entsprechen soll (S. 18), ist wohl die stärkste Belastung für das, was ich generell Struktur genannt habe. Ich könnte auch getrost darauf verzichten, um die Wahrscheinlichkeit meiner Hypothese nicht zu gefährden, könnte sogar alle Parallelen der Ferne-Dialektik im zweiten Teil des Nibelungenlieds und im dritten Teil des Tristanromans (Punkt 7 im Schema S. 17) beiseite lassen, weil sie zum Kern der Hypothese nicht erforderlich sind. Aber es liegt mir mehr daran, die strukturellen Operationen, die sich hier der Beobachtung bieten, bis in ihre letzten Möglichkeiten freizulegen. Darum will ich hier wenigstens meine Argumentation explizieren.

Im Brautwerbungsschema wird mit der gefährlichen Erkennung die Stufe inszeniert, auf der nicht nur der werbende König von der Braut erkannt wird, nicht nur er oder der Werbungshelfer sich damit der Braut im gefährlichen Land ausliefert – wie auch sie sich ihm schon durch die Inszenierung der Begegnung –, auf der vielmehr die Legitimation des Königs für die Werbung sich bei der einzigartigen Braut zu ihrer Selbstübergabe bewähren muß. Eben darum braucht die Szene die außergewöhnliche Pracht und List (z. B. Rothers Schuhprobe) oder die außergewöhnlichen Werbungshelfer.

In der Badszene des Tristanromans handelt es sich nun nicht um die Legitimation Markes – die einzige Legitimation der Königsehe, die Friedensstiftung zwischen Irland und Cornwall, ist ja auch nur Tristans Werk. Sondern Isold erkennt an der Schwertscharte Tristan, den Besieger und Mörder ihres Onkels Morolt, des Trägers der irischen Unheilsatmosphäre, erkennt sich als zweimalige Giftärztin Tristans, erkennt aber auch Tristan als den Drachentöter, an den sie als Preis gebunden ist. Daß nun das Schwert in Frauenhand den hilflos Nackten im Badezuber (ein Novellen-Motiv!) nicht treffen darf, wird noch eigens mit dem falschen Prätendenten, dem betrügerischen und völlig 'unpassenden' Truchseß, motiviert. Um so deutlicher ist, daß hier Tristans, nicht Markes Legitimation für Isold gefährlich erprobt und strukturell bestätigt wird – woraus dann das 'Versehen', das Trinken des irischen Hochzeits-Liebesgifts, als wieder rein strukturelle Zusammenführung der Partner sich ergibt. (Daß jede Suche nach erwachender Liebe zwischen Tristan und Isold – psychologischer Roman des 19. Jahrhunderts! – hier fehl am Platz ist, sollte nicht mehr betont werden müssen.) Die Brautwerber-Legitimation der Erkennungsszene des Schemas zielt hier, im Sinn des Heilbringermärchens umgestaltet, schon auf die Legitimitäts-Dialektik der Minneehe im Ehebruch.

Hat nun das Legitimationsproblem der Erkennungsszene auch im Nibelungenlied einen strukturellen Ort? Kriemhilds Weg von der Leidverweigerung des Falkentraums über die *tougen minne* zu Siegfried führt keineswegs direkt in die Minneehe gemäß Siegfrieds Brautwerbung. Das hier sowieso nicht recht ernstgenommene Brautwerbungsschema (auch dieses vielmehr zerrissen in Siegfrieds Kraftburlesken: Länderwette – und seine fast grotesk »hohe« Minne: verfremdetes Zitat aus Minnesang oder Minnenovelle?) wird vor der Stufe der gefährlichen Erkennung gebrochen, abgebrochen durch Siegfrieds Eingehen auf Hagens Kalkulation seiner Märchenrolle, durch das Geschäft mit dem Werbungsbetrug an Brünhild. Das nur ermöglicht die Brautwerbungs-Minneehe Siegfrieds mit Kriemhild. Kriemhild aber ist damit um die (gefährliche) Legitimation ihrer Minne, um ihre freie Selbstübergabe betrogen (die sie, im Sinne der Märchenrolle Siegfrieds, ja auch gar nicht als 'seine' einzigartige Partnerin beanspruchen kann – im Gegensatz zu Brünhild!). Sie bekommt nur eine normale Konsens-Ehe! Als Legitimation bleibt ihr nur der *Besitz* des 'schönsten und stärksten' Helden – was durchaus der älteren Symbolik im Brautwerbungsschema, etwa im Rother, entspricht, hier aber so unheimlich umgedeutet ist wie

Siegfrieds Märchengestalt überhaupt. Mit diesem Besitz, nur scheinbar naiv, leitet Kriemhild dann die *senna* in der Fensterszene ein, aus der sehr bald Siegfrieds Tod durch Hagens Hand folgt.

Nun ist aber die Motivation für diese und die künftigen Aktionen Hagens seltsam unklar, so eindeutig sie auf der Oberfläche erscheint. Vasallentreue zu Gunther, Rache wegen der Beleidigung 'seiner' Königin, Machtmotiv, Hortmotiv, sogar *Suln wir gouche ziehen* (Str. 867): all das ist z. T. unwahr, z. T. nie vorher als Motiv angelegt. Man muß zurückgehen bis auf seine wütende Abwehr, als Kriemhild gerade ihn 'zur Aussteuer' nach Xanten mitnehmen will (Str. 698/9): Hagens Rolle ist es, alles zu kalkulieren, nie aber sich kalkulieren zu lassen (im Gegensatz gerade zu Siegfried). Und so wendet er sich auch weniger gegen Siegfried, vielmehr gegen Kriemhild, die in der Ehe mit Siegfried seiner Kalkulation sich entzieht, die diese Ehe selbst kalkuliert als Besitz und ihn darin einkalkulieren möchte.

Kriemhild ist um die Legitimation ihrer *Minne* betrogen, weil sie Siegfried nie als ebenbürtigen einzigartigen Partner erkennen konnte und durfte, sondern nur als kostbarsten Besitz. Schon Siegfrieds Heilbringer-Märchen-Rolle macht, wie gesagt, die Partnerschaft ungleich und damit 'tragisch'. Darum verzichtet sie dann nach Siegfrieds Tod auf die Reste ihrer Legitimation aus der *Ehe*, auf den Witwenstuhl und den Sohn und Erben in Xanten, darum kettet sie sich an Siegfrieds Totenpflege: als Akt der nachträglichen Legitimation ihrer Minne vor Gott. Hagen wendet ihr den Nibelungenhort zu, um sie mit neuer Macht abzulenken, und nimmt ihn ihr wieder, als er kalkuliert, daß sie diese Macht auch nur zur nachträglichen Legitimation ihrer Minne anwendet. Die EtzelWerbung (für die im Nibelungenlied die sonst untrennbar zu Etzel gehörende Helche sterben muß!) gibt ihr nochmals außerordentliche exotische Macht in die Hände – und sie: *Kriemhilt noch sêre weinet den helt von Nibelunge lant* (Str. 1724). Und der Prozeß gegen Hagen, den sie, vergeblich, erzwingen will (Str. 1739 ff. und *Wie er niht gên ir ûf stuont*: 29. Av.), dient höchstens an der Oberfläche ihrer Rache oder dem Besitz von Siegfrieds Hort und Schwert. Was sie antreibt, nun schon als *vâlandinne* (ab Str. 1748: im Mund Dietrichs von Bern!), ist die vergebliche Suche nach Legitimation ihrer Minne – der Minne, die sich ihr in Besitz verkehren mußte, die sie nur noch in den Besitz der noch vorhandenen Zeichen von Siegfrieds Märchengestalt projizieren, nur noch als solche von Hagen einfordern kann.

So bleibt die Legitimation ihrer Minne, ihre Szene der gefährlichen Erkennung, in der sie für die Legitimation der Brautwerbung Siegfrieds selbst einstehen könnte, aufgeschoben bis ans Ende. Die Hortfrage, die Kriemhild an den gefesselten Hagen stellt, an ihn allein, will dieses ihr Recht auf Siegfried doch noch wenigstens als Anerkennung erzwingen, erzwingen von dem, der es negiert, ihr geraubt hat. Und Hagen kalkuliert auch nur noch dies. Es nutzt Kriemhild nichts, daß sie Gunther beseitigen läßt, es würde ihr auch nichts nützen, Hagen ebenso zu beseitigen, was sie vielleicht könnte – auch, weil sie dann den Hort nicht bekäme, mehr noch, weil sie Hagens Preisgabe als ihre – nur noch subjektive! – Legitimation vor Zeugen braucht. Beide wissen, daß die drei Zeugen, Etzel-Dietrich-Hildebrand, nicht eingreifen können und werden.

Da nun 'sieht' Kriemhild Siegfrieds Schwert an dem gefesselten Hagen und zieht es – so wie Isold Tristans Schwert 'erkannte' und über ihn schwang. Es ist der gleiche Augenblick der gefährlichen Legitimation, aber nicht zwischen den im Struktursinn des Heilbringermärchens einzigartigen *Partnern* wie dort, sondern zwischen den *Erben* eines einzigartigen, aber 'unpassenden' Heilbringer-Partners. Wenn hier das Schwert in Frauenhand den Hilflosen tötet, dann tötet es auch die Legitimation der Minne. Kriemhilds erbärmliches Ende ist schon vorweg besiegelt: sie hat sich, auf dem natürlichen Liebesweg der natürlichen Frau, an den übernatürlichen Gatten gekettet – eine Art tragisch verkehrtes Amor-Psyche-Märchen.

Erlaubt der verschweigende Stil des Nibelungenlieds so weite strukturelle Abstraktionen? Kann der Dichter solch eine Perversion der gefährlichen Erkennung wirklich 'gedacht' haben? Wie verschieden man darauf antworten will – erkennbar scheint mir, daß auch noch auf dieser Gratwanderung eine ganze Reihe von bisher vergeblich umworbenen Interpretationsproblemen des Nibelungenlieds in einem möglicheren Zusammenhang sichtbar wird als bisher.

6.12 Der Kurzschluß zwischen Werbungshelfer und Königsbraut (S. 15 f.) – Motivkern auch in allen altnordischen Texten von Siegfrieds Tod – kommt bei FRIEDMAR GEISSLER zu kurz.[4] GEISSLER führt nur drei Erzählungen an, in denen der Werbungshelfer selbst die Königsbraut bekommt: die Herbort-Hilde-Episode der Thidrekssaga, das KHM 126 »Fernand getrü und Fernand ungetrü« und »Benito, the faithful servant« von den Philippinen. (Tristan wird, zusammen mit Randver-Svanhild [Hdm], nur mit einem Verweis auf FRINGS abgetan, das Nibelungenlied bleibt unerwähnt.) In der ersten wird Thidrek ausgetrickst, in den zwei anderen bringt die Braut den König zu Tod. Auch die Varianten, die bei AARNE-THOMPSON Nr. 531 zusammengestellt sind, bleiben in diesem Umkreis, haben mit dem Kurzschluß in der Parallelstruktur Tristan-Nibelungenlied, mit seiner durchgehaltenen tragischen Konstellation nichts zu tun. Das spricht doch wohl dafür, daß dieser Kurzschluß – zusammen mit dem extremen strukturellen Einrasten der Paare Tristan-Isold wie Siegfried-Brünhild – hier ausdrücklich dem Struktursinn des Heilbringermärchens zugeordnet ist.

6.13 Das betrifft auch die vielleicht berühmteste aber schwierigste Parallelszene, die ich bisher ganz beiseite gelassen habe, weil ihre Erörterung direkt in die entstehungsgeschichtlichen Fragenkomplexe hineinführt: das keusche Beilager von Werbungshelfer und Königsbraut mit dem Schwert des Helfers zwischen sich (im Schema S. 17 Punkt [E]). Im Tristanroman motiviert sie das Ende des Waldlebens. Mag sie da der Rechtssymbolik von Schwertertausch und Handschuhgabe dienen und so die Rückkehr des Paares aus der Wildnis an Markes Hof ermöglichen, wie HANS-FRIEDRICH ROSENFELD[5] meint – die Herbeiführung dieser Situation durch das »Schwert zwischen uns« kann in Eilharts Fassung nur als unerklärlicher Brauch, vielleicht als *gess*, als Zauberbedingung für den Schlaf des so oft vereinten Paares, verstanden werden. Im Nibelungenlied gibt es die Szene nicht, an ihrer Stelle stehen die Burlesken in Gunthers Hochzeitskammer.[6] Es gibt sie aber in der altnordischen Parallelliteratur (Grsp. 41, Brót 20, Skamma 4; 68, Skaldskpm. 8) – und hier mit klarster Motivierung: Siegfried – der ja auch im Nibelungenlied auf kuriose Weise Brünhilds Jungfrauenschaft nicht selbst 'nimmt' – festigt hier seine Treue zu Gunther durch das konkret und symbolisch trennende Schwert. Das steht hier freilich in labilen Kombinationen mit dem Gestaltentausch zwischen Siegfried und Gunther, der variablen Heroinen-Ausstattung Brünhilds, mit Flammenwall, Märchenschlaf in der Brünne, mit ihrer Vorverlobung mit Siegfried. Heute klingt es wohl nicht mehr zu kühn, all das für sekundäre Motivationen zu halten gegenüber der strukturellen Motivierung des Werbungsbetrugs im Rahmen der Parallelstruktur Tristan/Nibelungenlied. Das »Schwert zwischen uns« aber wird damit nicht relativiert, obgleich es andere Motivierungen verlangt, als sie das Nibelungenlied bietet.

Soll man kombinieren, daß es in einer älteren Tristanfassung einen Tristan gab, der sich mit dem keuschen Beilager noch gegen den Ehebruch wehrte, wie er gegen die zweite Isold sich wehrt (das »kühne Wasser«!), und so aufs neue den Weg zu GERTRUDE SCHOEPPERLES Rekonstruktion öffnen? Dagegen spricht auch die neuerliche Musterung der irischen Parallelen durch JAMES CARNEY.[7] Soll man für das Nibelungenlied eine ältere, vielleicht sehr alte Fassung wenigstens für den Brautwerbungsbetrug, der zu Siegfrieds Tod führt, voraussetzen, in der anstelle der Kennmarken der Siegfried-Burlesken noch ein 'echterer' Heilbringer-Brautwerber Siegfried stand? Ich schrecke – einstweilen – vor dem Geschäft prähistorischer Rekonstruktionen zurück (die isländischen Texte sind ja auch erst seit dem 13. Jahrhundert überliefert).

Eine Alternative bietet allerdings Gottfried von Straßburg. Hier ist das Waldleben Tristans und Isoldens zwar auch in unzugängliche Wildnis verbannt, zugleich aber ist es so sehr allegorisch überhöht, daß das Paar, in mystischer *abegescheidenheit-unio* vereint, sich nicht mehr körperlich 'haben' kann. Das Schwert zwischen ihm auf dem Bett-Altar könnte diese Art *unio* 'bedeuten', zugleich die nicht minder komplexe Entdeckung durch Marke und Rückkehr und Trennung einleiten. So intellektualisiert wird man die Szene nicht leicht für eine 'ursprüngliche' Fassung, gar als Vorbild für die Nibelungen-Parallele (nur in Island!) requirieren wollen. Aber die Wege zwischen 'naiver' Märchenstruktur und höchstreflektiertem Strukturbewußtsein im Mittelalter sind uns noch viel zu dunkel, als daß ich für jetzt entstehungsgeschichtliche Hypothesen anzubieten wagte.

Eins scheint mir auch hier vermutbar: daß auch diese Szene, möglicherweise auch aus dem Umkreis des Brautwerbungsschemas (als rechtskräftige Eheschließung durch einen Stellvertreter?), ihre labile Stellung gerade dadurch erhält, daß sie in den Sog des Heilbringermärchens geriet. Andrerseits konnte das Schema mit dem außergewöhnlichen Werbungshelfer erst mit Hilfe des Heilbringermärchens seine Thematik der Fernminne und Minneehe direkt umsetzen in die kritisch-tragischen Dialektiken der Minneehen Tristan-Isold bzw. Kriemhild-Siegfried, die ich als Hypothese angeboten habe.

6.14 Ob und wie das Brautwerbungsschema über die 'Doppelweg'-Struktur auch zum Descensusmärchen sich ordnet, lasse ich hier unerörtert.[8]

6.2 Descensusmärchen (S. 20 f.)

Die Mythen- und Märchenforschung zum Artusepos ist unter diesem Stichwort erst noch neu aufzuarbeiten. Für die Struktur von Chrétiens Tafelrunder-Epen verweise ich auf den Forschungsweg der Arbeiten zum Erec von ERNST SCHEUNEMANN 1937 zu RETO R. BEZZOLA 1947 und meinem Erec-Aufsatz 1948.[9] Auch dem Yvain und dem Perceval gibt das Descensusmärchen die Struktur. Chrétien ist allerdings auch andere Wege gegangen: Schon Lancelot hat Züge des Heilbringers, und im Perceval stülpte Chrétien über die Descensusstruktur konsequent die des Heilbringermärchens: Biographie mit ambivalenter Jugend, Zeichen der Erwähltheit, Befreiung einer Landesherrin, der Gral als zu erlösendes Heilszentrum mit hier ausgesprochen para-christlichen Kultelementen. Wolfram baut das aus bis zum Christen und Heiden, West und Ost versöhnenden kosmischen Heil.

6.3 Heilbringermärchen (S. 18 ff.)

Auch hier gehe ich auf die allgemeine Mythen- und Märchenforschung zum Typ vorerst nicht ein, sondern gebe nur ein paar Hinweise. Die ambivalente Rolle der Frau (S. 18) wird HANS UNTERREITMEIER anhand von Tristanparallelen zur Simson-Erzählung des AT (Jud. 13–16) neu behandeln.[10] Die Unwürdigkeit, Undankbarkeit, Feindschaft von Nutznießern der Taten des Heilbringers (S. 19) ist auch im Märchen dicht belegt (vgl. z. B. nur KHM 20 »Das tapfere Schneiderlein«). Zur Vermittlung des Brautwerbungsschemas ins Heilbringermärchen (S. 18): Die Ablösung der Wirkung ethnischer Unheilsstrukturen, aber verschiedenen Materials, durch die exogame Brautwerbung des Heilbringers für den König (S. 18) kann ich für jetzt nicht weiter verfolgen. Interessant ist jedenfalls beim Nibelungenlied, daß für die Burgunderkönige die meisten Namen auch in historischen Quellen belegt sind: als Genealogie; ihr Brüderkönigtum aber bringen erst die altnordischen wie die deutschen Sagentexte (noch nicht der Waltharius). Zum Verhältnis von Descensus- und Heilbringerstruktur bei Chrétien und Hartmann und Wolfram (S. 20 f.): Das Problem könnte für die Reihenfolge und Beurteilung der Werke Chrétiens wie überhaupt für das europäische Literaturbewußtsein im 12. Jahrhundert fruchtbar werden.

6.4 Minneehe (S. 19 ff.)

Das Stichwort scheint – nach allgemeiner Auffassung bis heute – nur die Epen Chrétiens de Troyes und seines Umkreises zu treffen: hier werden in der (fiktiven) Minne-Handlung in der Tat 'wirkliche' Ehen geschlossen! Den Minnesang aber sieht man im Licht des Dictums bei Andreas Capellanus als Gegensatz: Minne ist in der Ehe unmöglich.[11] Und die Ehen im Brautwerbungsschema hat man lange als direktes Abbild (und Quelle!) deutsch-rechtlicher Ehe-Wirklichkeit verstanden, bis erst ECKART LOERZER das Verhältnis von literarischer fiktionaler Funktion und Außenrealität zurechtgerückt hat.[12]

Man muß aber nur einmal das matter-of-factische Nebeneinander verschiedenster sexueller Partnerschaften samt der Ehe im Frauenbuch Ulrichs von Lichtenstein ernst nehmen, dann wird man das Verhältnis der Liebes-Partnerschaften aller literarischen Fiktionen europäischer Volkssprachen im 12./13. Jahrhundert zur damaligen Außenrealität mit anderen Augen sehen. Für das deutsche Brautwerbungsschema hat MICHAEL CURSCHMANN die Diskussion der Fern-Minne der Brautwerbung im Verhältnis zur legalen Ehe, mit seinen zeit-literarisch typischen Ausweichungen in christlich-asketische Heils-'Rettungen' bis hin zu Wolframs Sigune, überzeugend verfolgt.[13] Für den deutschen Minne-sang hoffe ich bald einmal Studien insbesondere zum Kürenberg-Corpus, zu Reimar und Walther ausführen zu können, die als Voraussetzung für die Diskussion der hohen Minne realisierbare Liebesverhältnisse anvisieren. Und Andreas Capellanus behandelt ja genau diese – man hat sie nur fast immer unreflektiert im Licht der christlich-asketischen, erst im 19. Jahrhundert allge-mein moralisierten Dichotomie von einerseits nur kirchlich/standesamtlich sanktionierter, andrerseits nur illegaler sexueller Partnerschaft absolutiert – als ob es Ehen nur ohne Liebe und Liebe nur ohne Sanktionen gegeben hätte,[14] was schon anthropologisch-ethnologisch auch fürs Mittelalter Unsinn ist.

Ich kann hier nicht auf neuere historische und volkskundliche Forschungen eingehen, die längst bekannte historische Fakten sexueller Rechte und Pflichten, Verbindungen und Freiheiten vor, außer und neben der Ehe neu im sozialen Kontext des Mittelalters sehen. Ich erwähne nur einen berühmten Fall, der sowohl historisch wie in der Reflexion der Beteiligten bezeugt ist: Abaelard und Heloïse.[15] Die 'Pariser Skandalaffäre' von 1118/19: das Liebesverhältnis des adligen Gelehrten Abaelard mit seiner gelehrten Schülerin Heloïse, ihr Kind, ihre legalisierte Ehe, seine Entmannung und beider Rückzug in verschiedene Klöster, hat Abaelard selbst nach Jahren in seiner Historia calamitatum, wozu der spätere Briefwechsel beider kam, artistisch-theologisch-lateinisch kommen-tiert. Wenn nun Heloïse schreibt, sie möchte lieber seine *concubina vel scortum*, seine Kebse oder Dirne, heißen als seine *uxor*, seine Ehefrau, dann sollte man das weder mit dialektischer Psychologie erklären[16], noch mit der neuen Theologie Abaelards[17]: als schroffes Bekenntnis zu intendierter Sünde. Es ist doch dieselbe, nur noch persönlicher zugespitzte Dialektik wie im Tristanroman, die auch mit Abaelards Intentions-Ethik übereinkommt: die selbstverantwortliche Partner-schaft ist absolut, steht jenseits jeder rechtlichen oder religiösen Sanktion der Frauen- und der Gottesliebe, aber 'tragisch' dialektisch mit beiden verflochten.

Zugleich ist hier, im frühesten Lebenszeugnis dieser Minnedialektik, noch eines, was dann später als 'weltliche' Minnedialektik der adligen Laien und als christliche *unio*-Dialektik der Mystik auseinandertritt. Kausalgenetische Ablei-tung des einen aus dem andern, so oder so, wie bis heute immer wieder versucht wird, ist müßig. Denn die eine neue sozial-personal-ethische Bewegung im 12./ 13. Jahrhundert[18] sucht hier nur zwei verschiedene Lebens- und Denk-Wege zu einer neuen Selbstbestimmung: sowohl in immanent-feudalen Kategorien als Lustgewinn irdischer sexueller Partnerschaft, die aber, um Höchstwert und Dauer zu garantieren, den persönlichen Lustverzicht der Partner fordert – als auch in neuen, freien Kategorien christlicher mystischer Theologie, die den absoluten Partner Gott-Christus im Lust-Verzicht der irdischen *unio* zu errei-chen sucht. *Mundi delectatio* (19), die Frau als *summum bonum temporale*, und *regis tanti gaudia* (114 App.: Wien 393), Gott als *summum bonum spirituale*, stellt die von

BERNHARD BISCHOFF neu hergestellte Magdalenenszene des Passionsspiels der Carmina Burana[19] exemplarisch parallel in beiden Bereichen gegeneinander. Abaelard und Heloïse, frühester gelebter und datierter Beleg, leben beide Dialektiken noch ungeteilt und reflektieren sie sogar noch ungeteilt, mit den Mitteln der neuen theologisch-lateinischen Dialektik Abaelards.

6.5 Staatsroman/Gesellschaftsroman (S. 21 f.)

Die Dialektik sexueller Partnerschaft als Minneehe – sich entgegenstellend gegen jede andere literarische Verwirklichungsform, ob rechtlich sanktionierte Eheformen, ob freiere Partnerschaften bis hin zur Sozialdifferenz der Pastourelle oder zur Prostitution – erfüllt die ganze fiktionale Literatur Europas in den Volkssprachen, Erzählung und Lied: als Typ des *Gesellschafts-Liebesromans*, der von der Spätantike bis ins 19. Jahrhundert der Flaubert, Stendhal, Fontane, Tolstoi im 'freien' Adelsmilieu das Thema von Norm und Freiheit, von Kollektivität und Personalität abhandelt – mit Ausnahme *eines* zweiten Typs, den die französischen *chansons de geste* am reinsten repräsentieren. Dieser Typ diskutiert in der Volkssprache seit dem 12. Jahrhundert die Selbstbestimmung des führenden Laienstandes im Sinn einer Rückversicherung am religiösen und irdischen Heil der nationalen Reichsgründung, des Gründer-Herrschers. In Frankreich brauchte diese Versicherung nur um wenige Jahrhunderte in die Karolingerzeit zurückzugreifen. Sie trägt die *chansons de geste*: Herrscherlegitimität, Machtverwicklungen, Loyalitätskonflikte, Prozesse im Umkreis der Herrscher und ihrer Paladine, *enfances*, Ehen, *moniages*, aber die Frau hat keine Rolle. Ich nenne diesen Typ, in Anlehnung an einen vergleichbaren barocken, *Staatsroman*. In Deutschland war die nationale Identität nicht so leicht darzustellen: von der Karlszeit war man durch den tiefen Bruch um 900 abgeschnitten, religiöses Heil wurde durch die lateinische mittelmeerisch-antike Heils- und Papst- und Kaisergeschichte besetzt, die Volksvergangenheit aus der germanischen Völkerwanderung dadurch verdunkelt. Abgesehen von den direkten Rezeptionen aus Frankreich wie dem Rolandslied zeigt sich der reine Staatsroman in Deutschland, außer im Sonderfall Herzog Ernst, erst später und auch mit französischer Überfrachtung vom *chanson de geste*-Typ, z. B. in Dietrichs Flucht und Rabenschlacht.[20] Seine Auffüllung mit Elementen der höfischen Literatur ist demgegenüber nur vordergründig, nimmt z. B. nur allgemeine Züge der Artus-Aventiure-Wunderwelt in heimische lokale Sagenumrisse hinein wie in der sog. märchenhaften Dietrichdichtung. In diesen Typ reicht aber auch der dritte Teil von Wittenwilers Ring hinein, freilich auf sehr komplexe Weise, die hier nicht zu erörtern ist.

Eine Vermittlung der in Frankreich getrennten hochmittelalterlichen Strukturtypen des Staatsromans und des Gesellschaftsromans schon seit dem 12. Jahrhundert, die unter diesen Aspekten merkwürdig originell anmutet, stellen jedoch die deutschen Brautwerbungsschema-Epen dar. Auf ihre labile Vermischung von Brautwerbermärchen, Staatsaktion und Minneehe-Diskussion habe ich oben mehrfach hingewiesen. Ihre geradezu fatal 'romanhafte' Unverbindlichkeit in allen heroischen, historischen, genealogischen, geographischen, legendären, thematischen Aspekten bleibt typisch vom Rother und Oswald bis zur Kudrun. Sie mag sich gerade aus ihren unklaren Vermittlungsversuchen zwischen der Typik des Staatsromans (Heilsversicherung vom Herrscher her) und der des Gesellschafts-Liebesromans (Partnerschaft als Minneehe) erklären.

Unter diesen Perspektiven fällt aber nochmals ein neues Licht auf die einzigartige Struktur und Qualität des Nibelungenlieds, die meine Hypothese zu demonstrieren versuchte. In ihm wird – durch neue Funktionsbesetzung von Stoffen aus alter Erzähltradition – sowohl dieser Typ des Staatsromans wie dieser Typ des Gesellschafts-Liebesromans so direkt, so real ernst genommen wie nirgend sonst im europäischen 12./13. Jahrhundert. Der erste wird gelenkt in die kritisch-tragische Desintegration seiner ganzen historisch-politisch-sozial repräsentativen Weltversicherung; der andere in die kritisch-tragische Desintegration seiner, innerhalb des Brautwerbungsschemas personalisierten, sozial-personalen Selbstbestimmung. Welcherart kritische Distanz zu den strukturellen Voraussetzungen dafür nötig und möglich war, bleibe einstweilen dahingestellt.

Ein Hinweis könnte vielleicht hier noch weiterführen. Das französische (und das deutsche) Rolandslied erscheint nach den Ergebnissen der Forschung bisher als ein – mir bedenklicher – Zwitter in seiner motivierenden Struktur. Einerseits soll es den Gegensatz von Kreuzzugs-Märtyrerbereitschaft Rolands und Verräterei Geneluns durchspielen, andrerseits eine Heroentragik Rolands, die aber einigermaßen pointelos bleibt, weil dann Roland seinen Hornruf doch nur übermütig-trotzig hinausschieben würde. Mir scheint, die durchgehende Struktur ist ein Loyalitätskonflikt unter den Paladinen, der erst im Prozeß gegen Genelun zu seinem Höhepunkt kommt und erst mit dem Gottesurteil des Prozesses gelöst wird[21]: Einem Roland, der draufgängerische Loyalität für Karls Auftrag zur Heiden-Botschaft postuliert, steht gegenüber ein Genelun, der beim Abwägen von Loyalität und Selbsterhaltung bei diesem Auftrag die letztere wählt, dadurch zum Verbündeten der Heiden und Vernichter Rolands wird. Beide Haltungen erscheinen bis zum Ende als sowohl möglich wie kritisierbar – trotz aller stellungnehmenden Formeln und Instanzen vorher. Letzten Endes entscheidet erst ganz zum Schluß das Gottesurteil, daß Rolands Selbstaufopferung richtiger war als Geneluns Selbsterhaltung: im Sinn der nationalen Selbstbestimmung durch den Gründer-Herrscher wie des kreuzzugsgetönten christlichen Heils. Diesem Prozeß im ersten Staatsroman des europäischen 12. Jahrhunderts, der die Frage der national-französischen Selbstbestimmung in doppeltem Sinn positiv beantwortet, könnte das Nibelungenlied antworten: wieder mit einem Prozeß, diesmal über die nationale deutsch-archaisch-heroische Selbstbestimmung. Diese aber erscheint hier nicht nur entleert vom religiösen Heil (als germanisch-heroische?) und aufgefüllt mit dem neueren Kulturgut frühhöfischer Politik, Repräsentation und personal-sozialer Minnethematik. Hagens Aktion gegen Siegfrieds Märchen-Macht und Kriemhilds Prozeß gegen Hagen um den verlorenen Besitz Siegfrieds endet in allgemeiner Destruktion, Desintegration aller Heilsversicherungen – ein negativer, der einzige ganz negative Staatsroman im Mittelalter! Auch hier muß ich alle Schlußfolgerungen aus solcher Beobachtung vorerst auf sich beruhen lassen.

6.6 Reintegration/Desintegration (S. 20 f.)

Ich habe die Begriffe, die in diesem Zusammenhang schon verwendet werden[22], aufgegriffen, obwohl sie soziologische und psychologische Beschreibung mit Tiefenanalysen bedenklich vermischen. Man könnte solche Analysen für den Tristanroman und das Nibelungenlied sogar noch vertiefen, z. B. psychologisch:

Tristan und Isold, schon gleich nach dem Liebestrank Schritt für Schritt erst ihrer Selbstachtung und dann ihrer gesellschaftlichen Achtung entfremdet bis hin zum öffentlichen Ehebruchsprozeß und zur Flucht ins Waldleben, werden nach ihrer Trennung Schritt für Schritt vernichtet durch Doppelgänger, geradezu abgespaltene Schatten ihrer eigenen Minnerolle. Tristans Freund Kehenis/Kaedin, der Bruder der zweiten Isold, ist der Affe, der äffische Nachahmer von Tristans Minne. Beim ersten Besuch Tristans in Cornwall wird er als Auch-Minner durch Isold degradiert (das Schlafkissen!); als Helfer in seinen törichten, hergeholten Minneaffären danach wird Tristan schließlich entstellt zum Narren und erhält die letzte, tödliche Giftwunde. Seine Schwester, die zweite Isold, ist, schon mit ihrem Namen, in Tristans Reflexionen und in ihrer legitimen Ehe mit ihm (das »kühne Wasser«!), ein zwar bescheidener, aber unschuldsvoll-tödlicher Schatten der 'heilenden' Isold: ihre unmotivierte Verwechslung des rettenden weißen Segels mit dem schwarzen läßt Tristan sterben und die wahre Isold.

Im Nibelungenlied sind normale Realität und märchenhafte Schatten durchweg als Schein und Sein vertauscht. Siegfrieds Heilbringerrolle ist Märchen, wirkt nur von außen und meist sogar nur burlesk in seine höfische Rolle hinein. Aber sie löst gerade so die natürlichen Unterlegenheits- und Macht- und Besitzängste ringsum aus, die geradezu in Zwangshandlungen und Zwangsvorstellungen aller normalen Gegenrollen übergehen. Vorangetrieben durch Brünhild, Kriemhild, Hagen, Gunther, die Königsbrüder in einem dunklen Motivationsfeld zwischen Recht und Unrecht, Wahrheit und Lüge, Übermut und Angst, das kunstvoll unklar gehalten wird, 'ereignet' sich Siegfrieds Tod und die Versenkung des Nibelungenhorts im Rhein. Als Prozeß Kriemhilds gegen Hagen, aber vorangetrieben durch eine kunstvoll unklare Kette von Aufreizungen, Morden, Ehrgeiz-, Loyalitäts- und Treue-Konflikten, 'ereignet' sich der Untergang der ganzen Burgunden- und Etzel-Welt.

Entsprechend könnte man soziologische Rollen-Motivationen und Tiefenschichten auch für die sozialen Rollen der Figuren aufdecken, wie es für Chrétien versucht worden ist. Aber es ist gefährlich, sie so auf den Begriff zu bringen. Er verführt dazu, literarische Rollen mit realen Lebensrollen zu verwechseln – ein für beide Bereiche unverzeihlicher, verhängnisvoller methodischer Fehler. Reintegration/Desintegration sollen hier nur als Strukturbeschreibungen literarischer Rollen verstanden werden. Ihre allgemein anthropologische und spezifisch historische Bedeutung ist durch nur als Sprache und Stil gegebene Handlungs-Signale festgelegt. Motivationen unterhalb dieser Textebene sind nicht nur nicht verifizierbar mit welchen statistischen oder psychologischen Methoden auch immer – sie existieren nicht; was existiert, sind allein die 'Sprachspiele' der Rollen. Und für das Bewußtsein der Zeit dürften hierbei andere Motivationserwartungen und -dialektiken im Vordergrund stehen:

Glanz und Untergang, Recht und Unrecht, Sein und Schein, auch: Leidannahme und Leidverweigerung (im Nibelungenlied wie bei Gottfried die *liebeleit*-Formel!), schließlich: Gesellschaftsnorm und personale Selbstbestimmung.

Hier noch ein Wort zur 'Tragik' in beiden Erzählungen. Selbstverständlich verstehe ich sie nicht im Sinn eines psychologischen Pflichtenkonflikts wie in der neueren europäischen Tragödie. Aber auch nicht im Sinn eines Normenkonflikts, wie es vielfach die Forschung, insbesondere zum Tristanroman, tut: Ehre gegen Liebe, Gesellschaftsnorm gegen psychische Wahrhaftigkeit usw. In beiden Erzählungen werden keine Pflichten- oder Normenkonflikte 'gelebt', wird auch nicht die 'höhere' Norm gegen andere Normen demonstriert, sondern es werden an sozusagen 'mythisch'-ungedeutet präsenten Stoffen mittelalterliche Werte-Diskussionen 'ausgelegt'. (Auf dieses Grundprinzip aller mittelalterlichen Literaturen kann ich für jetzt nicht näher eingehen.) Die 'Auslegung' der Minne-Thematik, d. h. der sexuellen Beziehung unter der Dialektik eines *summum bonum temporale*, nenne ich dann 'tragisch', wenn Handlung (Epos) oder Argumentation (Minnesang) nicht auf ein harmonisierendes Leben für den oder die Partner hinauslaufen, sondern auf ihre Selbstaufhebung (Reimar, Morungen) oder ihre Selbstzerstörung (Tristanroman, Nibelungenlied).

6.7 Struktur (Strukturerzählung S. 12, Strukturschema S. 15, Strukturtyp S. 16/18, Strukturgedanke S. 20)

Ich sehe, wie schon gesagt (S. 18), in meinem Zusammenhang weder einen Anlaß noch eine Möglichkeit, die methodisch revolutionierende (zum nicht geringen Teil aber auch modische) Entwicklung des modernen Strukturbegriffs zu erörtern oder meine Hypothese in die gegenwärtigen Strukturalismusdiskussionen einzuordnen. Ich kann hier nur mit ein paar Erklärungen mich abgrenzen.

Für die bisherige Stoff- und Motiv- und Literaturgeschichte des Tristanromans wie des Nibelungenlieds müssen diese Strukturen unbewiesen, ja in vielen Punkten unwahrscheinlich erscheinen. Die kausal-historisch-genetische Bindung der Texte an hypothetische Stoff- und Autor-Realitäten von Vorstufen ist freilich, seit sie Abschied genommen hat von GERTRUDE SCHOEPPERLES und ANDREAS HEUSLERs in sich konsequenten Rekonstruktionen, auch nicht mehr zu einem Konsens gekommen. Und der Konflikt zwischen Monogenese und Polygenese scheint auf ihrem Weg unlösbar. Ich nähre die Überzeugung, aus meinen Strukturbeobachtungen auch einen neuen Vorschlag zur historischen Genese dieser Epen entwickeln zu können, der freilich die anders gesehene Funktionalität der Handlungsführung (z. B. ohne die Annahme genetischer Bruchstellen) neu mit den Zeugnissen, Text- und Motivparallelen zu vermitteln hätte. Das muß einstweilen dem angekündigten Buch[23] überlassen bleiben.

Ich verzichte aber auch auf alle – 'strukturalistisch' impliziierten! – direkten, kausalen Bindungen der hier beobachteten Strukturen als solcher an Außenrealitäten, seien es subjektive oder objektive, generelle oder historische, psychologische oder soziologische, bewußte oder unbewußte usw.[24] In meiner Hypothese sind die Autoren dieser Epen Regisseure vorgegebener literarischer Stoffe in vorgegebenen zeitgenössischen Erzählschematen, die sie aus der Außenrealität nur mit Detailrealismen auffüllen. Der soziologische Ort ihres Erzählens ist die *muoze*: Feierabend, Fest usw. Die in alle Textgestaltungen investierte Hörererwartung ist zunächst einmal jene literarische Spannung durch das Unerwartete im Erwarteten, das Wunderbare im Gewöhnlichen, das Paradoxe im sonst Normalen, auch das Tragische in sonst als lösbar erwarteten Konflikten – dieses doppelbödige Zuhören-Müssen, dem das Schema und die Schemabrüche zusammen 'Bedeutungen' *ansagen* ohne sie *auszusagen*, das vom Märchen bis in den Kriminalroman zum direkten Erzählen gehörte (und in der literarischen Moderne als 'abstrakte Gegenständlichkeit' artistisch neu aktiviert wurde). Auf die Frage, wie sich die programmatischen Äußerungen der mittelalterlichen Autoren in Prologen, Exkursen, Stellungnahmen, Interjektionen, Vorausdeutungen usw. – kurz: in ihrer Erzählerrolle – jeweils auf diese Strukturerwartungen beziehen, kann ich für jetzt nicht eingehen. Jedenfalls läßt sich diese Beziehung fruchtbar machen für neue Interpretationen auch der Erzählerrollen; sie ist nur indirekter zu verstehen als seit der Renaissance. Und jedenfalls wird nur im Funktionszusammenhang dieses Erzählens die Befrachtung der Schemata und Schemabrüche mit generell anthropologischen und historisch zeitbezogenen 'Inhalten' aktiviert.

Denn nur so, aufgrund innerliterarischer *Ansagen*, scheint mir die Beziehung auf Außenrealitäten, scheinen mir ihre inhaltlichen *Aussagen* präzis beobachtbar. Der soziologische Freiraum dieses Erzählens ist hier nicht nur aufgefüllt zu denken mit allen Funktionen folkloristischer, sozialer, politischer, auch religiöser 'Repräsentation' im Mittelalter; er erst setzte auch eine Selbstreflexion der führenden Laienschicht über ihre 'irdische' Werthaftigkeit (*bonum temporale*) frei, die anders noch nicht möglich war. Die investierte Hörererwartung baute Spannungsfelder auf, die auch zwischen Normenkonformität und Normenkritik, zwischen Öffentlichkeit und personaler Situationsethik einen Spielraum eröffneten. Und die Autoren waren Wortführer dieser Werte-Diskussion. Die historischen Fakten selbst, auf die sie sie lenkten, sind uns in den Texten nicht gegeben; die Abstraktionen der Geschichtswissenschaften, die uns diese Fakten vertreten mögen, sind nicht notwendigerweise die Bezugssysteme des in der Literatur investierten Bewußtseins, dieses kann im Gegenteil helfen, sie zu kontrollieren.

Als Operatoren für die hier beobachteten Strukturschemata, Strukturtypen, Strukturgedanken nehme ich also nur solche in Anspruch, die sich aus innertextlichem Bewußtsein erschließen lassen – Bewußtsein nicht nur der Autoren, sondern auch der implizierten Hörererwartung, der Stoffwahl, der Stilhaltung, der Rezeptionsgeschichte usw. Zum Verständnis mag man Analogien zu historisch erschlossenen Systemen heranziehen, historischen, psychologischen, religiösen.[25] Ihre Berechtigung aber muß sich innertextlich bewähren, ihre Beziehung auf Außenrealitäten bleibt Hypothese – Hypothese allerdings eines Bewußtseins, das auch die Außenrealität mit konstituiert: Literatur nicht mehr *in* Geschichte, sondern Literatur *als* Geschichte.

6.8 Diese Anmerkungen können, um es nochmals zu betonen, keineswegs meine Hypothese ergänzen zur umfassenden und mit der reichen Forschung sich

auseinandersetzenden Interpretation der Texte. Sie dienen – einstweilen – nur
dazu, meine Abstraktion von Operatoren der Textgestalt in den gemeinten
Zusammenhang zu stellen. (Nur darum führe ich öfter eigene frühere Arbeiten
an, die diese Absicht erklären helfen.)

Zu danken habe ich für kritische Beiträge zu Vorfassungen MICHAEL
CURSCHMANN, WALTER HAUG, ANTONÍN HRUBÝ, ECKART LOERZER, weiter
den vielen Schülern, Freunden und Kollegen sonst, deren Anregungen ich
erfahren durfte. Sie sehen selbst, was ich von ihnen gelernt habe.[26]

BEMERKUNGEN ZUR REZEPTION DES TRISTAN IM DEUTSCHEN MITTELALTER

EIN BEITRAG ZUR REZEPTIONSDISKUSSION[1]

0. WAS ICH VORBRINGEN MÖCHTE, ist kein Beitrag zur Theorie-Diskussion, auch keine 'Applikation' von Theorie, noch weniger Problemanalyse oder -interpretation rundum – ich möchte es eher eine Fall-Studie nennen. D. h. ich setze zunächst den Tatbestand einfach voraus, daß in den Beobachtungen am konkreten Fall immer Theorie impliziert ist, im Idealfall sogar die Reflexion und Kritik aller möglichen Theorien – daß umgekehrt aber jede Literatur-Theorie nur mit dem konkreten Fall, dem Text, existieren kann.

1. Mein Fall ist der Tristan im deutschen Mittelalter. Sein Vorkommen in drei unterschiedlichen Texten und ihr Verhältnis zu ihrer Wirkung/Rezeption ist die Teilfrage, die ich hier stelle.

1.1 Auf die französischen Tristan-Fassungen einzugehen, die von den deutschen direkt oder indirekt rezipiert wurden, versage ich mir angesichts romanistischer Kenner. Immerhin war auch für sie die Beschäftigung mit dem deutschen Material schon immer dadurch nahegelegt, daß die deutschen Texte verlorene oder nur fragmentarisch überlieferte französische vertreten müssen.

1.2 Die germanistischen Tatsachen referiere ich ganz verkürzt. Der Tristan – was das sein mag, ist eines der Probleme des Falles – erfuhr im deutschen Mittelalter drei verbreitete Text-Realisierungen: erstens die mit dem fraglichen Autornamen Eilhart von Oberg ausgestattete vollständige Reimpaar-Fassung aus dem letzten Drittel des 12. Jahrhunderts; zweitens die Reimpaar-Fassung des historisch unbezeugten, literarisch gut bezeugten »Meisters« Gottfried von Straßburg, nach ca. 20 000 Versen mit dem Anfang des (Eilhartschen) dritten Teils abbrechend; drittens die seit dem Augsburger Druck bei Anton Sorg 1484 bis ins 17. Jahrhundert gedruckte anonyme Prosa.[2]

1.3 Eilhart gehört in den Quellen-Umkreis der französischen Béroul-Fragmente; Gottfried reflektiert ausdrücklich den Vorzug seiner Vorlage, des »Thomas von Britannien«, die französisch nur in Fragmenten vorwiegend des dritten Teils erhalten ist; die Prosa setzt nur den Eilhart-Text in die neue Form um.

2.1 Was nun die Wirkung dieser Fassungen im deutschen Mittelalter betrifft, so kann sie erstens nicht 'lesersoziologisch' durch Leserzahlen oder Auflagenhöhen, interpretierende Leserstimmen, Meinungsstatistiken usw. getestet werden – derlei Material gibt es für das Mittelalter nicht, ganz abgesehen von der methodischen Problematik dieser Art Wirkungssoziologie der Literatur.

2.2 Es gibt aber zweitens seit dem 13. Jahrhundert Stimmen eines Literaten-
bewußtseins von Tristan. Gottfried von Straßburg polemisiert gegen einzelne
Eilhart-Szenen, ohne den Namen zu nennen, rechtfertigt aber, auf sehr hohem
Niveau von 'Stoff'-Reflexion, auch alle anderen Fassungen (V. 135–145). *Gottfried* selbst wird seit dem 13. Jahrhundert vielfach zitiert und kopiert als
literarische Norm, besonders von Rudolf von Ems und Konrad von Würzburg,
seinen vorzeitigen Tod beklagen seine zwei Fortsetzer, Ulrich von Türheim in
der Mitte und Heinrich von Freiberg gegen Ende des 13. Jahrhunderts. Es gibt
aber z. B. keine Gottfried- gegenüber einer Wolfram-'Schule', wie etwa HER-
MANN SCHNEIDER meinte; die für uns wesentliche – aber auch als wechselseitige
Polemik der Autoren vielleicht vergeblich gesuchte – Opposition existiert nicht
für die Zeitgenossen und Nachfahren bis hin zu Ulrich Füetrer, dem bayrischen
Hofdichter und -maler zu Ende des 15. Jahrhunderts. So existiert offenbar auch
kein ausdrückliches Bewußtsein der Differenz zwischen Eilhart und Gottfried.
Die zwei Fortsetzer nehmen Eilhart als Vorlage, eine aus dem 15. Jahrhundert
überlieferte tschechische Übersetzung mischt wohl schon im 13. Jahrhundert
Eilhart- und Gottfried-Teile, die Prosa nennt im Explicit zuerst den »Meister
von Britannie«, was sie doch wohl nur durch Gottfried wissen kann, dazu
»einen mit Namen Filhart von Oberet«, d. i. ihre Textvorlage Eilhart, als 'die'
Tristan-Autoren. – Ich komme auf diese Fakten zurück.

2.3 Ein drittes Wirkungs-Indiz gerade für den Tristan sind die zahlreichen
Überreste einer kunstgewerblichen Tristan-Ikonographie;[3] sie bezeugen, ähnlich der Artus-, der Dietrich-von-Bern-, der Roland-Ikonographie, die durch
ganz Europa ausgebreitete Faszination vor allem einzelner Szenen (z. B. Baum-
garten-Brunnen), die aber, vielleicht wegen der breiten Ikonologie derartiger
Szenen, zum großen Teil textfern bleiben, jedenfalls kaum je bestimmte Textfassungen direkt spiegeln (die Wienhäuser Tristan-Teppiche!). Aber gerade so
bezeugen sie eine bezeichnend weite Gebrauchs- und Verbrauchs-Sphäre 'des'
Tristan (z. B. auf einem Prunktablett für eine Wöchnerin)!

2.4 Es bleibt schließlich viertens das Hauptinstrument einer Wirkungs- und
Rezeptionsgeschichte für den Mediävisten: die Überlieferungsgeschichte.

2.41 Hier scheinen – schienen wenigstens – in Deutschland die Fakten klar zu
reden, so verwirrend sie für Frankreich sind. (Ich vereinfache auf eine an sich
natürlich unerlaubte Weise.) Von *Eilharts* Tristrant gibt es aus der Entstehungszeit nur noch Fragmente von drei im 15. Jahrhundert zerschnittenen Handschriften; den ganzen Text überliefert nur eine Bearbeitung, vielleicht des 13. Jahrhunderts, in zweieinhalb Handschriften des 15. Jahrhunderts; dazu lassen sich
erschließen etwa vier weitere Eilhart-Texte im 13. Jahrhundert: für die zwei
Gottfried-Fortsetzer, für die tschechischen Übersetzer, wohl auch für die Prosa.
Von *Gottfrieds* Tristan haben wir dagegen noch 11 vollständige Handschriften
vom 13. bis zum 15. Jahrhundert, dazu 15 Fragmente, von denen einige noch
vor den frühesten Voll-Handschriften liegen; dann bricht die Überlieferung ab.
Die *Prosa* ist seit dem Augsburger Druck 1484 in weiteren 14 Drucken bis 1664
belegt.

2.42 Die Schlüsse, die man vor dem Hintergrund der traditionellen literatur-
geschichtlichen Wertungen daraus zu ziehen hatte, waren klar: Eilharts noch

'frühhöfisch-roher' Entwurf verblaßte vor Gottfrieds 'klassisch-höfischem' Fragment; daß man gleich im 13. Jahrhundert für die Fortsetzungen doch nur auf Eilhart kam, lag an dem 'epigonalen' Qualitätsbewußtseins-Verlust; im 15. Jahrhundert läßt die 'rohe Stofflichkeit' des Zeitalters den Prosabearbeiter auch nur zu Eilhart greifen. (Ich simplifiziere auch hier.)

2.43 Differenziertere überlieferungs-typologische Analysen bringen jedoch ein ganz anderes Bild hervor.

2.431 Eilharts Tristrant teilt den Überlieferungstyp – nur Fragmente aus dem 12., vollständig nur, bearbeitet, in Handschriften meist des 15. Jahrhunderts überliefert – mit der ganzen zeitgenössischen Gruppe aus Historien (Kaiserchronik, Alexander), *chanson de geste*-Typen (Roland, Herzog Ernst), Brautwerbungsepen (Rother fast nur früh, Oswald, Orendel, Salman und Morolf nur spät überliefert), sogar geistlicher Erzählung (Wernhers Maria, noch Veldekes Servatius).[4] Ursache dieses übergreifenden Überlieferungstyps kann kaum die pauschale geistesgeschichtliche oder ästhetische Differenz 'frühhöfischer' Literatur zu den epischen »Meistern« der folgenden Generation sein, noch weniger die spezifische Differenz zwischen Eilhart – mit seinen fast märchenartig unreflektierbaren Serien der Tristrant-Handlung, samt seinem stilistischen Manierismus (die Stichomythien usw.) – und Gottfried von Straßburg mit seinem hohen Reflexionsniveau.

2.432 Gottfrieds Tristan teilt seine normativ-autonome Erhaltung und relativ breite und lange Überlieferung mit Hartmanns Iwein und Wolframs Werken. Die ältesten vollständigen Parzival- und Tristan-Handschriften gehen sogar, nach RANKES allerdings fraglicher Hypothese,[5] auf eine gemeinsame Redaktion (und Malschule) in einem elsässischen Zentrum zurück, jedenfalls auf eine gemeinsame Literaturszene, getragen von einem neuen Typ von Literaten, wie ihn auch die Literaturkataloge Rudolfs von Ems bezeugen. Daß die beiden Gottfried-Fortsetzer auf Eilhart zurückgreifen, folgt wieder aus dieser allgemeinen Literaturszene: die direkteste (dritte) Rezeptionswelle aus Frankreich bei Hartmann von Aue, Wolfram, Gottfried und im Minnesang, bricht plötzlich ab, sie wird überall ersetzt durch Rückgriffe auf Werke (z. B. Konrads Roland – Strickers Karl), Stoffe und Typen der vorvorigen Generation, schon Gottfrieds Tristan selbst wie Wolframs Willehalm greifen ja auf diese Stoffe und Typen zurück! Schließlich: in allen vollständigen Handschriften bis auf W steht Gottfrieds Tristan zusammen mit einem Text der beiden Fortsetzer oder der Eilhart-Fassung selbst (Hs. P); schon die frühe Gottfried-Überlieferung ist also nicht interessiert an seinem autonomen, normativen, durchreflektierten Fragment selbst oder gar allein, sondern an der 'ganzen Geschichte' – das ist der gleiche Zug zur 'Summe', den ich auch für die volkssprachliche religiöse, rechtliche, weltliche Neu-Produktion des 13. Jahrhunderts herauszuarbeiten versucht habe.[6] Daß und wie diese neue Literatur- und Literatenszene auch mit Veränderungen in ihrem Publikum zusammenhängt, darauf kann ich hier nicht eingehen; jedenfalls handelt es sich nicht um eine allgemeine Verbreiterung des früheren Adelspublikums höfischer Epik etwa ins Bürgerliche, sondern weit mehr um eine neue Rolle gerade fürstlicher und hochadliger Zentren (z. T.

Prachthandschriften!), die überlieferungsgeschichtlich noch weiter differenziert werden kann.

2.433 Die Druckprosa setzt die frühe Ambivalenz, die Eilhart der Ehebruchs-Liebesgeschichte mitgab, ganz ins Pragmatische und Praktische um. Leseranreden und Erzählerkommentare betonen den »Adel« und die »Wahrheit« des Liebeszwangs und verurteilen die »Neider«, warnen aber im Explicit vor den Folgen für jedermann, wenn *weltlich lieb . . . so gar überhand näm dz jr damit der lieb gottes vergessent*. Sie variiert damit jedoch nur, was die Rezeptions-Vorgaben aller Drucke aller Gattungen und Typen im 15. Jahrhundert sagen.

3. Tristan-Rezeption im deutschen Mittelalter: nicht geistesgeschichtliche Stimmungswandlungen oder soziale Prozesse, aber auch nicht die spezifischen Qualitäten oder Strukturen der einzelnen Fassungen, auch nicht stoff- oder gattungsbestimmte Erwartungshorizonte und Horizontverschiebungen scheinen sie zu bestimmen, sondern geradezu textferne Veränderungen der allgemeinen Literaturszene, der generellen Interaktionen zwischen Schrift-Literatur der Volkssprache und Publikum.

3.1 Das bringt einen Erwartungshorizont, eine Rezeptionssoziologie volkssprachlicher Schriftliteratur im Mittelalter ins Spiel, die noch immer nicht genügend kalkuliert wird. Statt, wie es Mode ist, auf Historiker-Abstraktionen spezieller mittelalterlicher 'Geistes'- oder Sozialstrukturen und -prozesse oder auf generelle Struktur-Mechaniken zu starren, muß man zuerst einmal die generelle Kulturfunktion der Volkssprachen im Mittelalter und ihr Verhältnis zur Schriftkultur sehen.

3.2 Zögernd und noch ganz innerhalb der Isolierung der lateinisch-klerikalen Schriftkultur mit ihrem spätantiken Erbe, kommen volkssprachliche Texte aufs Pergament, zuerst im angelsächsischen England, dann im karolingischen Deutschland, langsamer in Frankreich. Auf die historischen Bedingungen brauche ich hier nicht einzugehen.

3.3 Erst im 12. Jahrhundert und bald vorbildlich in Frankreich kommt eine neue Literaturszene für die Sprache der Laien auf. In unserem Fall: Im späten 12. Jahrhundert, und schon zusammen mit einer zweiten Welle französischer Rezeption in Deutschland – die erste brachte z. B. den Alexanderroman, die zweite schon die Minne, z. B. auch Floyris und Blanscheflur – findet der Tristan Interessenten, d. h. Übersetzer, einen literarisch-manieristisch ehrgeizigen Bearbeiter und die Auftraggeber, die die Produktion und die Reproduktion in Abschriften bis ins 13. Jahrhundert finanzieren. Noch bleiben sie meist anonym – wenn vielleicht vor 1186 ein Graf von Andechs vom Abt von Tegernsee in einem Brief *libellum teutonicum de herzogen Ernsten* zur Abschrift erbittet, so ist das ein zwar vielsagendes, aber vereinzeltes und problematisches Zeugnis.[7] Volkssprachliche 'Romane' zeigen jedenfalls noch nicht den festen Platz in der Unterhaltungs- und Zeremonial-Sphäre ihres Adelspublikums, den dann z. B. Wolfram von Eschenbach so ausdrücklich in die seinen hineinkomponiert. Daß aber die Eilhart-Handschriften des 12. und 13. Jahrhunderts verschwunden sind oder im 15. Jahrhundert zu Makulatur zerschnitten wurden, mag auch am seither gewachsenen Unverständnis für ihre Sprache und Form liegen, eher noch an ihrer nicht mehr repräsentativen Ausstattung bei kostbar gewordenem Pergament-Material – jedenfalls hat es nicht die Flut von neuen Handschriften und Drucken im 15. Jahrhundert auch für diese Textgruppen aus dem 12. Jahrhundert in Vers- und Prosa-Bearbeitungen gehindert.

3.4 Die generelle, alle spezifischen Unterschiede einebnende Durchsetzung der Norm der »Meister« um 1200 dagegen ist das Ergebnis erst eines neuen, ihnen folgenden Literatur- und Literaten-Bewußtseins und -Betriebs im 13. Jahrhundert, dessen komplexe Orientierung an den »Meistern« man nur ganz oberflächlich epigonal nennen konnte. Vielmehr haben jetzt die Laiensprachen generell und, früher oder später, überall in Europa, poetisch wie praktisch und pragmatisch, als Schrift-Literatursprachen sich durchgesetzt, noch nicht dominierend gegenüber dem Latein wie dann zu Ende des Mittelalters und in der Neuzeit, aber doch schon zu einem veränderten Bewußtsein ihrer Funktion. Gerade die später ins Unabsehbare wachsende Funktionsbreite der Fiktions-Literatur, in Deutschland merkwürdigerweise auch weiter vorwiegend in poetischen Formen, als vitale Lebenssteigerung, als religiöse, soziale und praktische Lebenshilfe und als kritische Lebensorientierung, wird jetzt angelegt. Was hier Rezeption heißen soll, muß zunächst im Rahmen dieser neuen Interaktion zwischen deutschen Schriftliteraten und Publikum seit dem 13. Jahrhundert aufgesucht werden.

3.5 Über Literaturbetrieb und -bewußtsein im frühen Buchdruckzeitalter brauche ich für jetzt nicht mehr zu philosophieren – jeder hat seine Vorstellung davon.

4. Die Tristan-Rezeptionsgeschichte im deutschen Mittelalter scheint sich also aufzulösen in eine allgemeine Sozialgeschichte der volkssprachlichen Literatur – die freilich neu zu schreiben wäre. Und doch hat das etwas Unbefriedigendes. Soll das Außerordentliche, der weltliterarische Rang und Reiz sowohl der Tristan-Konzeption überhaupt wie speziell der Tristan-Reflexion Gottfrieds von Straßburg ohne jeden Einfluß auf die Rezeption in Deutschland geblieben sein? Damit stellt sich die Frage noch einmal anders und neu: was ist eigentlich 'der' Tristan? Genauer: welche Rezeptionsvorgaben, allgemeiner: welcher 'Motor' in ihm vermittelt die generellen mit den spezifischen Aspekten seiner deutschen Rezeption?

4.1 Hier muß ich eine Hypothese ins Spiel bringen, die WOLFGANG MOHR und mir, ohne Wissen voneinander, wie wir jetzt feststellten, vor einigen Jahren gekommen ist.[8] Ihren Kern, die strukturellen und vielleicht auch genetischen Zusammenhänge zwischen Tristan und Nibelungenlied, brauche ich hier nicht zu diskutieren. Es kommt nur auf einen Teilaspekt an: die Rolle der Brautwerbungsfabel im Tristan (s. oben mein Schema S. 17). Diese weltliterarische Erzähleinheit scheint im 12. Jahrhundert Europas nur in Deutschland literarisch produktiv geworden zu sein, und zwar in einer charakteristischen Schema-Verfestigung, vom Rother und den, jedenfalls als Konzeption auch ins 12. Jahrhundert gehörenden, 'Legenden'-Varianten Oswald, Orendel und Salman und Morolf über das Nibelungenlied bis hin zur Kudrun: Einem *rîchen* Fürsten fehlt eine ebenbürtige Frau zur Sicherung legitimer Nachfolge; nur in der Ferne, im gefährlichen Land über Meer, gibt es eine Einzigartige; Werbungshelfer und der Fürst selber erlangen durch Listen ihre Zustimmung, sie fährt mit über Meer und wird die Fürstin (kann in doppeltem Kursus wiederholt werden). In Frankreich sehe ich keine Parallelen – vielleicht werde ich belehrt. Im Tristan – und im Nibelungenlied – erfährt nun dieses Schema eine charakteristische und, soweit ich sehe, weltliterarisch sonst nicht belegte Wendung: aus der Brautwerbung des Fürsten wird eine dauernde und tragisch endende Dreiecksbeziehung zwischen dem hier einzigartigen Werbungshelfer, der einzigartigen Königin und dem hier 'unpassenden' Fürsten.

4.2 Das Brautwerbungs-Schema als solches will, so scheint mir, im deutschen 12. Jahrhundert die zwei literarischen Gattungs- und Struktur-Typen vermitteln, allerdings in sehr massiver Manier, die im Frankreich des 12. Jahrhunderts getrennt sich entfalten: den 'Staatsroman' im Typ der *chansons de geste* – und den 'Gesellschafts-Liebesroman' im Typ der *matière de Bretagne* und auch der Tristan-Quellen. Das meint: das 'Heil' der Staats-Gefolgschaft durch die legitime Herrschaftsfolge und das 'Heil' der Gesellschafts-Mitglieder durch die Fern- und »hohe« Minne ist hier in *ein* Schema gekoppelt. An beiden aber übt die tragische Dreieckskonstellation im Tristan wie im Nibelungenlied Kritik: im Nibelungenlied Kritik vorwiegend an einem Volks- und Staats-Mythos, der nicht wie der französische Karls-Mythos zugleich national und christlich abgesichert werden konnte – im Tristan Kritik vorwiegend an einer frühen, ganz direkten gesellschaftlichen Liebes-Anthropologie, die danach erst Chrétien de Troyes auf verschiedenen Wegen sozial und religiös zu harmonisieren versuchte.

4.3 Gerade die Wertediskussion eines *irdischen* religiösen und Staats- und Minne-Heils von und vor Laien in ihrer Sprache ist nun der innere Motor, der auch die äußeren, kulturhistorischen Veränderungen der volkssprachlichen Literaturszene seit dem 12. Jahrhundert vorantreibt. Im deutschen 12. Jahrhundert – anders wohl als im französischen – liegen die schriftstellerischen Experimente dieser Laien-Diskussion noch wie Inseln im Strom der Seelsorge- und Wissens-Literatur von Klerikern in der Volkssprache seit der Karolingerzeit. Sie teilen noch deren zeitgenössische überlieferungstypologische Situation (was hier nicht expliziert werden kann). Der Laien-Impuls ist allerdings wohl schon ebenso stark wie in Frankreich, wenn auch provinzieller, und die literarischen Beziehungen mit Frankreich dürfen wohl nicht mehr so einseitig gesehen werden wie bisher. Dann, seit ca. 1180, setzen, immer noch aus der Mündlichkeit der Laienkultur heraus, deutsche Literatur-»Meister« – das ist das zeitgenössische Stichwort für Gottfried von Straßburg wie für Walther von der Vogelweide! – mit der direkten Rezeption Chrétiens und der französischen Liedkunst und alsbald auch mit ihrer Kritik einen neuen Standard dieser Laien-Reflexion. Und dieser Standard schlägt gleich mit der folgenden Literatengeneration um in das neue Bewußtsein einer eigenen Literaturszene, einer neuen sozialen Funktion volkssprachlicher fiktionaler Literatur und in eine neue Breite volkssprachlicher Schriftliteratur überhaupt.

4.4 Diese Diskussion geht natürlich nicht explizit mit ihrem – von uns erst abstrahierten – 'Sinn' um, sondern, entsprechend dem Bewußtsein und den

Aufführungs-Situationen ihrer mündlichen Kultur, quasi-mythisch, in Märchen-Strukturen – wie ich es hier, abgekürzt und sehr simplifizierend, einmal nennen möchte. Der Wirkungs- und Rezeptions-Mechanismus ist im Vordergrund der bekannte jedes seriellen Erzähl-Schemas: Erwartung, Erfüllung, Variation, Brechung. Der soziale Ort ist die von Herrschaft, Arbeit und Beruf entlastete 'Freizeit', die aber im Mittelalter ein geradezu zeremonieller Freiraum für repräsentative Selbstverwirklichung ist (die Spielleute geben *êre umbe guot*!). Nur dieser soziale Freiheitsraum aber erlaubt auch die kritische Reflexion der sozialen Zwänge des Mittelalters, zunächst beim Adel, in den literarischen Werken höchster Qualität. (Ähnlich wie im Gesellschafts-Liebesroman des 19. Jahrhunderts der Adel als Freiheitsraum für die Probleme psychologischer Selbstbestimmung fungiert: Stendhal, Anna Karenina, Fontane!)

4.5 In diese Bewußtseins- und Aufführungs-Situation hinein geben die literarischen 'Unterhalter' den seriellen Schematen auch all die zeitgenössischen oder bewußt archaisierenden (z. B. Nibelungenlied, Tristan) Detail-Realismen mit, ihre Detail-Reflexionen und -Kritiken, ihre Gemeinde-bildenden Appelle (Chrétiens parlando, Wolframs Anspielungen, Gottfrieds *edele herzen*), die ihren historischen Ort und Rang ausmachen. Aber auch Gottfrieds von Straßburg höchstbewußte Gegenwarts-Reflexion zielt nicht direkt auf den Sinn der Geschichte, sondern verstärkt gerade ihre mythische Ambivalenz, mit bewußten Anspielungen auf antike (Apoll und die Kamenen) und christliche (eucharistische) Heils-Analogien, mit bewußter Ausweitung in die Extreme einerseits einer geschlechtlichen *unio mystica* in *abegescheidenheit* (Waldleben), andrerseits einer zerstörenden Selbstentfremdung durch die sexuelle Bindung (seit dem Mordplan Isoldes gegen Brangäne [bis zur *folie Tristan*]). Auch hier muß ich auf jede Differenzierung verzichten.

4.6 Schließlich: Im Rahmen dieser inhaltlich quasi-mythischen und formal seriellen Diskussion von Vorerwartungen entfalten sich auch die verschiedenen epischen Struktur-Konzepte. Chrétiens Lösungen erfordern ein geradezu duales System von 'Versuchen', im ganzen als doppelter Kursus, im einzelnen als 'Gerüst' mit je einer Episoden-Wiederkehr (vgl. bes. Erec), weil Chrétien gerade so Mißlingen und Gelingen der sozialen (und religiösen) Harmonisierung von Personalität und kollektiver Gesellschaft durchspielen kann. Das Brautwerbungsschema organisiert sich als heroisch-dramatische Szenenfolge wie in den *chansons de geste*, wie auch im Nibelungenlied; auch Wolframs Willehalm greift zurück mit seinen großen Szenenblöcken. Der Tristan aber versetzt das Schema noch um eine literarische Schicht tiefer: in die Erzähl-Situation von Zyklen aus Schwankserien-Pointen, um die statischere – und tragische – Konstellation des Ehebruchs-Dreiecks durchzuspielen. Zwei Irland-Fahrten Tristans im Brautwerbungsschema, dann die Ehebruch-Serien des zweiten und die Besuchs-Serien Tristans im dritten Teil verkörpern – z. T. im Dreischritt von 'Versuchen' – die Dialektik zwischen der illegitim-*legitimen* Tristan-Isolde-Minne und den legitim-*illegitimen* Ehen Isoldens und dann auch Tristans.

5. Wenn ich zum Schluß versuche, eine Art Rezeptions-Rezept des Tristan im deutschen Mittelalter zu abstrahieren, so unter all den zu Anfang angedeute-

ten Vorbehalten. Und der Versuch müßte selbstverständlich durch die Präsenz der gesamten Überlieferung abgesichert werden.

5.1 Rezeptionsbegriff. Rezeption der drei Tristantexte im Mittelalter heißt *Überlieferung*: im weitesten Sinn ihres 'Leser'-(Literaten-)Verständnisses und des ikonographischen Gebrauchs wie im engeren Sinn ihrer – kombinierten! – Text-Überlieferungsgeschichten.

5.2 Werkbegriff. Die drei Textfassungen – obgleich jede einmal und insofern endgültig als Sprache fixiert! – konstituieren sich nach Struktur und Stil, verstehen sich und werden rezipierend verstanden als *Vollzug*: als 'Inszenierung' eines seriellen Musters. Insofern realisiert auch ihre literarisch abgelöste schriftliche Überlieferung je neu Konzeption, Produktion und Rezeption des Musters in *einem* 'Akt'. Die Differenzen der drei Fassungen verstehen sich und werden verstanden (Gottfried V. 135 ff.!) als Realisierungsprojekt-Differenzen des Musters.

5.3 Literaturbegriff. Der Motor solcher 'Diskussion' in der Volkssprache ist das Problem eines irdischen 'Heils' für die Laien. Es ist der 'Sinn' der volkssprachlichen Fiktionsliteratur als sozial freigesetzter (was zunächst nur beim Adel möglich war), quasi-mythischer 'Gesellschaftsbeschäftigung'. Die aktuellen Situationen und Prozesse – religiös-politisch-sozial-ökonomisch usw. – kommen nur als 'Detail-Realismen' in die prinzipielle Laien-Diskussion, wie die literarischen Techniken und Traditionen nur als 'Detail-Manierismen' in die prinzipiell Zuhörer-bezogene Sprachgestalt.

5.4 Literaturszene. Die *stufenweise Durchsetzung* dieses Werk- und Literaturbegriffs der Laienwelt und damit seine schriftliterarische Ablösung machen den Wandel der Literaturszenen in Europa seit dem 12. Jahrhundert aus. Die europäischen literarischen Beziehungen können dann nicht mehr im Sinn isolierter 'Quellen'- und 'Einfluß'-Rezeptionen verstanden werden, sondern nur als Interaktionen zwischen den Literaturszenen.

6. Was soll die Demonstration? Sind ihre Kategorien auch sonst verwendbar? Verbinden sie Werk-Konzept und Werk-Rezeption? Verbinden sie beides mit dem gesellschaftlichen Auftrag von Literatur? Sind sie historisch übertragbar – auf die Neuzeit, die Gegenwart? Sind sie systematisierbar? Kurz – was ist die Moral von der Geschicht? Ich überlasse sie der Theorie- und Terminologie-Diskussion von heute – und morgen.[9]

WOLFRAMS FRAUENLOB

DIE SOGENANNTE SELBSTVERTEIDIGUNG WOLFRAMS (Parz. 114,5–116,4), schon von LACHMANN aus dem Erzählzusammenhang zwischen seinen Büchern II und III herausgestellt und für ihren Ort bezweifelt, ist viel diskutiert worden sowohl bezüglich ihrer ursprünglichen Stellung wie besonders in letzter Zeit wegen Wolframs Äußerungen zu seiner Person und seiner ʻLiterarizität': *ine kan decheinen buochstap* usw. WOLFGANG MOHR mag es unserer alten Freundschaft zugute halten, daß ich hier einen Einfall zur Lektüre der Stelle *âne der buoche stiure* vorbringe, d. h. ohne mich mit der alten und neuen Forschung dazu, vor allem mit vielen in meine Richtung zielenden Hinweisen so auseinanderzusetzen, wie sie es verdienten[1].

> *Swer nu wîben sprichet baz,*
> *deiswâr daz lâz ich âne haz:*
> *ich vriesche gerne ir freude breit.* (114, 5–7)

Wenn Wolfram einsetzt: *Swer nu wîben sprichet baz*, so bezieht er mit *nu* = jetzt (und hier), d. h. in diesem Zusammenhang seiner Erzählung, den ʻEinschub' auf unmittelbar vorher Erzähltes. Läßt man ihn an seiner Stelle, wo ihn die Handschriften haben, dann geht voran die fast psychopathische Reaktion der Herzeloyde auf die Nachricht vom Tod Gahmurets und auf die Geburt ihres Sohnes Parzival zugleich (105,1–114,4). Mit *Swer . . . wîben sprichet baz* bezieht der Autor sich auf andere, die Frauen »Besseres zusprechen«. Das *bonum dicere*, die Huldigung für die Frau als irdisches *summum bonum*, ist geradezu Formel im Minnesang (vgl. Reimar MF 159, 1!), während es in der Artusepik mehr in die Handlungsstruktur integriert wird. Wolfram erklärt, daß er mit anderen darin nicht konkurrieren will (*deiswâr daz lâz ich âne haz*), sondern bereitwillig jede Art anerkennt, die die »Freude« der Frauen (die sie haben, oder die sie bewirken?) ausbreitet.

> *wan einer bin ich unbereit*
> *dienstlîcher triuwe:*
> *mîn zorn ist immer niuwe*
> *gein ir, sît ich se an wanke sach.*
> *ich bin Wolfram von Eschenbach,*
> *unt kan ein teil mit sange,*
> *unt bin ein habendiu zange*
> *mînen zorn gein einem wîbe:*

> *diu hât mîme lîbe*
> *erboten solhe missetât,*
> *ine hân si hazzens keinen rât.*
> *dar umb hân ich der andern haz.*
> *ôwê war umbe tuont si daz?* (114, 8–20)

Die nun folgende Ausnahme, die Invektive gegen »eine« (bestimmte) Frau, wird heute niemand mehr real persönlich verstehen wollen – sie meint eine 'Kunstfigur'. Ob aber als Allegorie eines Hofes, eines Fürsten[2], ob auf die Isold von Gottfrieds Tristan gezielt[3], ob auf eine Figur oder Situation sonst in Wolframs literarischem Umkreis, bleibt nicht nur allgemein hypothetisch. Wenn Wolfram in diesem Zusammenhang so betont herausstellt: *Ich bin Wolfram von Eschenbach, / unt kan ein teil mit sange*, so bezieht er sich, wie schon in dem vorausgehenden Vergleich, auf den »Sang«, das Frauenlob der Minnesänger, und auf seine eigene Kompetenz im »Sang«, als Auch-Liederdichter. Das später folgende Zitat von Reimars »Schachmatt« als Frauenlob (115, 5–7) ließe an dessen *frowe* als die angegriffene denken, aber die »Schuld« der »einen«, ihr *wanc*, bleibt so unspezifisch wie die verschwiegene *missetât* der ersten *frowe* Ulrichs von Lichtenstein in seiner Dienstaufsage (Frauendienst 413, 9 ff.). Ob und wie eine 'Dienstaufsage' – auf die ja auch sonst in Minnesangs Frühling angespielt wird und die im 15. Jahrhundert als Liedtyp auftritt – etwa in Wolframs Liedercorpus eine Stelle hätte, darauf kann ich hier nicht eingehen. Daß dem »Ich« Wolfram seine Feindschaft (*haz*) gegen die »eine« die Feindschaft der »andern« Frauen zuzieht, meint wohl auch eine Kunstdiskussion über das Frauenlob.

> *alein sî mir ir hazzen leit,*
> *ez ist iedoch ir wîpheit,*
> *sît ich mich versprochen hân*
> *und an mir selben missetân;*
> *daz lîhte nimmer mêr geschiht.*
> *doch sulen si sich vergâhen niht*
> *mit hurte an mîn hâmît:*
> *si vindent werlîchen strît.*
> *ine hân des niht vergezzen,*
> *ine künne wol gemezzen*
> *beide ir bærde unt ir site.*
> *swelhem wîbe volget kiusche mite,*
> *der lobes kempfe wil ich sîn:*
> *mir ist von herzen leit ir pîn.* (114,21–115,4)

Die bedingte Zurücknahme seiner Schelte (*versprochen, missetân*) wegen der *wîpheit* aller Frauen führt jedoch weiter zur Betonung *seiner* Kompetenz im Frauenlob (*ine künne wol gemezzen* ...); sein Kriterium ist *kiusche* bzw. *triuwe* (116, 14), die er, sofern sie der Frau Leid bringt, »von Herzen« beklagen will (*mir ist von herzen leit ir pîn*). Hier drängt sich wieder der Zusammenhang mit der unmittelbar vorher erzählten Herzeloyde-Szene auf: in ihr war *sein* Frauenlob nicht als Lied-Formel ausdrücklich, sondern mittelbar als erzählte Szene realisiert; erst jetzt, anschließend, im Erzähler-Kommentar, kann er es als solches deklarieren und mit dem Frauenlob der Minnesänger auseinandersetzen.

> Sîn lop hinket ame spat,
> swer allen frouwen sprichet mat
> durch sîn eines frouwen.
> swelhiu mîn reht wil schouwen,
> beidiu sehen und hœren,
> dien sol ich niht betœren.
> schildes ambet ist mîn art:
> swâ mîn ellen sî gespart,
> swelhiu mich minnet umbe sanc,
> sô dunket mich ir witze kranc.
> ob ich guotes wîbes minne ger,
> mag ich mit schilde und ouch mit sper
> verdienen niht ir minne solt,
> al dar nâch sî sie mir holt.
> vil hôhes topels er doch spilt,
> der an ritterschaft nâch minnen zilt. (115, 5–20)

Denn eben diese Auseinandersetzung beherrscht, wie ich meine, die ganze hier folgende Passage. Die beginnt mit dem Zitat von Reimars, auch von Walther zitiertem Lied (MF 159, 1), dem Wolfram »sein Recht« zum Frauenlob entgegenstellt[4]. Reimar hatte gesungen (MF 159, 1 ff.):

> Ich wirbe umb allez daz ein man
> ze wereltlîchen fröiden iemer haben sol.
> daz ist ein wîp der ich enkan
> nâch ir vil grôzen werdekeit gesprechen wol.
> lob ich si sô man ander frowen tuot,
> dazn nimet eht si von mir niht für guot.
> doch swer ich des, sist an der stat
> dâs ûz wîplîchen tugenden nie fuoz getrat.
> daz ist in mat.

»Ich mühe mich um das Ganze dessen, was ein Mann in bezug auf 'Freuden' in dieser Welt überhaupt besitzen kann. Das ist eine Frau, der ich gemäß ihrem sehr großen Wert 'gut zu sprechen' nicht fähig bin. Wenn ich sie so lobe, wie man es anderen Damen tut, das nimmt sie nun einmal von mir nicht als 'gut' hin. Wenn ich aber das beschwöre, daß sie auf dem Platz (Feld auf dem Schachbrett) steht, wo sie aus weiblichen Vorzügen (Zugmöglichkeiten der 'Dame' im Schachspiel) nie fußbreit heraustrat (ihren Stellungsvorteil im Schachspiel nie verfehlte) – das ist ihnen (den anderen Frauen: der jeweiligen gegnerischen Dame im Schachspiel) 'Schachmatt' ('Gardé'?)«.

Den Vergleich *seines* Frauenlobs (seines *bonum* der Frau, ihrer *freude*), mit dem der »anderen«, den Wolfram an den Anfang seiner Digression (*Swer . . . sprichet baz*) stellte, hatte schon Reimar zum Einsatz seines Liedes genommen (*gesprechen wol . . . nimet . . . si . . . niht für guot . . .*). Nur sagte Reimar nicht wie Wolfram: *ich vriesche gerne ir freude breit*, sondern beanspruchte hier Exklusivität für sein Frauenlob, das jedes andere (*sô man ander frowen tuot*) »Schachmatt« setzt – was Wolfram nun ironisiert. Damit muß keineswegs Wolframs ganze Digression eine »Reimar-Fehde« sein oder gar in eine »Walther-Reimar-Fehde« eingreifen. Natürlich setzt die Anspielung voraus, daß Reimar in den 'Erwartungs-

horizont' der Erzählung gehörte – sei's für das Publikum, sei's für eine Litera-
tenclique oder auch nur für Wolfram selbst. Aber das bleibt, auch mit der
Pferde-Metapher, ganz im Stil der sonstigen Literatur-Anspielungen Wolframs[5]. Sein Thema ist vom Anfang bis zum Schluß dieser Passage ein generelles: die Auseinandersetzung zwischen dem Frauenlob der Minnesänger und dem
seinen als Parzival-Erzähler: *swelhiu mich minnet umbe sanc . . .* steht gegen *vil
hôhes topels er doch spilt, / der an ritterschaft nâch minnen zilt!*

Man hat auch diese »Selbstaussagen« Wolframs meist persönlich verstanden,
vor allem das *schildes ambet ist mîn art.* Wenn er aber sein »Recht« zur Minne
schouwen lassen, nämlich dem Urteil der Frauen (*swelhiu*) unterstellen will, dann
mag in der näheren Bestimmung dieses *schouwens = beidiu sehen und hœren* das
sehen sich immerhin auf eine persönliche Waffen-Kompetenz beziehen – aber das
hœren? Will er seinen persönlichen Ruhm als Turnier-Ritter für eine Dame
herausstellen? Das liegt doch meilenweit ab von der überall sonst von ihm
kreierten Erzählerfigur Wolfram. Ich kann das *hœren* nur auf das Anhören seiner
Parzival-Erzählung beziehen – die hier an ihrem eigentlichen Anfang steht! –,
und damit sein »Recht« nur als seine Berechtigung zu der Art Frauenlob
verstehen, die er hier, wie schon im Vorhergehenden, als Erzähler verteidigt –
natürlich in seiner Manier persönlich formuliert. Und dann ist *art (schildes ambet
ist mîn art)* – weitab von allen Persönlichkeits-Spekulationen – fast so etwas wie
ars, literarische Kunst, und auch das *sehen* meint dann die Waffen-Kompetenz
seiner literarisch-'artistischen' Erzählung.

> *hetens wîp niht für ein smeichen,*
> *ich solt iu fürbaz reichen*
> *an disem mære unkundiu wort,*
> *ich spræche iu d'âventiure vort.* (115, 21–24)

So nur, meine ich, schließt sich auch die nun folgende Rückwendung zu dem
mære, der *âventiure,* sinnvoll an. *Hetens wîp niht für ein smeichen:* Wenn die Frauen
es nicht für eine billige Schmeichelei halten wollten – im Sinn der Huldigung der
Minnesänger für das *bonum* der Frauen bloß mit *sanc,* speziell mit der Überheb-
lichkeit Reimars – sondern es im Sinn der Kompetenz des Erzählers: als 'sein'
mezzen ihrer *bærde unt ir site* unter dem Kriterium der *triuwe* und deren *pîn* (wie
in 114,30–115,4!) aufnehmen wollten –, dann würde er fortfahren, *an disem mære
unkundiu wort* zu – *sprechen!* Die »unbekannten Worte« sind eben die eines
Frauenlobs, das Wolfram erzählend mit Figuren wie Herzeloyde unmittelbar
vor der Digression und gleich wieder anschließend bewußt 'befremdlich' realisiert.

Aber ehe der Erzähler das in Angriff nimmt, eingeleitet dann mit einer
nochmals das Frauenlob betreffenden Reflexion (116,5–117,6), macht er noch
eine weitere Einschränkung für sein Weitererzählen. Es sind die vieldiskutierten
Verse:

> *swer des von mir geruoche,*
> *dern zels ze keinem buoche.*
> *ine kan decheinen buochstap.*
> *dâ nement genuoge ir urhap:*
> *disiu âventiure*

vert âne der buoche stiure.
ê man sie hete für ein buoch,
ich wære ê nacket âne tuoch,
sô ich in dem bade sæze,
ob ichs questen niht vergæze. (115,25–116,4)

Schon das sie abschließende Bad- und Badequast-Gleichnis nimmt ihnen etwas von dem Todernst, mit dem sie meist behandelt werden: »Ehe man sie (meine Erzählung) für ein Buch nähme (mit der Autorität eines 'Buches' aufnehmen wollte) – lieber säße ich nackt ohne Handtuch im Badezuber (lieber wäre ich sogar in solch peinlicher Lage ohne jeden Schutz, als daß ich in meiner Erzählung durch ihren 'Buch'-Anspruch mich geschützt sehen wollte) – wobei ich freilich doch auf den Badequast ungern verzichten würde«[6]. Wolframs Anspielung zieht offenbar ein Schutzbedürfnis von Autoren, und zwar einen Schutz durch »das Buch« (was immer das sein mag), ins Lächerliche.

Seine sogleich, wie angekündigt, fortzusetzende Erzählung will und soll also »kein Buch« sein: *swer des von mir geruoche, / dern zels ze keinem buoche.* Um das zu bekräftigen, fügt der Autor die – in diesem Zusammenhang an sich überflüssige, eher übermütige – Selbstoffenbarung ein: *ine kan decheinen buochstap*: »Ich verstehe mich ja auf keinen einzigen Buchstaben«. Sie hat das Wolfram-Bild der neuzeitlichen Leser seit je beunruhigt – merkwürdigerweise nicht, soviel wir wissen, das der mittelalterlichen.

Nimmt man sie wörtlich – und es besteht zunächst kein Anlaß, das nicht zu tun, wenn man sie in das Feld von Wolframs sonstigen Äußerungen zu seiner Person, seiner Armut z. B., stellt, zumal seine direkten Zuhörer sie ja wohl leicht kontrollieren konnten –, dann bezeichnet Wolfram sich dezidiert als *illitteratus*, mit all den Konsequenzen, die das für seine Arbeitsweise, seine Quellen-Benutzung, den Aufbau seiner Werke, seine Stil- und Formkunst hat, und das zieht weite Kreise in all unsere Ansichten und Forschungsergebnisse zur Literatur seiner Zeit hinein.

Daß der – seit seiner neuzeitlichen Wiederentdeckung wieder bewunderte – Autor die jeweiligen Bildungs-Ambitionen der Interpreten auf sich zog, ist der Lauf der Forschungsgeschichte. Daß aber seine Behauptung, er könne nicht lesen und schreiben, für sie immer eine Art Bildungs-choc war, demonstriert doch Zeitgebundenheiten dieser Bildungs-Ambitionen. In ihre Richtung aber zielten alle Versuche bisher, Wolframs Satz pragmatisch nachzuprüfen, ihn womöglich als Übertreibung, Selbstironie usw. zu erklären[7], oder ihn als Bekenntnis genialischer Autonomie zu verstehen[8]. So konnte es fast wie eine erlösende, interpretatorische und zugleich historische Rückversicherung für Wolframs Bildungsrang wirken, als FRIEDRICH OHLY (1961) zum Willehelm-Prolog[9] eine Psalmenstelle und eine Predigt Bernhards von Clairvaux anführen konnte, und HANS EGGERS (1963) – ohne Kenntnis davon – für unsere Parzival-stelle dieselben Belege fand[10]. In Psalm 70,16 der Vulgata heißt es: *Quoniam non cognovi litteraturam, introibo in potentias Domini*[11]. Bernhard sagt in der 26. Predigt zum Hohenlied über seinen soeben gestorbenen Bruder Girardus: *Non cognovit litteraturam, sed habuit litterarum inventorem spiritum, habuit et illuminantem spiritum.* Gemäß OHLY und EGGERS wären Girardus wie Wolfram, der Bernhard benutzte, durchaus *litterati* in theologisch-wissenschaftlichem Sinn gewesen, zugleich jedoch höher inspiriert. Diesen Nachweisen hat HERBERT GRUNDMANN (1967) widersprochen, sarkastisch schon im Titel: »Dichtete Wolfram von Eschenbach am Schreibtisch?«[12] GRUNDMANN versteht Bernhard und Wolfram rein wörtlich: Girardus wie Wolfram waren *illitterati*. Wenn er sich Wolframs »Dichten« als erstaunliche Gedächtnisleistung vorstellt, ist er zwar einer ethnologisch überholten Ansicht über mündliche Kulturen erlegen[13]. Bei all seinen Sarkasmen aber wußte er aus lebenslanger historischer Forschung, was er über *litterati – illitterati* im deutschen 12./13. Jahrhundert sagte.

Drei Fragen sind in all diesen Argumentationen miteinander verquickt: 1. konnte Wolfram nun wirklich nicht lesen und schreiben, wie er selbst zu sagen scheint?, 2. sind »die Bücher«, deren »Lenkung« für seine Erzählung er ablehnte (*âne der buoche stiure*), seine Vorlagen oder Quellen?, 3. was meint er mit dem abgelehnten »Schutz« seiner Erzählung als »Buch« (*ê man si hete für ein buoch*)?

Zum ersten: Die Debatte über Lesen- und Schreiben-Können hat einen Ruch von allgemeiner Schulpflicht, solange man sie auf persönliches Können abstellt. Es gab mittelhochdeutsche Literaten, die Latein, also auch Lesen und Schreiben konnten, und es gab andere, die es nicht konnten – die nicht wenigen Belege und noch zahlreicheren Vermutungen dazu brauche ich hier nicht wieder anzuführen. Und Minnesang war eine weit mehr mündliche Kunstpraxis und fand weit später schriftliche Überlieferung als erzählende deutsche Literatur. Die Ambivalenz solcher Aussagen aber wird an einem einzigen Beispiel deutlich. Die rund 60 Lieder Ulrichs von Lichtenstein sind in der unikalen Handschrift des Frauendienstes (cgm 44) und in der Liederhandschrift C in gleicher und wohl chronologischer Folge überliefert. Im Frauendienst aber erzählt Ulrich, daß er, als er seiner ersten *vrowe* sein erstes *büechelîn* zugespielt und sie es zurückgeschickt hatte, zwar feststellt, daß etwas am Ende dazugeschrieben ist, aber zehn Tage auf seinen »heimlichen Schreiber« warten muß, damit der ihm die schnippische Antwort vorlese (Frauendienst 43,25–61,3). Auch sonst schickt er Briefe, an ihn gekommene läßt er sich vorlesen. Ob er selbst nun viel oder wenig lesen können wollte, ob er vielleicht lesen aber nicht schreiben, bestenfalls seinen Namen schreiben konnte – der große Standesherr hatte in jedem Fall Schreiber, hatte eine Kanzlei zur Hand, die ihm seine Lieder sammelte, für ihn schrieb und las. Und Wolfram? Seine Widmungs-Reden und -Anspielungen zeigen deutlich genug, daß er sowohl für seine Vorlagen wie für seine Buchmanuskripte, beide außer jedem Zweifel schriftlich, die Gewandtheit fürstlicher Kanzleien zur Verfügung hatte, ob nun er selbst lesen, schreiben, aus dem Manuskript vortragen konnte oder nicht – wofür wir bei ihm sowenig Zeugnisse haben wie bei anderen mittelhochdeutschen Literaten. Daß gerade er die Vortrags-Situation stilistisch bis ins Letzte auskostet, braucht damit nichts zu tun zu haben: wir wissen auch hier nichts über die Realisierung! Unter dieser Perspektive kann das *ine kan decheinen buochstap* kaum viel anderes heißen als: »Ich kann ja nicht mal einen Buchstaben (richtig) malen« – *ad oculos* der Zuhörer.

Zum zweiten: *âne der buoche stiure* könnte an sich durchaus auch heißen: »Meine Parzival-Erzählung wird nicht durch schriftliche Parzival-Vorlagen gelenkt«. Und daß er dabei nicht »das Buch«, also etwa Chrétien, zitiert, sondern »die Bücher«, mag nur in das Dunkel verführen, in dem sich noch immer unsere Diskussionen über die Vorlagen und Quellen des Parzival verlieren[14]. Allerdings liefert das Thema der ganzen Digression, das Frauenlob, nicht gerade einen natürlichen Ansatz für eine Bemerkung über die Parzival-Vorlagen. Von der Minnesang- und Reimar-Kontroverse aus sicher nicht – geschriebenen Minnesang hatte Wolfram kaum im Auge. Aber Wolframs Reflexion setzt an bei *unkundiu wort*. Nachdem die Minnesang-Kontroverse abgeschlossen ist, will er, im Sinn ihrer Ergebnisse, die Erzählung wieder aufgreifen: »Wollten die Frauen es (also) nicht für bloße Schmeichelei (wie Minnesang, speziell Reimar) nehmen, dann führe ich fort mit dem unbekannten (befremdlichen) Frauenlob meiner Erzählung (die bei Herzeloyde und Parzivals Eintritt in die Handlung steht). Dieses Frauenlob aber nehme man (nun auch) nicht als Buch – ich kann ja nicht mal einen Buchstaben (richtig) malen (s. o.) –, während aus dem Buch ja *genug* (andere Erzähler) ihren Anfang (Prolog?) nehmen. *Diese* Erzählung geht weiter ohne Lenkung (Schutz: s. o.) der Bücher«. Das Frauenlob ist und bleibt Thema der fortzusetzenden Erzählung, nicht als Schmeichelei der Minnesänger, sondern in zunächst befremdlichen Figuren der Erzählung (wie hier Herzeloyde) realisiert. Dieses Frauenlob soll sich aber auch nicht – eine neue Polarisierung! – mit der Autorität des geschriebenen Buches schützen. Nicht die Autorität der Bücher als Quelle, sondern die Autorität der Bücher als solcher für das Frauenlob stellt Wolfram jetzt zur Debatte.

Damit sind wir bei der dritten Frage. Es lag in der Tat näher, in Wolframs Buch-Polemik eine allgemeine Abwertung von (Schrift-)Literatur zu sehen. Eine Alternative zum »Buch«, wie etwa den Topos vom Buch der Natur[15] oder die religiöse Inspiration, nennt Wolfram allerdings an unserer Stelle nicht. Worauf kommt es ihm hier an? Da er noch immer vom Frauenlob spricht (*unkundiu wort*), da von den zu Anfang der Digression zitierten Konkurrenten im Frauenlob (*Swer nu wîben sprichet baz . . .*) die Minnesänger verabschiedet sind (*hetens wîp niht für ein smeichen . . .*), da es sich jetzt ums Fortsetzen des Erzählens handelt (*ich spræche iu d'âventiure vort*) – wären jetzt nicht noch die Erzähler-Konkurrenten dran? Ausdrücklich als schriftgelehrten Ritter und Erzähler aber hatte sich Hartmann von Aue angeboten in den Prologen zum Armen Heinrich und zum Iwein – wie immer man ihre Variation beurteilen und wie immer man diese beiden Werke – und andrerseits Wolframs Parzival – als Erzählungen vom Frauenlob verstehen mag. Ob er auch Veldeke in diese Polemik einbeziehen wollte, ob auch Gottfried von Straßburg, bleibt in seinem *genuoge* verdeckt, und die Zitate und Anspielungen sonst auf diese seine Konkurrenten muß ich für jetzt beiseite lassen. Verstehe ich den Gedankengang richtig – der so oft als schlecht beklagt wurde –, dann ist es nicht ein geistiger, geschweige theologischer Sinn seiner Worte, den Wolfram hier anspielt. Es ist die Wolfram-Rolle gegenüber seinen Erzähler-Konkurrenten, die ihm sogleich Zeitgenossen und weiterhin die Rezeptionsgeschichte eingeräumt haben: *leien munt nie baz gesprach*[16], und nicht ihre religiöse Komponente nimmt er hier in Anspruch, sondern ihre gesellschaftliche: erzählendes Frauenlob des Laien in seiner, noch vorwiegend illiteraten, Laiengesellschaft, unter Verzicht auf den Schutz schriftliterarischer Autorität. Daß er diese, seine Alternative zu »den Büchern« der

»andern«, zum »Buch« überhaupt, nicht genauer präzisierte, ist bei seinem Stil eines kolloquialen Einverständnisses mit seinem Publikum fast selbstverständlich.

> Ez machet trûric mir den lîp,
> daz alsô mangiu heizet wîp.
> ir stimme sint gelîche hel:
> genuoge sint gein valsche snel,
> etslîche valsches lære:
> sus teilent sich diu mære.
> daz die gelîche sint genamt,
> des hât mîn herze sich geschamt.
> wîpheit, dîn ordenlîcher site,
> dem vert und fuor ie triwe mite. (116, 5–14)

Und nun, mit dem Einsatz von LACHMANNS Buch III, kommt er auf Herzeloyde zurück, nicht ohne nochmalige Reflexion über die »Natur« der Frauen: *ir stimme sint gelîche hel*, aber, obwohl *gelîche genamt*, ist das *ordo*-Kriterium ihrer *wîpheit* die *triwe*. Reimars und Walthers Lieder über den *namen wîp* und über *unwîp* (Reimar MF 165, 28, Walther 48, 38) sind hier sicher als 'Erwartungshorizont' mitzudenken. Eigentlich *unkundiu wort* aber, das befremdlichste Frauenlob, auf das die ganze Digression hinlenkt, scheinen doch die nun folgenden Reflexionen über Herzeloydes Entschluß zur »Armut« zu sein (116,15–117,6).

Damit wäre die Digression zwar in der Tat ein Einschub, sogar eine Selbstverteidigung, aber nicht als Selbstverteidigung in irgend persönlichem Sinn, sondern als Reflexion über das Frauenlob des Erzählers Wolfram. Und es wäre keine ursprüngliche Stelle für sie zu suchen, sie hätte vielmehr ihren rechten Platz da, wo sie jetzt steht: bei der tragischen Geburt Parzivals und dem Entschluß der Mutter zur »Armut«, der seiner Geschichte einen so ambivalenten Ausgangspunkt setzt. Ob Wolfram mit der Spannweite zwischen »Minne durch Ritterschaft« für Parzival und der »Armut« seines Anfangs auch die Struktur des Parzival-Weges, wie wir sie abstrahieren, mit reflektiert, ob auch die unzurechenbare Initialschuld, die seinem Weg diese »Armut« ja mitgibt (und die den Weg jedes Minneritters eröffnet, für Hartmann auch den Weg des Gregorius wie des Armen Heinrich auf so grundverschiedene Weise), das verschweigt die so persönlich gefärbte Erzählerfigur Wolframs ebenso, wie es die so hochreflektierte Erzählerfigur Gottfrieds von Straßburg für Tristan verschweigt. Zwei Schlüsse aber kann man wohl wagen. Erstens: Minne, als *dienstlîche triuwe* des Mannes für die Frau (114, 9), hat hier keinerlei persönliche oder soziale Realität – sie ist »Sang« (115, 13) oder »Roman« (115, 8/9): sie entstand und lebte als geniale 'artistische' Herausforderung einer aristokratischen Lied- und Erzählungs-Gebrauchskunst[17]. Und zweitens: Wolfram selbst hat hier seinen Parzival als Gesellschafts-Minne-Roman gesehen[18], als *mezzen* der Liebes-Partnerschaft sogar an einer ganzen Galerie von oft befremdlichen Gestalten des *bonum* weiblicher *triuwe*, zwischen denen gerade Parzival, wie auch Gahmuret oder Gawan, *seinen* Weg zu finden hat.

DETERMINANTEN DER MINNE[1]

DASS HERR UND KNECHT in einer Art Komplizenschaft von »Sein« und »Bewußtsein« aneinander gebunden sind – diese zunächst triviale dialektische Beobachtung des jungen Hegel[2] scheint heute auch in der hier zur Frage stehenden germanistisch-soziologischen Diskussion so verdrängt zu sein, daß ebensooft die Dialektik durch einen unreflektierten Empirismus verdeckt wie die Beobachtung durch deterministische Geschichtstheorien ausgelöscht wird. Ich sehe meine Aufgabe darin, ihr eben als Beobachtung wieder zu ihrem Recht zu verhelfen – als Beobachtung, die jeder historischen wie theoretischen Folgerung zugrunde liegen muß.[3]

Die hier zu diskutierenden Begriffe für zentrale Typen oder Gattungen volkssprachlicher Literatur im europäischen Hoch- und Spätmittelalter sind ausdrücklich sozialgeschichtliche bzw. soziologische Begriffe.[4] Dabei lenkt das Stichwort »höfisch« den Blick mehr auf die Institutionen (oder: das »Sein«) dieser Literatur, das Stichwort »feudalistisch« mehr auf ihre Thematik (oder: ihr »Bewußtsein«), – inwieweit jeweils zu Recht, ist die Frage.

1. »Hof« und »höfisch« sind zentrale Begriffe der volkssprachlichen Verserzählungs- und Lied-Kunst des Hochmittelalters überhaupt, was schon eine literaturwissenschaftlich sachgerechte Wortstatistik belegen könnte. Sie stehen für den Ort ihres Vortrags, für ihr thematisches und strukturelles Bezugszentrum, für ihre Darstellungsmittel und für ihre Wertungen.

Was in dieser Weise in diesen Texten zur Sprache kommt, sind ausdrücklich sozialgeschichtliche Rollen, die sich, in noch zu definierendem Sinn, als elitär verstehen: von dem selbstverständlichen Bewaffnet- und Berittensein und den Königs- und Fürsten- und Grafen-Rängen der Personnage der Erzählungen zum Luxus der Ausstattung und den Verhaltens- und Sprach-Tabus in Lied und Erzählung bis zur freien Geschlechts-Liebe, die, als »Minne« problematisiert, den Konfliktstoff der meisten Lieder (mit Ausnahme des Spruchsangs) und der meisten Verserzählungen abgibt (mit Ausnahme der Staatsromane).[5]

Diese fiktionale Ausstattung der literarischen Rollen deckt sich weitgehend mit den realen Privilegien einer aristokratischen Oberschicht, die über allen historischen Veränderungen der europäischen Aristokratie immer durch Ausnahmerechte sanktioniert blieben bis zum Kampf der Aufklärung gegen sie: vom Grundpriviliel der Bewaffnung über Jagd- und Fischerei-Privilegien usw. bis zu sexuellen Privilegien, von denen das sagenhafte *ius primae noctis*[6] in der

Gegenpropaganda der Aufklärung eine literarisch produktive Rolle spielte (vgl. die »Figaro«-Fassungen).

Es liegt nahe, ihre literarische Reproduktion und deren Rezeptionsgeschichte (fürs Mittelalter nur als Literatur- und Überlieferungsgeschichte und als Ikonographie greifbar!)[7] unter dem naturalistischen Modell der Widerspiegelung oder dem sozialpsychologischen Modell der Selbst- oder Wunsch-Identifikation zu sehen: höfische Literatur als »Standesdichtung«. Auch dort, wo derartige Vermittlungen zwischen Literatur und Außenrealität als Ideologie entlarvt werden, bleiben sie Deutungsmodell.[8] So allgemein sie zu funktionieren scheinen bis in die Privilegien-Neugier der heutigen Boulevard-Presse – zwei Beobachtungen machen sie unbrauchbar, jedenfalls für unsere Texte. Zum einen ist die reale Standeszugehörigkeit ihrer Autoren so bunt und überhaupt fraglich,[9] daß daran keinerlei naturalistische Abbildung oder sozialpsychologische Mechanik festgemacht werden kann. Zum andern reproduzieren die Texte diese Privilegien gerade nicht als Realität, als Praxis von Herrschaft und Dienstbarkeit, sondern als Abenteuer und vor allem als Fest, also sozusagen Freizeitbeschäftigung. Bevor einer der vielen theoretischen Ansätze von heute in Gang gesetzt wird, literarische Reproduktion von Realität und Bewußtsein zu vermitteln, sollten, wie ich meine, diese Beobachtungen erst einmal soziologisch ausgeschöpft werden.

Die Privilegien der Geburtsaristokratie sind (oder werden bald, wie die, abgestuft, an die ausführenden Abhängigen weitergegeben) angeborene Privilegien. Um sie auszuüben, müssen aber die entsprechenden »Künste« gelernt und beherrscht werden: Befehlen, ein Heer führen, Verwalten, Recht sprechen, aber auch Fechten, Reiten, Jagen, Fischen, Tischzucht, Umgang mit Luxus, Mode, Sprachtabus, Tanzen, Singen, literarische Unterhaltung usw. Als solche sind dies »freie Künste«, analog zu den *Artes liberales* der lateinischen Kirche: frei zunächst, weil frei von bäuerlicher Handarbeit,[10] aber auch, weil sie, obwohl in der lateinischen wie in der volkssprachlichen Welt auf Praxis und Beruf bezogen, auch in der historischen Realität eine Distanz zu den Herrschaftsstrukturen selbst herstellen. Denn das Interaktionsmodell von Herrschaft und Dienstbarkeit, das – natürlich in den bekannten personalen und Lehens-Verflechtungen von Geburt, Grundbesitz, Interessen und sozialen Mobilitäten im Mittelalter – die politische, wirtschaftliche und soziale Struktur der mittelalterlichen Oberschicht bestimmt, wird hinsichtlich der »Künste« überdeckt durch ein anderes: die freie Konkurrenz der »artistischen« Kompetenz, eine Interaktion von Meisterschaft und Schülerschaft![11] Für uns geht es weniger um die Praxis von Lehre und Training in all diesen aristokratischen »Künsten« – sie mag sich vorwiegend im Gesinde abgespielt haben –, als um die Autonomie ihres Meistertums und um dessen sozialen Status. Lassen wir hier auch die mehr praktischen »Künste« sowohl der Macht-Ausübung wie der Status-Ausübung beiseite – obwohl z. B. die Beobachtung interessant ist, daß die deutschen literarischen »Fechtkünste« sich weniger auf den ritterlichen Turnier- oder Ernst-Kampf beziehen als auf den gerichtlichen Zweikampf, also gerade die am ernstesten sanktionierte und zugleich bezüglich der Macht-Ausübung offenste Funktion der »Meister« der Fecht-»Kunst«[12] – und beschränken uns auf die »schönen« Künste.

Der höfische Luxus der schönen Künste – Kunst, Musik, Tanz, Oper, Theater, Literatur – trägt noch im Absolutismus, wie man heute klarer sieht, ganz direkt die Macht- und Herrschaftsstruktur der Höfe und natürlich auch der Kirchen mit.[13] Man braucht sich hier nicht mehr täuschen zu lassen durch ein anachronistisches und isoliertes Bild der Renaissance an den Höfen der Stadtherren Italiens: der neuen Geltung von Kunst und Wissenschaft, des neuen Selbstbewußtseins der Künstler, der neuen Autonomie der Kunst. Zwar gewinnt jetzt erst das Kunstobjekt, mit seiner neuen subjektbezogenen Perspektive, auch einen personalisierten Selbstwert und damit, als »Qualität«, neuen Sammlerwert. Aber auch in der weit besser dokumentierten Neuzeit behalten bis ins Rokoko die schönen Künste im aristokratischen Gebrauch den systemerhaltenden Luxus-Charakter, damit auch die artistische Brillanz als 'Technik' und den fraglichen sozialen Status des Künstlers, dessen Extreme noch im Rokoko an den Beispielen von Bach bei Friedrich dem Großen und Mozart beim Erzbischof Coloredo von Salzburg abgelesen werden können.

Auch die höfische Literatur des 12. und 13. Jahrhunderts stabilisiert als Luxus-Kunst die Herrschaftsstruktur der mittelalterlichen Aristokratie mit, natürlich in anderen historischen Strukturen als im Absolutismus; auch hier verbunden – in weit direkterer Analogie der Funktion und direkteren Zusammenhängen der Techniken, Formen und Stoffe als im Barock – mit dem Kult-Luxus der Kirche.

Auch hier schon setzt aber die freie Konkurrenz im »artistischen« Meistertum eine wenn auch vage Autonomie der »Kunst« frei! Die Selbstzeugnisse von Hartmann, Gottfried, Wolfram und Walther an bis zu Konrad von Würzburg diskutieren sie wörtlich, die Nuancen der fragilen Begründung dieser Autonomie im Meistertum der Autoren wären erst noch herauszuarbeiten.

Produzent solcher Kunst kann jeder sein, der die »artistische« Kompetenz für aristokratische Privilegien besitzt – durchaus nicht notwendig die Geburts-Kompetenz –, d. h. ihre Techniken, in der Kunst also bildnerische, musikalische, literarische Techniken, praktisch beherrscht.[14] Nur so wird verständlich, daß schon die Frage nach dem »Stand« höfischer Autoren (und noch mehr die Frage nach ihrem »Bewußtsein«) dann falsch gestellt ist, wenn sie die Schwelle zwischen dem Interaktionsmodell von Herrschaft und Dienstbarkeit selbst und dem Interaktionsmodell von Meisterschaft und Schülerschaft, also zwischen der Machtstruktur der sozialen Realität und der Konkurrenzstruktur der »artistischen« Realität, einebnet oder negiert.

Minnesänger sind sowohl Geburts-Aristokraten, wenn sie die musikalische Technik und die Liebes-Kunst des Minneliedes »können«, als auch Berufsmeister dieser Künste, wobei die ersteren es durchaus zum Kunst-Meister bringen können, die letzteren aus der Geburtsaristokratie stammen oder in sie hinein 'mobil' versorgt werden oder gar ohne ständischen Hintergrund existieren können.

Denn beider »Können« wird als Praxis heraufgetragen aus jenem Heer von hochgestellten bis asozialen »Fahrenden« – d. h. auch: in bezug auf die Ständeordnung »Freien«! –, das nicht nur die Bettler und Krüppel, sondern auch die »freien Berufe« des Mittelalters stellt und das die Sozialgeschichten meist sträflich vernachlässigen.[15] Auch der Minnesänger, welcher Herkunft, welchen

Standes immer, unterstellt sich – natürlich im Dienst des höfischen Herrschafts-Zeremoniells – der Freiheit der artistischen Konkurrenz. Als Minnesänger ist er nicht »Standesdichter« – er ist »Artist«! Das zeigt auch die spezifische Überlieferungsgeschichte des höfischen Lieds.[16]

Die Produzenten der höfischen Erzählkunst sind, sowie sie begonnen haben, schriftliterarisch zu arbeiten, direkter in die Institutionen der lateinischen Schrift-Kultur integriert. Hartmann stellt sich als »schriftgelehrter Ritter« vor, Gottfried ist *meister* auch im Sinn des *magister*, und wenn Wolfram demonstriert, daß er *âne der buoche stiure* arbeite, so setzt er sich nur als bewußter Laien-»Meister« dagegen ab, als den ihn ja die Zeitgenossen, die Nachfolger und die Literatursagen ausdrücklich rezipieren.[17] Auch der Befund, daß die Epiker meist auch Lieder gemacht haben, die Sänger aber nie Epen, zeigt doch, wieviel stärker das höfische Epos den schriftliterarischen Berufs-Meister erfordert. Zum Stand dieser Autoren haben wir keine Urkunden. Soweit sie Selbstaussagen machen, erscheinen sie meist als Ministerialen, aber bei Gottfried oder dem Stricker z. B. bleibt ihr sozialer Status ungesagt. In jedem Fall können auch hier Schlüsse von dem Stand der Autoren auf ihr Werk und ihr »Bewußtsein« nicht direkt gezogen werden, sondern nur vermittelt über ihr »artistisches« Meistertum. Das zeigt wieder auch die Überlieferungs- und Rezeptionsgeschichte mit dem fast nahtlosen Übergang aus der stärker institutionsgebundenen Schriftlichkeit geistlicher volkssprachlicher Kunstliteratur in die schriftliterarische autonome Überlieferung einer normativen volkssprachlichen 'Klassizität'.

Die Produkte dieser (wie jeder) aristokratischen Gesellschaftskunst sind luxuriöse Kunst-Objekte: serielle Variationen von Gebrauchsmustern und Rhetoriken, die nicht Inhalte aussagen oder Funktionen reflektieren – diese Verwechslung mit 'absoluter' Kunst ist scheint es unausrottbar –, sondern die in der Erzählung als Weg des Heros in Märchenstrukturen und im Lied als Huldigungstypen vorausgesetzt sind. Ihre Zielvorstellung ist die Legitimität der privilegierten Rollen, aber wiederum nur im Interaktionsmodell der »artistischen« Frage nach ihrer Kompetenz, nicht im Feld der realen Legitimations-Kämpfe. Kriterium dieser Kompetenz – und erstaunlich kritisches Kriterium! – ist die Minne. Die Frage nach ihrer Funktion trifft zunächst einmal auf jene 'Komplementarität' auch im Kunstobjekt, die bei Beobachtung der Gestalt die Funktion, bei Beobachtung der Funktion die Gestalt undeterminiert läßt. Funktionen sind polymorph, Gestalten sind multifunktional.[18] Von der Funktion her ist die Gestalt höfischer Kunst nur bestimmbar als konkurrierende 'artistische' Brillanz in den Gebrauchsmustern. Mit ihr werden sich vor allem aristokratische Dilettanten begnügen.[19] Für Berufsmeister liegt das Bestreben näher, die Artistik durch ernsthaftere inhaltliche Rückverbindungen des Legitimationsproblems aufzufüllen (wie oben S. 53 am Beispiel der Fechtkünste angedeutet). Das würde gerade für die Minne-Thematik der »Klassiker« des Epos und des Minnesangs um 1200 gelten. Ehe man hier psychologische Prozesse wie etwa eine Internalisierung der höfischen Privilegien substituiert, müssen diese 'Inhalte', muß insbesondere das Kriterium der hohen Minne als Gestalt, als »Bewußtsein« erfragt werden. (Dazu unten 2.)

Struktur jeder Gebrauchskunst ist ihre 'Inszenierung'.[20] Der höfische Roman inszeniert seine Handlung als 'Weg' des Heros zwischen Abenteuern (ritterlich-'technischen', märchenhaften, politischen usw.) und Festen. Gegenstand in beiden ist, wie gesagt, nicht die aristokratische Herrschaftsstruktur selbst, sondern die freie Konkurrenz in der Kompetenz für die aristokratischen Privilegien: Kompetenz in allen aristokratischen »freien Künsten« für den Heros, aristokratische Minne-Kompetenz, zunächst als Schönheit, für die Dame.[21] Eben darum ist fast immer das Fest das endgültige Kriterium dieser Kompetenz, ihrer Legitimität, ob positiv, ob negativ, immer aber kritisch (so auch im Nibelungenlied, auch im Willehalm, Grenzfällen zum Staatsroman hinüber). Sogar im minnelosen reinen Staatsroman entstehen und enden seine Loyalitäts-Konflikte beim Fest (Rolandslied, Dietrichs Flucht und Rabenschlacht).

Das Minnelied inszeniert sich zumeist als »Ich«-Auftritt des Sängers zur »Freude« der Gesellschaft, also institutionell wohl auch zum Fest. Daß gerade aus dieser institutionalisierten Freude die hohe Minne als »Leid« ihre Paradoxie erhält, ist der thematische Konflikt jedes Minnelieds und ergibt seine jeweilige Struktur. Auch hier stehen also nicht die realen Liebes-Privilegien der Aristokratie und nicht ihre Legitimationen zur Debatte, sondern es geht ausdrücklich um Kompetenz in der Liebes-»Kunst« – sogar beim *genre objectif* der Pastourelle, die Erfolg oder Mißerfolg des »Herrn« gerade in freiester Liebes-Probe jenseits der Gesellschaft durchspielt. Noch deutlicher zeigt das der deutsche Sonderfall Neidhart.[22]

In diesen Zusammenhang gehört auch die heute vieldiskutierte Problematik des »Ritter«-Begriffs.[23] Während *miles* und *her* relativ klar die unteren und nicht anders zu bezeichnenden Ränge der Aristokratie treffen, umspannt »Ritter« (vom Berittensein) zunächst in literarischem Gebrauch soziologisch unbestimmt alle Ränge. Die Erklärung findet sich, wenn auch hier gesehen wird, daß dieser »Ritter« nicht ins Interaktionsmodell der Herrschaft gehört, sondern ins Interaktionsmodell der »artistisch« freien Kompetenzen-Konkurrenz.

In Bewegung aber kommt sowohl die Handlung der höfischen Erzählung wie der Sänger-Auftritt des Minnelieds durch die Minne. Sie ist, wie gesagt, der Konflikt-Stoff, das Legitimitäts-Kriterium dieser höfischen Gebrauchskunst. Damit kommen wir zur Thematik, damit zum »Bewußtsein« und damit zum Stichwort feudal bzw. feudalistisch.[24]

2. Daß die feudale Dienst-Terminologie den ganzen Minnesang durchzieht, und ebenso, wenn auch weniger direkt, auch die Minne-Verhältnisse in der höfischen Erzählkunst, weiß man seit PAUL KLUCKHOHN. Es gibt für die Minne freilich auch eine Schicht religiöser »Heils«-Terminologie, besonders der Marienverehrung. Der methodischen Versuchung, die Minne naiv kausal-genetisch aus dem einen oder dem anderen Bereich abzuleiten, sollte heute allerdings niemand mehr erliegen. Die Feudal-Topoi für die »Minneherrin« sind keineswegs aus irgendwelchen Herrschaftsfunktionen der Frau abgeleitet, sondern bestenfalls über ihren aristokratischen Besitz- (Erbschafts-) und Luxuswert an die Literatur vermittelt. Denn gerade wenn der epische Held z. B. mit der Hand *seiner* Aventiure-Dame auch ihr Land erwirbt, ist oder wird er keineswegs ihr Vasall oder Dienstmann, sondern ihr rechter Herr, und sie seine Liebespart-

nerin als seine schicksalhafte Ergänzung (wie auch die ambivalente Laudine für Iwein). Und dem Minnesänger ist *seine* Feudalherrin gerade nicht Ziel seines Dienstes, sondern seiner, durch den Rang der Dame überhöhten, Lust der Partnerschaft. Auch der Rechts-Terminus *minne* = gütliche Einung wie der religiöse Terminus *minne* = Heils- oder Hilfe-Verbindung mit der Transzendenz Gottes oder der Heiligen (Minnetrinken!) stellen nicht auf »Dienst«, sondern auf Partnerschaft ab!

Die 'freie' Geschlechts-Liebe, die literarisch als Minne stilisiert wird, gehört vielmehr, wie wir gesehen haben, zunächst zu den realen Privilegien der aristokratischen Oberschicht im Mittelalter und bis tief in die Neuzeit hinein, wie schon die politischen Rollen fürstlicher 'Bastarde' und die Institutionen der 'Mätressen' zeigen können. Was die Liebes-»Kunst« betrifft, die fürs Mittelalter uns nur erst literarisch und ikonographisch sichtbar wird, noch nicht gesellschaftlich dokumentiert wie im Barock, so zeigt der erste, sein Lied-Meistertum besonders betont herausstreichende Troubadour Wilhelm IX. von Poitou in den elf erhaltenen Liedern einerseits die Realität dieser sexuellen Privilegien noch fast unübertragen wörtlich, zeigt aber auch schon in zwei Liedern den hohen Minne-Dienst, der dann die europäische Liedkunst fast ganz ausfüllt und über den Petrarkismus tief in die Neuzeit wirkt. Das Kürenberg-Corpus der Handschrift C zeigt eine ähnliche anfängliche Breite von Liebeskunst in Deutschland, aber auch schon die Betroffenheit des »Herzens« als hohe Minne.

Hohe Minne – in der allgemeinsten Abstraktion, die hier genügen muß –, das heißt: Die freie, in der aristokratischen Gesellschaft sogar real privilegierte, sexuelle Prä-Determination des Mannes zur Frau wird in eine Post-Determination durch die Frau, die Dame, als höchstes irdisches »Heil« projiziert. Sie wird zur Wert-Norm, zum *summum bonum* der Liebes-»Kunst«. Wobei aber, gerade biologisch selbstverständlich, auch hier die Gegenseitigkeit der Lust, die Partnerschaft des Liebesakts Ziel und Problem bleibt.

Natürlich provoziere ich mit dieser Definition alle soziologischen und psychologischen Funktionsmodelle solcher Projektionen. Bevor sie in Gang gesetzt werden, ist jedoch zu beachten 1.) die oben erwähnte 'Komplementarität' zwischen Funktion und Gestalt (oben S. 55): Solche Funktions-Erklärungen landen bei Verhaltens-Analysen – und Therapien! Die Gestalt bleibt nur impliziert; sie müßte aber selbst auch explizit werden, wollte man so Funktion und Gestalt wirklich vermitteln. Und 2.) der Normen-Begriff im Mittelalter: Gewiß wurde im Mittelalter das *ordo*-Denken auch von der Kirche bestätigt, es wurde auch gelebt. Aber seine Normen stehen vor dem Hintergrund einer Praxis von, z. T. legalisierter, Willkür, Unterdrückung und Gewalt, von Privatfehden mit Raub und Brand und Mord usw. Bevor man z. B. die literarische Ständekritik als soziale Bewegung oder gar Rebellion im Stil von Klassenkämpfen interpretiert, wie es heute öfter geschieht, müßte man auch hier das prävalente Interesse an der Herstellung von Ordnungen, von Normen überhaupt kalkulieren.[25]

Wie aber in diesem sozialen Zusammenhang »artistische« Legitimitäts-Normen funktionieren, etwa die hohe Minne, bleibt völlig dunkel. Sie schwebt in dieser Welt wie eine Seifenblase. Und ihr absoluter anthropologischer Anspruch kann auch nicht damit erledigt werden, daß man sie, wie etwa auch die

Kreuzzüge oder die Mystik, einfach zu den ambivalenten Exzentrizitäten des Mittelalters rechnet – was 'empirisch' bis heute weit öfter geschieht, als einge-standen wird.

Ein anthropologisches Modell der hohen Minne könnte ich mir wie folgt vorstellen. Die in der Männer-Welt des Mittelalters vor dem Hintergrund realer Herrschafts-Privilegien »artistisch« freigesetzte Sexualität macht zunächst den Mann zum Subjekt, die Frau zum Lust-Objekt. Aber gerade als frei gestelltes Objekt gewinnt die Frau, als notwendige Partnerin, eine neue Subjektivität (wie gerade die Pastourelle demonstriert: siehe oben S. 56). Gerät nun dieses allgemeine Lustprinzip in den Bann der spezifisch mittelalterlichen Werte-Diskussion, indem es sich gezwungen sieht, die Kompetenz zur Legitimität freier Sexualprivilegien zu diskutieren, dann entwickelt es eine innerweltliche Wert-Transzendenz mit geradezu asketischen Zügen, analog zur jetzt auch innerweltlich gesuchten religiösen Wert- und Lust-Transzendenz.[26] Sie ermög-licht eine freie innerweltliche Selbstbestimmung des Mannes, des Laien, durch freie Unterwerfung unter die als Wert absolut gesetzte Subjektivität der Partne-rin: die hohe, ferne, gefährliche und verlockende Minne.

So erzählt das Epos in Märchenschematen die Selbst-Findung des Heros durch Gewinnung der Partnerin, ob harmonisch ausgeglichen mit dem Herr-schaftsmodell der Gesellschaft wie bei Chrétien, ob in tragischem Konflikt mit ihm wie im Tristan oder im Nibelungenlied. Der Minnesang huldigt dem Lust-Wertprinzip *frowe*, und zwar nicht als realem sozialen Rang (im Interaktions-modell der Herrschaft), sondern als höchstem 'artistischen' Wert-Prinzip (im Interaktionsmodell der Meisterschaft). Denn eine so weitreichende inhaltliche Sanktionierung der höfischen Liebeskunst kann nicht unmittelbar aus artisti-scher Gebrauchs-Brillanz entstehen, sondern nur sekundär aus meisterlicher Wert-Auffüllung der Artistik.

Eine Soziologie dieser hohen Minne kann es schon darum nicht geben, weil es keinerlei Zeugnis über ihr gelebtes Leben gibt. Was so aussieht, wie die *razos* der Troubadours, Ulrichs Frauendienst und noch Dantes Vita nova, sind um Lieder herum gedichtete Romane. Jedenfalls gibt es Minnedienst nur als Minnesang, wogegen sich ja Wolframs, des Erzählers, bekannte Invektive klar absetzt: *schildes ambet ist mîn art . . . swelhiu mich minnet umbe sanc . . .* (Parz. 115, 11 ff.). Und die feudale Dienst-Terminologie der hohen Minne setzt, wie gesagt, gerade nicht sozialen Rang als Wert, sondern bestimmt umgekehrt den freien Wert, das irdische *summum bonum* der freien Lust, (auch) mit der nächstliegenden Feudal-Terminologie als Metapher.

3. Ich breche hier ab und deute nur noch abstrakte Ergebnisse an. 1.) Die hohe Minne ist höfisch in ihren Institutionen, als formale Luxuskunst und inhaltliche Legitimitäts-Diskussion[27] für die Höfe und an den Höfen der hoch-mittelalterlichen Laien-Aristokratie. Sie ist nicht höfisch als Gestalt oder »Bewußtsein«, nicht eine »Standeskunst«, sondern artistisch. 2.) Die Thematik der hohen Minne ist feudal, wenn man will, feudalistisch, insofern sie die für solche Luxuskunst selbstverständlich nächstliegende aristokratische Feudal-Ter-minologie weitgehend verwendet. Sie ist nicht feudalistisch, insofern sie der

Frau – rein artistisch! – die Transzendenz eines irdischen *summum bonum*, eines irdischen Heils verleiht im Rückgriff auf geradezu biologisch-anthropologische 'Freiheiten': die jahreszeitliche Befreiung und die freie Sexualität. Dies sind die Voraussetzungen für die erstaunlich kritische Diskussion der Liebespartnerschaft bei den Meistern.

LIEBE UND GESELLSCHAFT
IN DER LITERATUR

DIE STICHWORTE DER FESTGABE SEINER EIGENEN AUFSÄTZE, die Herr HESS vor gerade zehn Jahren überreicht bekam, lauteten: »Gesellschaft, Literatur, Wissenschaft«. Aus den damit angelegten Verbindungen ist von der Verbindung »Gesellschaft und Wissenschaft« die Rede gewesen. Ich möchte meine Freude zum Ausdruck bringen, daß heute auch von der Verbindung »Gesellschaft und Literatur« die Rede sein darf, und ich glaube, daß Herr HESS das beste Beispiel dafür ist, daß man Wissenschaft treiben muß, um sie zu verwalten. Noch präziser: daß man vielleicht, um es so zu tun, wie Herr HESS es getan hat, Philologe sein muß und geblieben sein muß. Nicht etwa deswegen allein – wovon auch schon die Rede war –, weil die verteufelte Kunst der Interpretation eine der Grundvoraussetzungen ist, mit all dem fertig zu werden, was dabei auf einen zukommt. Sondern weil eine andere Erfahrung wahrscheinlich noch wichtiger ist, nämlich: gezwungen zu sein, als Philologe in einen Text hineinzugehen, bei dem man nichts vorherplanen kann, bei dem man nichts vorauserwarten kann, bei dem man sich überraschen lassen muß, auch durch seine eigenen Einfälle, und zugleich kritisch bleiben muß, immer auch über seine eigenen Einfälle. Das ist eine philologische Tugend, die vielleicht nicht einmal bei den Philologen so verbreitet sein mag, die ich aber für eine Grundvoraussetzung auch allgemeinerer Tätigkeiten halte.

Die Tatsache, daß ich über diese philologische und Gelehrten-Seite zu diesem Anlaß reden darf, und sogar als Germanist zu Ehren des Romanisten GERHARD HESS reden darf, verdanke ich unserem gemeinsamen Interesse gerade an dieser Verbindung »Gesellschaft und Literatur«. Und die spezielle – oder vielleicht auch allgemeinere – Formulierung meines Themas »Liebe und Gesellschaft in der Literatur« ist etwas, wozu Herr HESS schon 1946 in seinem Nachwort zur »Princesse de Clèves« in der Übersetzung des Ehepaars HESS wichtige und noch heute weiterweisende Aspekte gezeigt hat.[1]

Zunächst aber: »Liebe und Gesellschaft in der Literatur« – ist das Thema heute nicht eigentlich unmodern geworden? Das war anders im 19. Jahrhundert: Madame Bovary, Le Rouge et le Noir, Anna Karenina, fast der ganze Fontane – die große Romanliteratur des 19. Jahrhunderts, und ihr Hauptthema, vielleicht das wichtigste und zentralste Thema, die Frage »Liebe und Gesellschaft«. Allerdings darf man das »und« hier nicht als Kopula verstehen, es ist »Liebe in der Gesellschaft«, aber zum größten Teil »Liebe gegen die Gesellschaft«, »Liebe gegen die Ehe« als ein Grundelement der Gesellschaft. Da steht Leidenschaft, Subjektivität, Personalität gegen die Konventionalität auch der Ehe, gegen Moral und alle anderen gesellschaftlichen Verpflichtungen. Die Gesellschaft ist die Macht, die Liebenden sind die Einsamen und Ausgestoßenen. Heute – und das muß man sich klarmachen, weil die Situation des 19. Jahrhunderts noch immer nicht ganz aus unserem Bewußtsein verschwunden ist, vor allem, wenn wir interpretieren – heute ist diese Gesellschafts-Macht so weit abgebaut, daß man das Thema, vor allem durch die Entwicklung der letzten Jahrzehnte fast auf seine Nacktheit reduziert, so formulieren müßte, wie es eine Zeitlang scheinbar als einzige Möglichkeit öffentlich diskutiert wurde: »Sexualität und Gesellschaft«. Aber dieser Rausch, vor allem der sechziger Jahre, ist interessanterweise so rasch vergangen wie eine Mode. Was dahinter und darunter steckt, und was das Beunruhigende in der heutigen Problem-Situation ist, und zwar gerade wie sie die Literatur diskutiert, zeigt sich deutlicher etwa an dem letzten Roman von Max Frisch: »Montauk«.[2] Es ist das alte Thema von Max Frischs »Stiller« und »Gantenbein«, die Suche nach der Identität, nach dem Selbst, der Person. Hier aber ist sie ausdrücklich konfrontiert mit dem Problem der Partnerschaft, und das hat Max Frisch zu einer geradezu autobiographischen Selbstverantwortung gezwungen. Das Problem ist nicht mehr »Liebe gegen Ehe« oder »Liebe neben der Ehe«, das Problem ist: wie kann Partnerschaft überhaupt mit Liebe verbunden sein und verbunden bleiben, wenn das Selbst, und zwar in beiden Partner-Rollen, in einem anonymen Gesellschafts-Kollektiv nicht mehr 'da' ist?

Ich will diese Problem-Situation nicht weiter verfolgen, sondern heute Ihr Interesse auf ein anderes Problem-Modell der Verbindung »Liebe und Gesellschaft« in der Literatur lenken, das scheinbar längst vergangen und geradezu vergessen ist, ein Problem-Modell, das aber die konsequenteste und geradezu paradoxe Verbindung diskutiert. In diesem Problem-Modell ist die Liebe ganz und gar gesellschaftliches Ereignis, sie ist geradezu das Wert-Prinzip gesellschaftlicher Öffentlichkeit. Auf der anderen Seite ist sie ganz und gar Liebe, die absolute Liebe, die verrückte Liebe, die intime Liebe eins zu eins. Dieses Problem-Modell hat die höfische Literatur der aristokratischen Gesellschaft Europas beherrscht vom 12. bis ins 18. Jahrhundert.

Was es hier mit der Verbindung von Liebe und Gesellschaft auf sich hat, sieht man am besten vielleicht bei der krassesten Aufgabe, die jeder Liebes-Literatur gestellt ist, nämlich: den Liebesakt selbst, dieses sprachlose Zentrum der Liebe, in die Sprache zu vermitteln und damit in die Öffentlichkeit. Was Literaten aller Literaturen alles damit angestellt haben, lohnte eine Abschweifung, auf die ich heute und hier verzichten muß; die konsequenteste Vermittlung hat wahrscheinlich Flaubert in seinen ägyptischen Reisetagebüchern gefunden – er macht Gedankenstriche. Die raffinierteste Vermittlung, die ich kenne, stammt aus der höfischen Literatur, und manche von Ihnen werden, was ich hier zitiere, noch aus der Schule kennen:

> *Under der linden*
> *an der heide,*
> *dâ unser zweier bette was,*
> *dâ mugt ir vinden*

schône beide
gebrochen bluomen unde gras.
vor dem walde in einem tal,
tandaradei,
schône sanc diu nahtegal.

Walther von der Vogelweide läßt scheinbar mit naiver Arglosigkeit eine Frau erzählen vom Rendezvous mit ihrem *friedel*, ihrem Freund. Sie erzählt von dem Bett zu zweit im Wiesenstreifen am Waldrand, sie schildert es als einen *lectulus noster floridus*, wie er im Hohenlied vorkommt. Aber sie kommt immer mehr zur Sache und ist in der vierten Strophe direkt bei der Sache:

Daz er bî mir læge,
wessez iemen
(nu enwelle got!), sô schamt ich mich.
wes er mit mir pflæge,
niemer niemen
bevinde daz, wan er unt ich,
und ein kleinez vogellîn:
tandaradei,
daz mac wol getriuwe sîn.

Sie spricht vom Beilager – das ist auch juristischer Terminus für den Vollzug der Ehe; hier ist es aber der heimliche und freie Liebesakt –, und sie spricht von den heimlichen Wonnen dieses Aktes: *wes er mit mir pflæge*, was er mit mir zusammen getan hat! Aber diese Botschaft von der Wonne der Liebe ist zugleich die Botschaft eines irdischen höchsten Gutes, eines *summum bonum* in der Gesellschaft, das der Sänger der Gesellschaft als ihr irdisches Heil vermitteln will. Nur, er bricht diese Sänger-Rolle doppelt. Er inszeniert sie zunächst, wie wir sahen, als Frauen-Monolog, als Mädchen-Beichte, wie sie auch in den Carmina Burana vorkommt: als Typ einer unmittelbar naiven, unreflektierten Äußerung, die das Mittelalter öfter der Frau als dem Mann zuschreibt. Und er bricht sie nun noch einmal, indem die erzählende Frau sagt, daß der einzige Zeuge dieses verschwiegenen Zentrums der Liebe, das hier gepriesen wird, die Nachtigall ist, das *vogellîn*. Indem nun der Sänger im Lied an dieser Stelle wieder das wortlose Lied der Nachtigall wörtlich zitiert, hat er selber die Liebe gesagt und nicht gesagt: Er hat sie gesungen als Lied ohne Worte!

Ich will im folgenden versuchen, diese Verbindung zwischen Liebe und Gesellschaft erstens kurz zu beschreiben, zweitens eine neue Erklärung dafür zu geben, und drittens, sie von der heutigen Problemlage her zu beurteilen. Für historische Eingrenzungen reicht die Zeit nicht, nur soviel: die Scheidelinie zwischen dieser höfischen Literatur und der späteren, die in unsere Gegenwart führt, liegt irgendwo im 18. Jahrhundert. Die tapferen Mädchen in den Gesellschaftsromanen der Jane Austen müssen ihre Liebe zwar noch ganz und gar in der Gesellschaft, in der englischen Gentry auf dem Lande suchen; aber sie müssen ihren Weg suchen zwischen *sense and sensibility*: Das ist schon die moderne Person. Ganz jenseits dieser Scheidelinie, und nun noch bis ins Mittelalter zurückverbunden im gleichen Problem-Modell, ist die »Princesse de Clèves« der Madame de LaFayette. Der Anfang dieser höfischen Literatur ist, wie ich glaube, eine *creatio ex nihilo*. Es gibt viele historische Rückverbindungen, die Rolle von Ovid usw., die Rolle religiöser Begriffe und Vorstellungen, aber nichts davon kann das hervorgebracht haben, um was es uns jetzt geht. In der Antike oder in geschlossenen Gesellschaften wie in China und Japan ist, wie auch im Mittelalter, die Ehe das, was das Recht von Haus und Familie trägt – die Liebe als Gesellschaftskultur aber ist dort überantwortet an die Hetäre, an die römischen Boulevard-Damen der lateinischen Lyriker, an die Geisha usw. Dieses Bild ist allerdings oberflächlich, es gibt gerade auch dort Beispiele für unser Problem-Modell: das Hohelied des Alten Testamentes ist eines, ein anderes der japanische Roman vom Prinzen Genji um 1000. Ich kann darauf im Augenblick nicht eingehen.

Nun also, erstens, wenige Beispiele. In dem großartigen Abschiedsgespräch zwischen der Prinzessin von Clèves und dem Herzog von Nemours bekennt sich die Prinzessin zum ersten Mal offen zu ihrer Liebe. Mit ihrer Weigerung, Nemours zu heiraten jetzt, wo es möglich wäre, oder auch nur ihn in einer Liaison als Liebhaber anzunehmen, zerstört sie aber zugleich beider gesellschaftliches Leben. Ich will nun all die zeitgenössischen und in die Zukunft weisenden Momente dieser Haltung, die vor allem die Analyse von GERHARD HESS so gut herausgearbeitet hat, keineswegs relativieren. Ich glaube aber, daß die Hauptgründe, die die Prinzessin in diesem Gespräch anführt – nämlich erstens eine geradezu rigide moralische Integrität ohne jede Sanktion durch religiöse oder rechtlich-moralische Gründe, und zweitens den Zweifel, ob diese absolute Liebe, mindestens des Geliebten, der Ehe standhalten könnte –, die Struktur der höfischen Liebe schon seit dem Mittelalter bestimmen.

Ich führe als Beispiel nur ein paar Zeilen von dem Minnesänger Reimar an. (Und Sie entschuldigen, daß ich, nicht nur vom Fach her, hauptsächlich mit deutschen Beispielen im Mittelalter arbeite: ich kann vielleicht das, was man tadelnd heute die »Verinnerlichung« der Deutschen nennt, im Sinne meiner Fragestellung als 'problemverschärfend' nützen.) Eine der berühmtesten Strophen des deutschen Minnesangs ist Reimars *Sô wol dir, wîp, wie reine ein nam* (MF 165, 28). Hier ist die Frau geschildert, und zwar vom Begriff her geschildert als das, was sie in diesem Problem-Modell von Liebe und Gesellschaft ist: das irdische höchste Gut. Und Reimar sagt zugleich ganz offen, daß dieses irdische Heil, *swâ duz an rehte güete kêrest, sô du bist*, das heißt wenn Du dieses *summum bonum* »anwendest«, so wie es ihm entspricht, die Lust der Liebe, des Liebesakts verwirklichen muß: wenn die Liebe als Liebeserfahrung, als gegenseitige Liebeserfahrung gelebt werden kann! Aber gleich in der nächsten Strophe kommt die Problemstellung, die wir von der »Princesse de Clèves« her schon kennen: *Zwei dinc hân ich mir für geleit* . . . (MF 165, 37). Er spricht im Sinne des provenzalischen Streitgedichtes von einer Streitfrage zwischen zwei Möglichkeiten. Diese zwei Möglichkeiten sind: entweder »ich wünsche, daß meine Dame von einer solchen moralischen Integrität ist, daß weder ich noch jemand anders sie je auch nur berühren kann« – oder »ich muß mir wünschen, daß sie mein wird, damit aber auch die Möglichkeit offen lassen, daß sie auch andern gehören könnte«. Sie sehen, die Problemstellung ist genau die, die die Princesse auch anführt, wieder ohne jede Sanktion. Es ist ein Irrtum, wenn eine Forschungsrichtung diese hohe

Minne, *fin' amors*, abheben will von der Ehe, als ehebrecherische Liebe, oder die Ehe von der Liebe abheben will, als Institution, in der nicht geliebt werden kann. Vielmehr ist diese Rigorosität, die sowohl Madame de LaFayette in der »Princesse de Clèves« als auch im 12. Jahrhundert Reimar definieren, nichts anderes als die Absolutheit des Liebens als solchen. Das Lieben als solches: nur darum ist es ein freies Lieben, nicht rechtlich oder religiös sanktioniert, damit diese Absolutheit zugleich als das höchste gesellschaftliche Heil auftreten kann. Von hier gesehen ist der Roman der Madame de LaFayette eigentlich kein richtiger Roman, er ist eher eine Folge von Diskussionsstationen, in denen die Problematik dieser dialektischen Situationen der absoluten Minne innerhalb der Gesellschaft von Station zu Station sich entwickelt.

Wie im Liebes-Roman, im erzählten Liebes-Roman, diese Verbindung von Liebe und Gesellschaft aussehen könnte, davon spricht noch Marivaux am Anfang seines ersten Romans. Er sagt da: »Von allen Leidenschaften, die den Menschen handeln lassen, ist die Liebe stets die stärkste und allgemeinste gewesen. Mächtiger als die andern hat sie allein deren gesamte Wirkungen. Sie läßt die Menschen von ihrem Charakter abweichen, schenkt ihnen Tugenden, die die Natur ihnen versagt hat, stößt sie in Verbrechen, die sie mit Abscheu betrachten, verwandelt sie also.« Was Marivaux hier sagt, ist auch das Konzept des Romans von Tristan und Isold. Und ich halte dieses Konzept und nicht die uns erhaltenen einzelnen Durchführungen, nicht einmal die so höchst reflektierte von Gottfried von Straßburg, für die eigentlich geniale Leistung mittelalterlicher Literatur überhaupt. Als absolut Auserwählte, in allen Gesellschaftsrollen durch ihre elitäre Spitze füreinander Bestimmte, trifft Tristan und Isold die Liebe doch wie ein Schicksal: im Liebestrank. Diese Liebe aber, die plötzlich und absolut sie betrifft, ist das Heil, der höchste Wert in der höfischen Gesellschaft, und zwingt sie, diese Legitimität ihrer illegitimen Minne, und zwar gerade als Legitimationsproblem des fast nicht Legitimierbaren, durchzukämpfen, durchzuleiden bis in Selbstverlust und Tod: Rebe und Rosenstock ineinander verschlungen über ihren Gräbern – das ist die einzige dauernde Vereinigung, die ihnen schließlich gegönnt ist.

Das ist das Thema des Gesellschafts-Liebes-Romans vom 12. bis ins 18. Jahrhundert. Man könnte es, vom Tristan-Roman her gesehen, verwechseln mit dem Liebes-Gesellschafts-Roman des 19. Jahrhunderts, und Richard Wagner hat das ja auch gründlich getan. Die Unterschiede springen aber in die Augen, wenn man genau hinschaut. Diese Tristan-Isold-Liebe ist keineswegs Liebe gegen die Gesellschaft oder Liebe gegen die Ehe; das ist nur die schicksalhafte Situation, die ihrer Absolutheit gesetzt ist, also nicht die Situation des Romans im 19. Jahrhundert. Sondern genau umgekehrt: die beiden sind die elitär Auserwählten, ganz im Sinne aller gesellschaftlichen Wertungen – und was sie durchkämpfen, ist der höchste aller gesellschaftlichen Werte, nämlich die Absolutheit der Liebe – gegen alles, was diese Absolutheit relativ machen könnte, auch in gesellschaftlichen Situationen.

Soviel, nur in ein paar Andeutungen, zur Beschreibung. Nun zweitens, zur Erklärung dieses so paradoxen und konseqenten literarischen Problem-Modells »Liebe und Gesellschaft«. Es ist dazu schon unendlich viel gesagt und geschrieben worden, und, wie ich schon andeutete, vieles wird immer noch mit den Augen des 19. Jahrhunderts gesehen. Ich kann hier darauf gar nicht eingehen, sondern versuche, in einem neuen Ansatz die gesellschaftliche Rückbindung dieses Liebes-Modells zu zeigen. Was ich versuche, kommt mir so selbstverständlich vor, daß es mich wundert, daß es nicht schon längst geschehen ist. Aber vielleicht muß man den Mut zur Banalität haben, um zu neuen Erklärungsversuchen zu kommen.

In dieser Liebes-Literatur des 12. bis 18. Jahrhunderts werden ausschließlich elitäre, aristokratische Gesellschaftsrollen ausgespielt: das Reiten, Fechten, Jagen, Fischen, der Umgang mit Luxus, die Sprachtabus, die sie von andern Schichten unterscheidet. Dazu gehört aber auch die Liebeskunst. Diese elitären Literatur-Rollen nun decken sich fast genau mit den aristokratischen Privilegien: Für die aristokratische Gesellschaft ist all das privilegiert durch Ausnahmerechte, durch juristische Sanktionen, und als »symbolische Interaktion«, die ihr Selbstverständnis bestimmt. Dazu nun gehört auch das Liebesprivileg. Nicht nur, daß der Adel, die Aristokratie, sexuelle Privilegien gegenüber Abhängigen hat, was eine juristisch problematische Angelegenheit ist: das *ius primae noctis* spielt zwar noch im Barbier von Sevilla und in Mozarts Figaro eine strukturell interessante literarische Rolle, ist aber historisch äußerst fraglich. Aber das Liebesprivileg der Aristokratie betrifft sehr viel stärker Privilegien freier Liaisons neben der Ehe, aber innerhalb der Gesellschaft. Diese privilegierte Freiheit der sexuellen und Liebes-Bindungen zeigen nicht nur die historischen Rollen morganatischer Ehen oder der offiziellen und offiziösen Mätressen oder der Bastarde aus solchen Verbindungen vom 12. bis ins 19. Jahrhundert beim Adel, bei den Fürstenhäusern; sie sind auch in der Literatur – und etwa gerade im Roman der Madame de LaFayette – ausdrücklich der Hintergrund, von dem sich die absolute Liebe abhebt. Diese aristokratischen realen Privilegien, die zum Teil der wirklichen Machtausübung dienen, zum Teil der 'symbolischen' Herrschaftsbestätigung, werden zum Beispiel ganz präzise im Absolutismus benutzt: der König kann auch den freien Adel durch ihre Zentralisierung an seinem Hof in seine Abhängigkeit bringen. Darauf hat GERHARD HESS[3] schon im Nachwort zur »Princesse de Clèves« hingewiesen, NORBERT ELIAS[4] hat es jetzt, fast zu ausführlich, geschildert.

Diese Dinge sind aber Künste, die gelernt sein wollen. Reiten, Fechten, Jagen, Luxus, höfische Sprache usw. kann man nicht von Geburt, auch wenn man aristokratischer Geburt ist. Worum es mir geht, ist nun nicht die Ausbildung und das Training in diesen Künsten; das kann auch das Gesinde machen. Worum es mir geht, ist das Meistertum dieser Künste, und damit ist das ganze Problem dessen, was heute unter dem Stichwort »höfische Literatur als Standesliteratur« steht, angerührt. Diese Künste wollen gelernt sein, und indem sie gelehrt und gelernt werden, indem es hier Meisterschaft und Schülerschaft gibt, sind sie nichts anderes als die *Artes liberales* im System der mittelalterlichen Kirche, Schule, Wissenschaft. Auch hier dienen die *Artes liberales* der späteren Berufs- oder Wissenschaftsausübung, so wie die privilegierten aristokratischen Künste selbstverständlich der Machtausübung und Berufsausübung der Aristokratie dienen. Auch hier aber bestimmt im Umkreis der *Artes liberales* nicht das

Interaktionsmodell von Macht und Herrschaft, sondern es bestimmt das Interaktionsmodell von Meisterschaft und Schülerschaft. Man kann Meister der *Artes liberales* sein und wird nicht Bischof oder Papst. Und man kann Meister der aristokratischen Privilegien sein und ist nicht Aristokrat. Umgekehrt, man kann Aristokrat sein und kann von den Meistern der privilegierten Künste ausgelacht werden. Es gibt solche Situationen, sie klingen sogar an in der »Princesse de Clèves«, zum Beispiel beim Turnier, wo der König sich durch Ungeschicklichkeit verletzt usw.

Es kommt mir also darauf an, daß diese elitären Rollen sich elitär verstehen in der höfischen Literatur vom 12. bis ins 18. Jahrhundert nicht aufgrund dessen, daß sie Elemente der aristokratischen Machtausübung sind, sondern sie verstehen sich elitär, weil sie die Meisterschaft einer aristokratischen Kunst darstellen, weil sie also neben dem Modell von Herrschaft und Dienstbarkeit im Modell von Meisterschaft und Schülerschaft sozusagen eine freie Zone, einen von der Macht freien Raum der Konkurrenz in artistischen Kompetenzen geschaffen haben. Diese Kompetenz in den artistischen privilegierten Künsten kann, wie gesagt, unterrichtet, gelehrt, gelernt werden, und es kann eine Literatur geben, die einfach diese Künste als solche spiegelt, ihre Brillanz gewissermaßen unmittelbar darstellt. Das sind unzählige der Minnelieder, Trouvères-, Troubadour-Lieder, vor allem im 13. Jahrhundert, das sind auch die Schäferromane etwa im 17. Jahrhundert und noch ins 18. Jahrhundert hinein. Es geschieht auch im 12. und 13. Jahrhundert etwa in der Sondergattung der französischen Pastourelle. Hier »reitet der Herr eines schönen Tages aus«, trifft eine Schäferin und versucht sie zu bezirzen mit schönen Worten und Geschenken, manchmal geht's, und er hat sie, manchmal geht's nicht, und sie wirft ihn hinaus, oder er wird verprügelt. Worum es sich hier handelt, ist selbstverständlich die Sozialdifferenz zwischen dem Aristokraten und dem nun nicht romantisch, sondern durchaus real gesehenen sozialen Status der arbeitenden Leute. Was in der Pastourelle aber wirklich den Witz und den Reiz ausmacht, ist gerade nicht das Verhältnis der Herrschafts-Macht des Adligen zum Arbeiter, sondern ist die Brillanz seiner Liebeskunst: Wenn er es fertigbringt, diejenige, die gar keine Voraussetzungen für höfische Liaisons hat, die Schäferin, zu betören und zu kriegen, dann hat er erst gezeigt, was Liebeskunst ist. Das gehört zum Risiko des Meistertums, nicht zum Risiko der Herrschaft. Von daher zeigt sich, daß diese ganze höfische Literatur vom 12. bis ins 18. Jahrhundert im Grunde eine Gebrauchskunst ist; kein absolutes Kunstwerk, das sich selber absolut setzt und seinen Gebrauchsappell in die Welt schickt, sondern eine Gebrauchskunst vorgegebener Muster, in der sowohl die elitären Rollen wie die Problematik der Legitimität, von der vorhin beim Tristan die Rede war, vorgegeben sind.

Es liegt jedoch nur nahe – und sicher ist das auch das Zentrum der Entwicklung –, daß gerade die Meister in diesem Interaktionsmodell der höfischen Liebeskunst sich nicht mit der Brillanz dieser Gebrauchskunst begnügen, sondern daß sie ihre Artistik legitimieren wollen und legitimieren müssen. Ein Beispiel aus ganz anderem Rollenbereich zeigt das deutlich: die Fechtbücher, die ich aus dem deutschen Mittelalter kenne, in denen also Traditionen der Fechtmeister, oft verschlüsselt, weitergegeben werden, beschäftigen sich am wenigsten mit dem Fechten als dem Instrument der unmittelbaren Macht oder des Ernst-Kampfes, sondern ihr eigentlicher Zweck ist die Lehre des Fechtens im gottesgerichtlichen Zweikampf, also in der Rolle, in der die Machtausübung am ernstesten gefährdet ist, in der sie sozusagen ausgeschaltet ist und dem Gericht Gottes überantwortet. Da liegt die eigentliche Legitimation der Meisterschaft des Fechtmeisters, wenn er sich selber richtig verstehen will. Dasselbe gilt für die Diskussion der Legitimität freier Liebe, also für die Meisterdiskussion der Liebeskunst. Und man muß sich dabei vor Augen halten, daß schon der erste (soweit wir wissen) französische Troubadour, Wilhelm IX. von Poitou, nicht auf seinen Adel pocht, sondern sein Meistertum betont in jedem seiner Lieder. Im Mittelalter also ist es die Rolle des artistischen Liebeskunst-Meisters – entschuldigen Sie das Wort –, diese Liebeskunst aufzufüllen, sie zu steigern zum tatsächlichen höchsten gesellschaftlichen Wert, das heißt die Lust als Lustwert, den Wert als Wertlust, als gesellschaftliches Zentralprinzip zu demonstrieren. Das geschieht mit den fast zum Religiösen analogen Mitteln des irdischen *summum bonum*, des irdischen höchsten Heils usw. In der Neuzeit wird selbstverständlich dieser Zwang zur Legitimierung des artistischen Liebes-Meistertums weiter aufgefüllt mit den zeitgenössischen Wertkategorien. Von hier kommt die Rolle der Moralisten in die »Princesse de Clèves«; was sie als ihr Bestes bekommen hat von La Rochefoucauld und von all den anderen, das füllt sie in das Gebrauchsmodell hinein; nicht in eine moralische Abhandlung über die Liebe, nicht in eine Reflexion über die Aristokratie, über den Hof – sondern in die 'Verrücktheit' der absoluten Liebe. Man muß sich das immer vor Augen halten: es ist die 'verrückte', die absolute Liebe, die geradezu zur Askese zwingt, die das Thema noch der »Princesse de Clèves« ist.

Eine Diskussion der Liebe also, der Liebe als Subjektivität, als Verantwortung bis hin zur irdischen Askese, als eine Art innerweltliches Gewissen, aber für die Gesellschaft selber, und nicht nur *in* der Gesellschaft, sondern als Wertprinzip der Öffentlichkeit. Diskussion des verschwiegenen, heimlichen Zentrums menschlicher Leidenschaften, wie Marivaux sagt, als öffentliches Wertprinzip. Das ist die paradoxe Rolle dieser Liebes-Literatur. Diese Diskussion wird ermöglicht dadurch, daß die Frau als schicksalhafter Partner in und über der Gesellschaft vom Mann zuerst einmal geschaffen und gesehen worden ist.

Brechen wir hier ab, um drittens nur noch einen kurzen Blick zurück auf den Anfang, auf das Problem-Modell von heute zu werfen: Können wir heute mit dieser so konsequenten wie paradoxen literarischen Ausformung des Problems von Liebe und Gesellschaft noch etwas anfangen? Ist es nicht so restlos vergangen wie alle seine gesellschaftlichen Voraussetzungen? Es gibt Einwände; und nicht nur radikale Feministinnen, sondern auch selbstbewußte Frauen stoßen sich immer wieder an den männischen Übertreibungen dieser höfischen Liebe. Die bis zur Askese gesteigerte Verantwortung der freien absoluten Liebe, die Rolle der Frau als irdischer Höchstwert: ist es nicht doch, wenn auch noch so sublimiert, eine Rolle, die die Frau letzten Endes Lustobjekt des Mannes bleiben läßt? Dieser männische Ausgangspunkt der höfischen Liebe ist unbestritten, und daß die Rolle der Frau durch dieses literarische Modell in irgendeiner Weise verändert worden sei, wird kein Literarhistoriker behaupten können – so gerne er Veränderungen der Gesellschaft durch die Literatur feststellen möchte. Auf der anderen Seite, wir sollten vorsichtig sein: Die psychologischen Exzesse des 19. Jahrhunderts, die physiologischen Exzesse der letzten Jahrzehnte, die heutige Verwirrung über die Partnerrollen von Mann und Frau könnten uns das gelehrt haben, wie schwierig es geworden ist, über die Liebe zu reden, über die Liebe selbst, über die Liebe als Realität, die gelebt wird. Gerade das aber hat die höfische Literatur zum erstenmal in der europäischen Kulturgeschichte versucht und in den guten Beispielen erreicht, nämlich: die Liebe als freie, als ganze, totale, absolute zur Sprache zu bringen, ohne sie zu teilen, und ohne sie von der Gesellschaft zu isolieren. Vielleicht war das nur möglich in dieser privilegierten aristokratischen Gesellschaft, aus Gründen, die so einsichtig sind, daß ich sie hier jetzt nicht mehr vorführen will. Soll man es deshalb dieser Gesellschaft aufrechnen, daß sie historisch beseitigt werden mußte?

Erlauben Sie mir zum Schluß einen Ausblick auf die allgemeinste Problematik der Sache: Wenn wir wieder Gesellschaft haben wollen – und Gesellschaft ist die Voraussetzung auch für alles, was heute zu Ehren von Herrn HESS zur Sprache gekommen ist –, müßten wir nicht in ihr wieder Liebe haben? Nicht die abstrakte Liebe zu allem und jedem, die allzu leicht ins Totalitäre ausartet, sondern die reale Liebe, die sinnliche und zugleich totale Liebe, die gelebte Liebe, die Liebe, die uns die Natur auferlegt – und schenkt.

HERZELIEBEZ FROWELÎN
(Walther 49, 25)

WAS ICH HIER VORLEGE, ist eine Probe aus einem seit Jahren in Arbeit befindlichen Kommentar zu Walther von der Vogelweide. Das 'Neue', das ich – innerhalb einer Flut von Walther-Literatur – vorzubringen hoffe, ließe sich gegenwärtig leicht unter dem Stichwort »kommunikative Pragmatik« (und manchem ähnlichen) rechtfertigen. Wenn ich auf derartige Theoreme und Terminologien verzichte, dann deshalb, weil, was ich seit meiner Dissertation über Walther versucht habe, auch über den heute herrschenden Funktionalismus hinaus zielt. Ich freue mich, diese Probe, die gerade auch Walther-Kenner zunächst befremden wird, dem kritischen Weitblick des Freundes Kurt Ruh als erstem vorlegen zu können.

1. Paraphrase

I. *Kleine Herrin der Herzeliebe*: Die huldigende 'Adresse', mit der das Lied beginnt, übersetze ich (unerlaubt) frei, weil sie so am ehesten als Präludium zum folgenden Argumentationsgang des Liedes verständlich wird. Das Diminutiv *frowelîn* gibt als solches keinen Hinweis auf den sozialen *status* der Adressatin: die Bedeutungen (s. die Wörterbücher) reichen von der verheirateten wie der unverheirateten adligen Frau bis zur Dirne, das Gemeinsame dürfte ein Ton von Zärtlichkeit sein (welcher Art auch immer). Auch *herzeliep* steht hier, unerachtet des bei Reimar-Morungen-Walther statuierten Verständnishorizontes, nur erst als ein Signal, denn die folgenden Strophen II und III werden es, für dieses Lied, ausdrücklich definieren. *Gott begabe dich heute und allezeit mit »Gut«*: Der Segenswunsch komplettiert die Gruß-Adresse, auch hier ausdrücklich als noch unbestimmtes Signal für die folgenden Definitionen: »Gut« bleibt hier, zu Anfang, sicher mit Absicht so undefiniert und undifferenziert. Es verweist aber insoweit bereits auf die folgende Diskussion, als in eine sozusagen neutrale Grußformel (etwa wie »Grüß Gott«) das »Gut« ausdrücklich als Gabe von Gott, und nicht als Besitz des *frowelîn* in welchem Sinn auch immer, eingeführt ist. Die Anrede *dû* (statt *ir*) enthält wohl ein soziales Signal; aber das ist für uns mangels umfassender Statistiken für *dû* und *ir* in der ganzen mittelhochdeutschen Literatur schwer abzuschätzen.

Könnte ich dich »besser« grüßen, dazu wäre ich mit ganzem Willen bereit: Das

grammatische Spiel mit dem Komparativ führt die Rätsel-Signale einen Schritt
weiter: das *guot* der Grußformel wird als – jedenfalls subjektiv – unüberbietbares
festgemacht.

Was kann ich dir »mehr« [hier nicht als Überbietung, sondern als Weiterfüh-
rung des huldigenden Grußes] *»sagen« als: daß dir niemand mehr »Hulde«
leistet?* Statt der – nicht möglichen – Überbietung des Grußes wird dieser nun,
die subjektive Einschränkung aufgreifend, in eine subjektiv unüberbietbare
Huldigungs-Formel überführt. Daß *holt* die Lehensterminologie zitiert, macht
die Paradoxie der folgenden Diskussion mit aus. Andrerseits ist schon im
Kontext des Sänger-Auftritts klar, daß es sich um eine Liebes-Huldigung
handelt, d. h. um Werbung auf Partnerschaft hin, auf Gegenseitigkeit. *O weh,
dadurch leide ich sehr.* Es liegt nahe, die – wiederum überraschende – Wendung
am Schluß der Strophe im Anschluß an die letztere Komponente der *hulde* im
Sinn der *liebe-leit*-Formel zu verstehen. Aber daß dann die letzte Strophe (V)
wieder mit *owê danne* . . . schließt, ist kaum ohne Absicht (s. u. z. Str.).

II. *»Sie« tadeln mich dafür, daß ich meinen Sang an eine so »niedere
Adresse« richte*: Sie, die Kontrahenten, werden nicht präzisiert, es handelt sich
auch um keine Fehde ('Sängerkrieg'), sondern um eine Diskussion. Die geta-
delte niedere Adresse des (dieses?) »Sangs« des Sänger-Ich ist, bleibt man bei der
Strophenfolge A G E (s. u. 4.), noch einmal unvermittelt, überraschend eingeführt, wie die Signale der Strophe I. Daß sie eine soziale Komponente für das
frowelîn von Strophe I ins Spiel bringt, wird spätestens in Strophe IV eindeutig
klar. *Nidere*, auf den Minnesang bezogen, steht bei Walther nur noch in der
nider-hôch-Diskussion der Strophen 46,32 und 47,5 (ich kann hier auf sie nicht
eingehen, s. aber u. S. 77), aber sicher hat Walther selbst auch andere seiner
Lieder als nach Form und Inhalt *niederen sanc* eingestuft (:die Lieder seiner in der
Forschung etablierten 'niederen Minne'?). Ob er also mit der Wendung hier
einen früheren Tadel an diesen aufgreift, oder ob sie liedimmanent für sein
Publikum doch schon in der Grußadresse von Strophe I zu spüren war, wissen
wir nicht sicher. Sie könnte so oder so auch im Sinn der mittelalterlichen
Stillehren als 'niederer Stil' verstanden und für ein Minnelied getadelt worden
sein[1].

Daß sie nicht erkennen können, was »Liebe« sei [sein muß], *dafür sollen sie keinen Beifall haben.* Wie eine letzte Überraschung wird *liebe* der
Diskussion (über Tadel des *nideren sanges*) als ihr wirklicher Gegenstand substituiert. Liebe deckt also einerseits die Huldigung für das *herzeliebe frowelîn* (Str. I)
wie den *niederen sanc* (Str. II), muß aber andrerseits auch *minnen* (II,6) überdek-
ken, weil sonst von diesen (falsch) Minnenden die Einsicht nicht verlangt
werden könnte, *waz liebe sî* (II,4).

Sie [diejenigen] *hat die »Liebe« nie betroffen, die* [strebend] *nach dem »Gut«
und nach der »Schönheit« um Liebe werben. O weh, wie werben die!* Die
Schlußpointe der Strophe bringt, als eine – verzögerte – Auflösung der bisherigen Rätsel-Signale, die logisch-ontologischen Deduktionen in Gang, die Strophe III dann durchführt. Mit *guot* und *schœne* sind nicht etwa für den sonstigen
Minnesang typische Ursachen oder Ziele der Liebeswerbung genannt – das wäre

absurd, weil *guot* = Besitz einfach nirgends in diesem Zusammenhang vor-kommt, *schœne* zwar als Ursache, aber nicht als Ziel der Minne. Walther zitiert hier eindeutig die, philosophisch seit Aristoteles traditionelle, Dreiteilung des »Guten« (neben anderen!) als Ziel allen Strebens, in verschiedenwertige »Güter«[2]: *Guot* = *bonum externum, schœne* = *bonum corporis*, womit dann schon *liebe* als *bonum animi*, als *herzeliebe* (I,1; III,3), und damit ihre überraschende Einführung als geforderte Wert-Erkenntnis des *minnens* (II,4), impliziert ist.

III. *Bei der »Schönheit« ist oft »Zwietracht«* [Entzweiung] *vorhanden: zur »Schönheit«* [strebend] *habe es* [darum] *niemand zu eilig.* Das meint wohl weniger die, im Mittelalter auch sprichwörtliche, negative Wertung von Schön-heit, z. B. *schœne daz ist hœne*[3] – obwohl sie mit anklingen mag –, sondern, als Einleitung der logisch-ontologischen Deduktionen, die die ganze Strophe aus-füllen, etwa: Schönheit kann, weil einseitig nur als »Gut« der Geliebten erstrebt, statt eines gemeinsamen »Guten« gerade auch ein trennendes, entzweiendes sein[4].

»Liebe« tut dem »Herzen« mehr »Gutes« an, der Liebe ist die »Schönheit« nachgeordnet: Als *bonum animi* (= *herze*) definiert, ist *liebe* also das, der *schœne* gegenüber erstrebenswertere, höhere »Gut«. (*Guot* = *bonum externum* [II,6] wird bis zur Strophe IV fallen gelassen: es war wohl zunächst nur um der Systematik willen zitiert.) Daß *liebe* hier nicht das Lieben des Sänger-Ich meint, aber auch nicht ein (erwiderndes) Lieben der Partnerin, sondern daß sie ontologisch ein *bonum* ist, das als höheres bzw. höchstes Ziel der Minne, des strebenden Werbens um die Partnerin, die wahre Minne-Partnerin konstituiert – das macht der Syllogismus der folgenden Zeilen als Schlußpointe der ganzen Deduktionen deutlich!

»Liebe« macht eine Frau schön,[5] *nichts davon vermag die Schönheit zu tun :*[sie hat kein derartiges Wirkungsvermögen, denn] *sie macht niemals ein Wesen »lieb«.* Der Syllogismus: »Liebe« macht »schön« – »Schönheit« kann nicht auch »lieb« machen, führt auf den schon vorweggenommenen Schluß: »Liebe«, als *bonum animi*, ist ontologisch wirkend das höchste der drei *bona* und somit auch das wahre Ziel des *minnens*. »Liebe« bleibt damit eine recht abstrakte Größe, andrerseits muß sie das darstellen, was das *frowelîn*, als die »niedere« Adressatin des Lieds, nicht nur konstituiert, sondern mit Inhalt erfüllt. Das übernehmen die folgenden Strophen IV und V.

IV. *Ich »vertrage«, wie ich* [bisher] *»vertrug«, und wie ich allezeit »vertra-gen« will.* Das absolut gebrauchte *vertragen* ist kaum richtig zu treffen. In der Regel wird es auf II,1 f. bezogen: 'ich lasse die Kritik an meinem *niederen sanc* duldend geschehen.' Ob der Autor Walther sich den Zeitgenossen so duldsam darstellen konnte, wissen wir nicht; für unser Waltherbild wäre das eher Ironie. Bemerkenswert ist die breite und fast sentenzhafte Formulierung und die Spitzenstellung für die folgende Rückkehr zur *dû*-Adresse von Strophe I. Bedenkt man, daß *holder* dort (I,6) mit *holt* hier (IV,5) wieder aufgenommen wird, und daß Lehensterminologie die Strophen IV und V beherrscht (s. u.), dann könnte abs. *vertragen*, im Sinne von 'sich mit einem vertragen' = 'einen

Vertrag schließen', 'übereinkommen', die folgende Diskussion von lehensver-
tragartigen Bedingungen für die *hulde* dieser Minne-Adresse präzise einleiten.[6]
Die sentenzartige Selbstcharakteristik meinte dann nicht ein (psychologisch)
duldsames Autor-Ich, sondern ein (lehensrechtlich) korrektes: gerade im
Zusammenhang der anscheinend inkorrekten niederen Adresse. Den Inhalt des
»Vertrags« behandelte dann Strophe IV von seiten des Sänger-Ich, Strophe V
von seiten des *frowelîn*.

Du bist »schön« und »hast« genug: Was können »sie« mir davon sagen? Was
können die Kritiker von Strophe II mir über das *guot* (I,2) der *frowelîn* (I,1)-
Adresse auch im Sinn ihrer Schönheit und ihrer Armut einwenden – da »sie«
nach Strophe II nichts von *liebe* = dem *bonum animi* verstehen? Im Sinn der
Unterscheidung der drei *bona* in Strophe II und III »bist du schön«, hast du auch
das *bonum corporis* (denn *liebe machet schœne wîp* III,3) und »hast genug«: *bona
externa*, die, hier aus II,6 wieder aufgegriffen, ganz abgewertet werden, was
dann die folgenden Schlußverse der Strophe paradox zuspitzen. Der lange
während Streit, ob *hast genuoc* sich auf *schœne* bezieht (was nicht sehr höflich
wäre) oder auf das wirkliche »Gut«, den Besitz des *frowelîn* (was reichlich grob
wäre), erscheint also müßig, denn es werden jetzt nur die abstrakten Güter-
Definitionen der Strophen II und III in der *dû*-Adresse des *frowelîn* konkretisiert.
Was immer »sie« mir sagen [gemäß ihrem Mißverständnis tatsächlich einwen-
den]: *ich leiste dir »Hulde« und nehme dein gläsernes Ringlein anstelle des
»Goldes«* [des goldenen Rings] *einer Königin.* Die Investitur mit dem Ring
gehört zu den Lehnsgebräuchen, die »als integrierender Bestandteil der Rechts-
norm oder diese noch ergänzend« bei der »Belehnung« (als a) Investitur mit dem
Lehnsgut, b) Mannschaftsleistung = *homagium* und c) Eidesleistung = *hulde*)
stattfanden.[7] Als lehensrechtliche Metaphorik für die Minne-Werbung ist es hier
ausschließlich die Hulde (= Treueid, *fidelitas*), die das ganze Lied von *nieman
holder* I,6 an durchzieht. Die Belehnung aber wird hier zum Paradoxon der
niederen Adresse dieser Hulde (II,2) gesteigert. Gegenüber der *liebe* (als *herzeliebe* definiert III,3), die als *bonum animi* das *beneficium*, das erstrebte Lehns-»Gut«
entscheidend definiert (Str. II und III), ist *guot* (II,5) als *bonum externum* (Glas
gegen Gold, was hier wohl auch *schœne* als *bonum corporis* der »Königin«
einschließen soll) so irrelevant, daß von seiten des Sänger-Ich die Belehnung
mit dem gläsernen Ringlein des *frowelîn* angenommen werden könnte wie die
durch den Goldring einer Königin: Daß damit die reale Annahme eines gläsernen Rings, also ein reales gegenseitiges Liebesverhältnis gemeint ist, verbietet
sich schon durch die hypothetische Formulierung der gegenseitigen Lehens-
Bedingungen (des 'Vertrags' IV,1 f.?), vor allem dann in Strophe V. Ich belasse
also IV,6 *nim*, verstehe es aber hypothetisch wie diese.

V. *Hast du » Treue« und »Beständigkeit«* [= dauerhafte Treue = *fidelitas*]*, so
bin ich in Hinsicht auf dich* [*dîn*!] *ganz ohne Sorge, daß mir jemals »Herzeleid«*
[Schädigung der *herzeliebe*] *mit deinem Willen* [von deiner Seite aus] *wider-
fahre.* Nachdem die Strophen I und IV die Minnewerbung als Angebot von
hulde (= Lehnseid) von seiten des Sänger-Ich – in der spezifischen Wendung des
niederen sanges! – diskutiert hatten, wendet sich die letzte Strophe den 'Lehns-

pflichten' von seiten des *frowelîn* zu. Der Lehnsherr war seinerseits allgemein »zur Treue verpflichtet«, was »negativ« die »Unterlassung vasallenschädigender Handlungen« »beinhaltet«.[8] Diese mögliche Schädigung bezieht Walther als *herzeleit* ausdrücklich auf *liebe = herzeliebe* (I,1) zurück! Auch *mit dînem willen* (V,4) greift, sicher mit Absicht, auf seinen *willeclîchen muot* (I,4) zurück. Daß die Dame des Minnelieds metaphorisch an ihre 'Lehnsherrn'-Pflichten (sogar an Lehnsgebräuche wie den Kuß!) erinnert wird, ist nichts Ungewöhnliches; ob *triuwe und stætekeit* hier spezifisch für die *nidere* Minne gefordert wird, läßt sich also nicht sicher sagen.

Hast du aber nichts von diesen zwei [triuwe und stætekeit], dann dürftest du niemals »mein werden«: o weh davon [danne = 'von daher'], falls das geschieht. Mit diesem Strophenanschluß ist nicht nur der Sprung aus der Lehns-Metaphorik in die Minne-*Werbung* auf Partnerschaft, auf Gegenseitigkeit hin, endlich und endgültig festgemacht: *mîn werden* (V,6) – es wird auch, mit dem Rückgriff des *owê danne* . . . am Liedschluß auf das *owê davon* . . . am Schluß von Strophe I, das Rätselspiel dieser Eingangsstrophe (der dritte Rückgriff hier!) endgültig aufgelöst. Das fragliche *owê* dort findet hier seine für das Lied spezifische Antwort: *owê* darf es in bezug auf die *herzeliebe* nur heißen, wenn diese selbst verfehlt wird. Verfehlt aber wird sie – für dieses Lied – nicht etwa, indem sie als 'leichte', leichtgewonnene Liebe auch 'leichte', leichtfertige Treue befürchten läßt: dem widerspricht geradezu jede Zeile. Verfehlt wird sie ebensowenig, indem sie etwa nicht oder nicht genug Gegenseitigkeit gewährt: das Lied handelt so ausdrücklich von der Werbung wie jedes andere Werbelied, nicht von gegenseitig gewährter Liebe. Verfehlt wird sie aber dann und nur dann, wenn die in der Partnerin erstrebte *liebe* (als *herzeliebe* das 'höchste Gut') nicht *ihre Fähigkeit* zur Gegenliebe einschließt, also lehnsmetaphorisch *fidelitas* von ihrer Seite her. Das ist, geradezu wörtlich, die Frage, mit der das Lied programmatisch schließt.

2. Gedankengang

Die, nur scheinbar selbstverständlich zusammengebundenen, Stichworte der »Auftrittsstrophe« I – *herzeliebe, frowelîn, guot, holt, owê* – werden im Verlauf des Lieds Punkt für Punkt aufgegriffen und in überraschende Zusammenhänge gesetzt. Mit der, nochmals kaum vermittelten, Kontroverse über den *niederen sanc* (II,1 f.) wird eine geradezu logisch-ontologische Diskussion des *guot* (I,2) eingeleitet, die zu einer aufsteigenden Wert-Hierarchie der in der Minne erstrebten Güter führt: *guot* (II,6: *bonum externum*), *schœne* (II,6; III,1 f.: *bonum corporis*), *liebe* (II,3 ff.; III,3 ff. = *herzeliebe* I,1: *bonum animi*). Strophe IV, die *dû*-Adresse (I,2 ff.) wieder aufgreifend, rechtfertigt die Hulde (I,6) des Sänger-Ich seinerseits für diese niedere Adresse, Strophe V stellt die Frage ihrer *triuwe und stæte* (: *fidelitas*) und leitet zum Schluß (V,6) das *owê* (vom Schluß der Auftrittsstrophe I,6) aus der möglichen Nichterfüllung dieser Lehnsbedingung ihrerseits ab.

3. Liedtyp

3 a. Auftrittstyp

Mit dem Sänger-Auftritt von Strophe I gibt sich das Lied zunächst als Typ einer traditionellen, werbend-huldigenden Gruß-Adresse an eine Dame.

3 b. Inhaltstyp

Im Vortrag aber entwickelt es sich als Typ einer Diskussion und Definition der (*nideren*) Minne. Da die Forschung bisher das Lied einhellig anders verstand (s. u.), sei zunächst nochmals ausdrücklich präzisiert, was damit gemeint ist.

Seine zwei, das Typen-Stichwort *niderer sanc* (II,2) verteidigenden, Themen sind das *guot* (I,2) in Strophe II und III und die Hulde (I,6) in Strophe IV und V. Das erste Thema wird streng theoretisch, geradezu philosophisch durchgeführt. Das zweite greift die in der Auftrittsstrophe gesetzte Anrede zwar wieder auf, sogar mit überraschend konkreten Details (die zwei Ringe IV,6!). Aber auch da ist jedes persönliche System-Element der Minne und des Minnesangs vermieden, es geht um die theoretische Berechtigung seiner (Str. IV) und ihrer (Str. V) Hulde (= *fidelitas*) aufgrund der vorangegangenen theoretischen Definition von *liebe* = *herzeliebe* (Str. III). Das *frowelîn* des Liedanfangs ist also im wesentlichen nur Aufhänger für das Recht auf die *nidere* Wendung seines »Sangs«, für die Definition des *nideren* Minnesangs.

Die bisherige Forschung hat, wie gesagt, das Lied fast einhellig anders verstanden: als schlichtes Liebeslied an das einfache, zur Gegenliebe bereite oder sie gewährende Mädchen der 'niederen Minne'.[9] Ganz generell hat sich dabei eine fatale Nähe zum hochliterarischen wie trivialen Cliché des 'lieben Mädels' seit dem 19. Jahrhundert ergeben (ohne seine zersetzende Analyse z. B. bei Arthur Schnitzler). Die 'theoretischen' Strophen II und III müssen so wie eine störende Abirrung von diesem Thema erscheinen. – Wenn, wie ich meine, diese Interpretation einer präzisen Analyse des Liedes Zeile für Zeile und Wort für dort nicht standhält, so wirkt sich das auch auf das gängige Verständnis der 'niederen Minne' im Walther-Œuvre und seiner Chronologie aus. Darauf wird unten (5.) noch einzugehen sein.

3 c. Typenhorizont

Die zentrale Frage unseres Liedes ist vielmehr, *waz liebe sî* (II,4) – aber in der, von »anderen« getadelten, spezifischen Wendung des *nideren sanges* (II,2). Diese *liebe* wird hier definiert als das in der Partnerin der Minne-Werbung erstrebte höchste Gut, als *herzeliebe* (*bonum animi*). Und sie ergibt sich als Gegenstand *nideren sanges* durch eine geradezu experimentelle Ausschaltung der anderen 'Güter' einer traditionellen Dreigliederung des *bonum*: des *guotes* (*bonum externum*) und der *schœne* (*bonum corporis*), denn sie *tuot dem herzen baz* als diese (III,3), wirkt also auch auf den Werbenden höher. In der Partnerin ist sie verkörpert als *frowelîn*. Die bei Walther einmalige Adresse[10] erklärt sich im Verlauf des Liedes in zwei Komponenten: sie ist *frowe* als metaphorischer Lehnsherr der vom Sänger gebotenen Hulde, und sie ist (einer *künegîn* gegenüber) zwar schön aber arm (*glesîn vingerlîn*). Das *guot*, das sie zum Gegenstand dieser (*niederen*) Minne-Werbung macht, ist also einzig ihre *liebe* = *herzeliebe* (: *bonum animi*), die sie aber nicht besitzt – sie wird ihr zu Anfang nur als Gottesgabe gewünscht (I,2) und zum Schluß vom Sänger zweifelnd erfragt (Str. V). Sie ist also nicht realisierte, erwiderte Liebe, sondern die Fähigkeit zur Gegenliebe, zur *fidelitas*. In den Typenhorizont des Liedes muß also gehören: die Vorstellung, a) daß sie, als *herzeliebe*, das höchste Ziel der Minnewerbung sei, b) daß die normale *frowe* des Minnelieds diese Fähigkeit nicht besitzt, mindestens nicht besitzen muß, c) daß die »arme« *frowe* sie eher besitzen könnte.

Genau diese drei Propositionen, nur weit radikaler zugespitzt, vereinigt auch ein ausgesprochener Sonderfall aus 'Minnesangs Frühling': Hartmanns Absage an den Minnesang MF 216, 29 (*Manger grüezet mich alsô . . .*). Auch sie ist ein 'Definitionslied', aber geradezu episch konkret inszeniert! Der Sänger – zu Anfang mit dem Autornamen angesprochen! – verzichtet auf die höfische Aufwartung (*schouwen*) bei »ritterlichen Frauen« (216, 32) und auf einen früheren Minnedienst für sie (217, 6 ff.) wegen ihrer nonchalanten Noblesse (*dô wart ich twerhes an gesehen* 217, 10). (Proposition b.) Statt dessen will er sich *armen wîben* zuwenden, weil da die Fähigkeit zur Gegenliebe zu »finden« ist (*dâ vinde ich die diu mich dâ wil* 217, 3). (Proposition c.) Nimmt man *herze* (*mînes herzen spil* 217, 4) ernst und zusammen mit Hartmanns anderer Absage im sog. Kreuzlied (218, 5): mit der spezifischen Gegenseitigkeit der Gottesminne statt des *wâns* der *minnesinger* (218, 22), dann ist auch hier die *herzeliebe* als erstrebtes höchstes Gut das Eigentliche der Minne. (Proposition a.) Wie diese Lieder einzuordnen sind in Hartmanns Œuvre, wie in die sonstige Dienst-Stereotypie unserer Minnesangüberlieferung, wie schließlich Walthers *nidere* Minne, wie ihre Definition in unserem Lied mit diesem Sonderfall Hartmann zusammenhängen, kann man, meine ich, nicht einmal vermuten. Klar ist aber, daß Walther aus der Gebrauchssituation des normalen Minneliedes nicht wie Hartmann radikal heraustritt, sondern nur eine andere Nuance innerhalb ihrer Inszenierung statuiert: die des *niederen sanges*.

Die Typenparallelen, die man sonst zu Walthers 'niederer Minne' heranzuziehen pflegt – vor allem französische Pastourellen und lateinische Liedtypen der Carmina Burana –, stimmen nie in allen drei Propositionen zu unserem Lied. Gleichwohl müssen Typ-Ansätze für Hartmann wie für Walther dagewesen sein. Daß sie, besonders im Deutschen, kaum zu fassen sind, vor allem fürs 12. und 13. Jahrhundert, liegt hauptsächlich an unseren aufs 'hohe' Lied fixierten alten Liederhandschriften. Es könnte aber *nidere* gerade als Stilbegriff am ehesten weiterführen – der ja traditionell den Gegenstand mitdefiniert (s. o. S. 70 mit Anm. 1). Ich kann das hier nicht weiterverfolgen. Die in den letzten Jahren neu belebte Typenforschung wird auch hierzu noch viel zutage bringen können.

Einen weiteren Horizont der Typenfrage provoziere ich selbst mit meiner (fast zu freigiebigen) Beigabe lateinischer Begriffe zu Walthers deutschen. Zunächst nur zur Präzisierung des von mir Gemeinten gedacht, bauen sie doch in dieses, nur scheinbar so leichte, Gedicht einen lateinischen Hintergrund hinein. Er bleibt relativ unproblematisch, soweit es sich um lateinische Lehns-rechts-Terminologie handelt: Für Sänger und Publikum dieser aristokratischen Gebrauchskunst war jedenfalls ihre deutsche Entsprechung 'Lebenswissen', die lateinischen Begriffe sind in der Schriftkultur der Zeit geprägt und für uns rechtshistorisch präziser. Die Substitution des *bonum* aber ('das Erstrebte') und der Unterscheidung der drei *bona* (= 'das Erstrebenswerte'), unter Walthers *guot* (I,2), und *guot* (II,6), *schœne* (II,6; III,1 f.), *liebe* (II,3 ff.; III,3 ff.), unterstellt dem ein 'Wissen', das in der Gedankenwelt des Sängers ('Produktion') wie in der Lebenswelt der Lieder ('Rezeption') nicht ohne lateinische Schulung vorstellbar scheint, das sogar auffordern könnte, nach der zeitgenössischen lateinischen Schule Walthers zu fragen, zumal philosophiehistorisch die Frage des *summum bonum* immer wieder mit der Schönheit wie mit der Liebe verknüpft wird.[11]

Ich glaube dennoch nicht, daß das hier nötig und auch nur möglich ist. Gerade die Moralphilosophie einerseits orientierte sich seit Aristoteles, Cicero, Boethius usw. immer wieder und immer neu an den umgangssprachlichen Begriffen von 'gut', 'Glück' usw. – die Umgangssprachen andrerseits hatten, besonders im elaborierten Kunst- und Reflexionsgebrauch des höfischen Liedes, so viel logisch-ontologische Differenzierung aufgenommen und entwickelt, daß man eine Diskussion wie diese auch ohne direkte lateinische Quelle erwarten kann.

Damit will ich natürlich die Frage einer möglichen Kleriker-Ausbildung Walthers keineswegs sistieren. Ganz allgemein sehen wir ja heute klarer, wie hoher und niederer Adel, hohe und niedere Geistlichkeit, hohe und niedere Stadtbürger, geistliche und weltliche Berufsmeister, wie auch elitär artistische und freie 'volkstümliche' Liedschichten im volkssprachlichen Lied, und zwar schon des 12./13. Jahrhunderts, zusammenwirkten.[12] Ich vermeide es aber an dieser Stelle, punktuell vom einzelnen Lied her oder aufgrund einzelner 'Kennt-nisse' des Autors Schlüsse zu ziehen, die besser und richtiger nur aus der ganzen Breite der Situation sich ergeben können.

3 d. Formtyp

Schema: 4 a A 4 b, 4 a A 4 b, 4 c A 8 c.

Diese Form stellt sich zu einem lateinisch, provenzalisch, nordfranzösisch und deutsch verbreiteten »einfachsten« Kanzonentyp, den SILVIA RANAWAKE fürs frühe 13. Jahrhundert unter »durchgehend gleichartige Kanzonen im Zweisil-bentakt« (I.) »aus vollen Vierhebern« (a.) in »Siebenzeilern (und Sechszeilern)« (aa.) zusammenfaßt.[13] Ob man Walthers Sechszeiler mit 8hebigem Schlußvers eher als Siebenzeiler mit Zusammenfassung der zwei letzten Vierheber (ohne Zäsur!) auffaßt – wofür vielleicht die schlagende Pointenführung gerade dieser Zeile spräche – oder als Variante der sonstigen Sechszeiler, bleibt für die Zuordnung zur Gruppe unerheblich. Spezifisch deutsch ist schon für Walthers Zeit die Fugung innerhalb der Strophenglieder (Stollen und Abgesang), bei Walther in der später selteneren Form des Auftakts der zweiten Zeilen, und ihre harte Absetzung voneinander.

Vergleichbares findet SILVIA RANAWAKE bei frühen Trouvères. Am wichtigsten sind ihre Beobachtungen zum Gebrauch des Typs: in Frankreich meist mit »einfach und konventionell gehaltenen Texten« – im deutschen Vergleichsmaterial oft mit anspruchsvollen, auch »definitorischen« Texten. Die 'Einfachheit' der Strophe präjudiziert also gerade hier nicht 'schlichte' Aussagen oder Stillagen – was für das Problem der Gruppe 'Lieder der niederen Minne' bei Walther Bedeutung hat.

Das Form- und Stilbewußtsein der Sänger treffen vielleicht eher Beobachtungen wie die HATTOS für Walthers Sprüche: schwere Formen z. B. für Kaiser-Sprüche, leichtere Formen für andere Adressaten (in den Kategorien etwas problematisch); oder meine Beobachtungen für 'Minnesangs Wende': verschiedene Zuordnung von Stilarten und Stillagen für schwere und für leichtere Formen, die SILVIA RANAWAKE differenziert hat. [14] Die jeweiligen Zuordnungen können durchaus variieren, es sind also nicht durchgehende Inhalts-Typen im Spiel. Vielmehr sind es Stil-typische Elemente, die, besonders im Deutschen, den verschiedensten inhaltlichen Differenzierungs-Interessen der jeweiligen Autoren zugeordnet werden können. In diesem Sinn könnten für Walther auch die Lieder, die die Forschung bisher hauptsächlich inhaltlich der 'niederen Minne' zugeordnet hat, in der Tat vielfach zu den leichten Formen (keineswegs nur einfachen Inhalts!) gehören. Auch unter diesem Gesichtspunkt wäre *niderer sanc* vordergründig als stilistisches Stichwort zu verstehen, das er, im Sinn der mittelalterlichen Stillehren, zu einer sozialen Komponente des Minnedienstes entwickelt und als solche diskutiert hätte – welche Diskussion er in den Strophen 46, 32 und 47, 5, hier aber ausdrücklich in schwerer Form, vom Sängerberuf her relativiert (*ze hove – an der strâze*) und neu auf die *herzeliebe* bezogen hätte.

4. Zur Überlieferung und Textkritik [15]

Walthers Lied 49, 25 ist im jeweiligen Grundstock unserer Haupttraditionen überliefert: in C im Zusammenhang *BC (und so in LACHMANNS Buch II) – nur hat hier B eine Lücke von 9 Liedern, und Kombinationen über den Bestand von *BC bleiben fraglich; [16] in A; in E mit O bis hin zu s; schließlich auch in G, einem bairischen Fragment unklarer Zuordnung.

Auch mit alten und neuen Forschungen über differenziertere Zusammenhänge stoßen wir aber bestenfalls bis zu redaktionellen Sammlungen namentlicher Meister-Œuvres um 1230 zurück. So bleiben Vermutungen, die jenseits ihrer noch bis zum Autor zurückführen wollen, äußerst fraglich.

Die *recensio* des nicht nur reich, sondern auch bunt überlieferten Textes hat seit LACHMANN im wesentlichen Bestand, von CARL VON KRAUS auch nach dem Hinzutreten von G (1925) [17] und O (1933) [18] nur in wenigen Punkten, wo LACHMANN C vertraute, noch stärker an A gebunden. Geändert hat sich längst der grundsätzliche Aspekt der Überlieferung und damit auch das 'Fehler'-Calcul LACHMANNS und noch VON KRAUS'. Gerade für dieses Lied ist VON KRAUS' Dictum umzukehren. Nicht: »Das eingängliche schlichte Lied wurde offenbar schon frühzeitig 'zerschrieben'«[19] – warum eigentlich, wenn es doch selbst so »eingänglich schlicht« ist? –, sondern: Das gedanklich schwierige Lied wurde bald in verschiedener Weise vereinfacht, weil allgemein der deutsche hochartistische 'Gedankenstil', um 1200, mehr und mehr einem 'Brauchtumsstil' im 13. Jahrhundert wich.[20] Das gilt sogar für A, dessen Vorlage, wie VON KRAUS richtig statuiert, dem Gedankengang Walthers noch am nächsten steht. (Die Fehlerliste für A[21] gibt hauptsächlich Graphien und Flüchtigkeiten.) Wie einerseits in C, merkwürdig frei, andrerseits in E über O bis zum bloßen Zitat in s, schließlich, wohl schon im 13. Jahrhundert, auch in G, die Gebrauchssituation der späteren Liedkunst sich auswirkte, auch in schriftlicher Tradition, wäre an den jeweiligen Lesarten präzise zu analysieren – wofür hier der Raum fehlt.[22] Daß aber gerade auch bei diesem Lied mein in ganz andere Richtung zielendes Verständnis die Textentscheidungen LACHMANNs und VON KRAUS' so weitgehend bestätigt, spricht für deren kritische Vernunft jenseits von textkritischen Moden.

Alle späteren Editionen haben denn auch, bis auf Kleinigkeiten, diese Textentscheidungen bestätigt. Zu diskutieren bleibt nur ein Fall, in dem ich von CARL VON KRAUS abweiche. In 50, 14 (V, 2) haben A mit O: (sô bin ich) dîn (ân angest gar); C mit G: . . . des . . .; E läßt die Beziehung vereinfachend ganz aus. Erst bei Veröffentlichung von O 1933 hat VON KRAUS das dîn in sîn konjiziert und so in die Ausgabe aufgenommen (bis dahin des mit LACHMANN). Als ein Beispiel sei hier seine Begründung wiedergegeben: »dîn paßt allerdings ganz gut in den Vers, verträgt sich aber nur schlecht mit dem folgenden mit dînem willen; und des wäre kaum von zwei unverwandten Handschriften zu dîn verändert worden. So vermute ich sîn für das Original und für den Archetypus. Das wurde als persönliches Pronomen gefaßt und von A und O unabhängig in das naheliegende dîn verwandelt.«[23] Diese einzige wirkliche Konjektur im Text wird also inhaltlich gar nicht, stilistisch nur nebenbei gerechtfertigt, alles weitere sind Stemma- und Abschrifts-technische Erwägungen. Mir scheint umgekehrt der Gedankengang klar für . . . dîn . . . zu sprechen: »Ich bin deinetwegen ohne Sorge, weil mir (falls du triuwe und stætekeit hast) keine Lehnspflichtverletzung von deiner Seite her geschehen kann« (s. o. S. 72 f.). A hat auch hier recht (und O hat noch nicht wie E vereinfacht). Die späteren Herausgeber sind VON KRAUS hier nicht gefolgt und haben dîn (BRINKMANN 1952, MAURER seit 1956) oder des (WAPNEWSKI 1962, O. SAYCE 1967, SCHAEFER 1972) wiedereingesetzt.

Die Strophenfolge ist durch A, E, G gut gesichert und wird durch meine Paraphrase (s. o. 1.) neu bestätigt. C ordnet: I, II, IV, III, V; O: I, IV, II, III, V – beides in Verkennung des Gedankengangs (s. o. 2.); s hat aus der *E-Tradition nur noch ein vierzeiliges Zitat-Konglomerat übernommen.

5. Zum Ort in Walthers Œuvre

Dieser Punkt dient vorerst nur als 'Erinnerungsposten': Erst die pragmatische Textanalyse des ganzen Œuvres wird eine neue Sicht der Zusammenhänge ermöglichen. So sind auch die oben mehrfach angedeuteten Zweifel an dem

bisherigen Konzept von Walthers 'niederer Minne' (bzw. 'ebener Minne':
HALBACH) nur als vorläufige Hinweise zu verstehen. Daß jedenfalls noch andere
Aspekte als der bisher im Vordergrund stehende inhaltlich-sozial-biographische
hierbei berücksichtigt werden sollten, scheint mir sicher. Davon werden auch
die bisherigen Grundsätze einer chronologischen Ordnung seines Œuvres
betroffen sein.

DIE VORAUSSETZUNGEN FÜR DIE ENTSTEHUNG DER MANESSESCHEN HANDSCHRIFT UND IHRE ÜBERLIEFERUNGSGESCHICHTLICHE BEDEUTUNG[1a]

1. Der Zugang

1.1 Das Buch

WAS SIEHT DERJENIGE, DER DAS BUCH, auch in dieser Reproduktion[1] eines der kostbaren Bücher der Welt, vor sich liegen hat? Zunächst einmal nicht das, was er im Zeitalter des Buchdrucks zu erwarten gewohnt ist: kein Titelblatt mit Titel, Verfasser oder Sammler, Verlag, Erscheinungsjahr, kein Vorwort. Dieses Buch ist stumm, ist noch nicht Ware im Büchermarkt, noch nicht öffentlich und vor einem anonymen Publikum verantwortetes Produkt. Es ist, wie alle mittelalterlichen Handschriften, auch Reproduktion von Texten, aber in einem und für einen engen Kreis von persönlichen Besitzern und Benutzern; ist zwar auch für immer produziert, geradezu als Luxusware produziert, aber mit dem Anspruch eines mittelalterlichen Gebrauchskunstwerks: zum Wandern von Schatzkammer zu Schatzkammer bestimmt, bestenfalls mit einem versteckten Hinweis auf seine Stifter versehen (s. u. S. 100 ff.), selten mit Marken für die Schreiber und Bild-Künstler, die Planer und Ordner, etwa in einem Kolophon am Ende, das hier ganz fehlt.

Das Einmalige dieser Handschrift ist, daß sie auf so kostbare Weise Laienkunst reproduziert – nicht liturgische Kunst für den Kult, als Stiftung und zum Besitz auch von fürstlichen Herren und Königinnen, wie entsprechende Schatzstücke schon seit Jahrhunderten; daß sie ein Schatzbuch ist für Gesänge in der Volkssprache der Laien, von dessen Gebrauchsrealität, den Bestellern, Besitzern, Benutzern, wir praktisch nichts wissen.

Das alte Buch beginnt mit einem Verzeichnis der Namen. Aber auch dies ist nicht einfach ein Inhaltsverzeichnis, ganz abgesehen von seinem allmählichen Zusammenwachsen. Es ist ein Repräsentationskatalog, eine stolze Summe all derer vom Kaiser bis zum Bettelmann, die man als Diener der edlen Gebrauchskunst des Laienliedes vorweisen kann. Dieser Repräsentation dienen all die einzelnen Elemente, die die erstaunliche Planung des Buches zusammengebracht hat, die es in seiner Ausführung mit erstaunlicher Qualität vereinigt.

Da sind die Namen, den einzelnen Bildern und Textsammlungen nochmals und nochmals vor- und übergeschrieben. Sie sollen, sie müssen historisch sein, nach Rang geordnet vom Kaiser Heinrich am Anfang über bekannte Fürsten und freie Herren des 12. und 13. Jahrhunderts zu den 'Herren' Ministerialen, zu den geistlichen und Laien-'Meistern' und noch zu fahrenden Leuten. Die den Bildern hinzugegebenen Wappen weisen das geradezu pedantisch aus: sie sind sozusagen die Reisepässe der Zeit. Aber Name, Rang und Wappen müssen nicht unbedingt stimmen;[2] ihre Summe bedeutet dem Buch mehr als ihre historische Richtigkeit im neuzeitlichen Sinn. Dazu die Bilder: sie spielen, in vorgegebenen Mustern, mit Beziehungen zu den Texten. Daß sie einmal auch historische Ereignisse darstellen (z. B. für Buwenburg), ist recht unwahrscheinlich.[3] Aber sie stellen vor allem und in allen Variationen die mit Namen Genannten als Autoren von Liedern vor.

Den Umfang und den eigentlichen Zweck und Inhalt des Buches aber macht die Schrift aus, auch sie schon vom Duktus her so repräsentativ wie damals möglich. Sie vermittelt die Lieder, für die Plan, Sammlung und Gesamtanlage einstehen, und hier bleibt es dennoch am fraglichsten in vielen verwirrenden Einzelheiten, wieviel davon der historischen Person gehört, unter deren Namen, Wappen und Bild sie gesammelt sind. Am sichersten dürfen wir sein für die großen Œuvres, nicht nur von Berufs-Sängern wie Walther von der Vogelweide oder Konrad von Würzburg, sondern auch von hochgestellten Dilettanten wie Friedrich von Hausen oder Ulrich von Lichtenstein – obwohl es auch hier von Verwerfungen, Verwechslungen, Zufügungen vor allem am Ende der Œuvres wimmelt, für deren Unterscheidung die germanistische Philologie heute bei weitem nicht mehr die Sicherheit behauptet, die sie noch vor einer Generation zu haben glaubte. Auch kleinere Textgruppen, z. B. unter Namen aus der landschaftlichen Nähe zu Zürich, können historische Authentizität in Anspruch nehmen. Andrerseits gibt es eine ganze Reihe von Namen, die mögen entweder überhaupt erfunden sein, um einer Textgruppe einen Namen oder einem Namen Lieder zu geben, oder sie mußten Kleinsammlungen unbestimmter Herkunft mit decken. Hier verbindet sich mit dem Prinzip der Autorennamen ein zweites Prinzip der Sammler unserer Handschrift: sie wollten nichts *lân zergân*, nichts umkommen lassen, was in ihre Hände gekommen war, und ordneten solche schwebenden Liedtraditionen ohne Skrupel unter dem Repräsentanz-System der Namen ein, wie es eben ging.

Was also enthält das Buch, in seiner Gesamtanlage und vor allem in seinen Texten? Gewiß: fast die ganze uns bekannte Liedkunst vor allem des Minnelieds in der Volkssprache der Laien in Deutschland bis um 1300. Aber auch wer es damit direkt beim Wort nehmen wollte, sähe sich nicht nur oft genug betrogen über Namen, Rang und Œuvre der Autoren. Er hätte auch dieses Ganze verfehlt. Einmal, weil das ganze Leben dieser gesungenen Lieder, ihr Erklingen in der Aufführung, bei aller sonstigen geradezu totalen Umsichtigkeit der Lied-Repräsentanz hier überhaupt nicht vorkommt, wie sonst gelegentlich wenigstens in Musik-Noten.[4] Das ist wie ein Operntextbuch ohne Musik und Aufführung. Und auch wenn man versucht, wie es die Forschung zu Recht getan hat und noch tut, die Lücken, die Irrtümer und Fraglichkeiten sonst zu korrigieren und das Ursprüngliche und Ganze dieser Liedkunst zu rekonstruieren, auch mit Hilfe der anderen uns überlieferten Liederhandschriften – auch dann verfehlt der Leser den mittelalterlichen Buchtyp. Das Buch sieht sich selbst eben nicht als fertiges, als endgültiges Editions-Werk, als *opus perfectum*, sondern als ein *opus imperfectum*, ein mit der Reichweite der Sammler, mit der Erschöpfung des Impulses nur abgebrochener Vorgang produktiver Reproduktion: einer Verwandlung der freien Liedkunst der Laien in ein allumfassendes Lesebuch von Gedicht-Autoren. Hier vor allem liegen die Ursachen auch für die Irrtümer und Fraglichkeiten, die man insofern eben nicht nur korrigieren wollen darf, sondern zuerst einmal als Lebensprozeß des Buches – in ihm und mit der ganzen Liedkunst des Mittelalters zusammen – sehen muß.

1.2 Die Rezeption

Der Zugang gerade zu den Texten muß heute noch von einer anderen Seite her neu bedacht werden: innerhalb der Kulturgeschichte ihrer neuzeitlichen Rezeption.[5] Seitdem 1601 und 1604 MELCHIOR GOLDAST Proben, 1758/59 JOHANN JACOB BODMER den größten Teil der Handschrift im Druck veröffentlicht hatten,[6] fanden ihre Gedichte und Bilder durchs 17., 18., 19. und bis tief ins 20. Jahrhundert und ins Zeitalter der Photographie hinein – trotz aller tiefreichenden Verwandlungen der neuzeitlichen Literatur-, Geschichts- und Wissenschaftsszene in Deutschland – ein merkwürdig einhelliges Echo: die antiquarischen, literarischen, politischen und philologischen Interessen flossen immer wieder zusammen zu einer Vorstellung, die fast unverändert in die jeweilige zeitgenössische Kulturszene eingehen konnte.

Literarisch geriet die Handschrift, gesehen als Lieder- und Bilder-Buch von Blümlein und Vögelein, d. h. einer idyllischen Natur, und von liebesüchtigen mädchenhaften Jünglingen und kapriziösen Mädchen-Damen, sogleich in den weltliterarischen Strom der Anakreontik, der seit der griechischen und römischen Antike immer neu, und nun umgedeutet als Rokoko oder Romantik bis zur Spätestromantik, das Rollenspiel von Natur und natürlichem Liebesverlangen ausspielt gegen die Entfremdungen durch Zivilisation, Technik, soziale Erstarrung. So gesehen, brauchte man diese Gedichte gar nicht zu übersetzen, brauchte sie nur umzusetzen in die Sprachform und Formensprache der Gegenwart. Als Beispiel sei eine der frühesten Umdichtungen des *Under der linden* von Walther von der Vogelweide (39, 11) zitiert – erschienen 1779, gedichtet von Gleim:[7]

Under der linden an der heide,	Unter'n Linden,
dâ unser zweier bette was,	Wo sie mir zur Seite saß,
dâ mugt ir vinden schône beide	Könnt ihr finden,
gebrochen bluomen unde gras.	Blumen und gebrochnes Gras,
vor dem walde in einem tal, tandaradei,	Vor dem Walde, Dal de Dall,
schône sanc diu nahtegal.	Schön sang uns die Nachtigall!

Diese intrikate Laut-Nähe der mittelhochdeutschen Wörter zu den neuhochdeutschen – bei doch grundsätzlicher Veränderung ihres Horizonts – hat es bewirkt, daß seither und zum großen Teil bis heute der anakreontische Klang aus den Übersetzungen und aus dem Verständnis der Lieder nicht zu verbannen war – für die Bilder hat da die Kunstgeschichte schon ein breiteres Neu-Verständnis vorbereitet. Dieses Textverständnis bezeugt noch Gottfried Keller in der realistischen zweiten Hälfte des 19. Jahrhunderts. Seine Novelle Hadlaub, erschienen 1878, baut das Wissen des Zürichers vom Bild des Manessekreises, wie es in drei Liedern von Hadlaub erscheint (s. u. S. 101 ff.), gewissenhaft historisch aus. Nur zwei Liebesgeschichten hat er in dieses Material hineinge-dichtet: eine Jugend-Affäre zwischen dem »Fürsten«, dem Konstanzer Bischof Heinrich von Klingenberg, und der »Fürstin«, einer erfundenen Vorgängerin der Fürstäbtissin des Fraumünsters in Zürich, Elisabeth von Wetzikon, deren Frucht das ernsthafte Kind Fides ist – historisch nicht einmal unwahrscheinlich. Fides aber macht er zur *frowe*, zur Dame der Minnelieder Hadlaubs. Und Kellers Moral von der Geschicht': eben dieses Minnewesen, noch ebenso anakreontisch aufgefaßt wie im Rokoko und bei den Romantikern, wird von der ernsthaften Fides so klug wie verschmitzt schließlich umgelenkt – in eine bürgerliche Ehe! Für die literarische Moderne war dann dieser anakreontische Minnesang nicht mehr interessant.

Den Weg der politischen Aneignung des Buches: von der liberalen und demokratischen Reichs-Sehnsucht des Vormärz, rückwärts personifiziert vor allem in Walther von der Vogelweide[8], zum europäischen Imperialismus des Bismarck-Reiches und noch einmal mißbraucht im Totalitarismus der National-sozialisten, bis schließlich heute das deutsche Mittelalter aus den Universitäten und Schulen zu verschwinden beginnt – diesen Weg brauche ich hier nicht nachzuzeichnen.

Die germanistische Wissenschaft schließlich hat zwar, vorbildlich für alle neueren Philologien schon seit KARL LACHMANNs Edition von Walther von der Vogelweide[9], die Texte philologisch zu sichern gewußt, dazu die erreichbaren Fakten und ihre mittelalterliche Atmosphäre. Gewiß, Verquickung auch der gelehrten Arbeit mit der jeweiligen literarischen und politischen Szene blieb dabei nicht aus; gerade in den letzten Jahren hat man sie ihr – oft ahistorisch einseitig – nachgerechnet. Schwerer wiegt, daß auch die gelehrte Forschung, obwohl sie sich aus biographisch-naturalistischen Mißverständnissen der 'Minne' schließlich befreite, dem anakreontisch verfälschten Klang der mittel-hochdeutsch-neuhochdeutschen Wortgleichungen nur schwer sich entziehen konnte. Der unbestrittene Meister der Minnesangforschung der letzten Genera-tion, CARL VON KRAUS, verstand die Lieder schließlich als lebensfernes Spiel mit dennoch persönlich-erlebnisartigen Liebes-Fiktionen.

Besonders die Übersetzungen, auch die besten, konnten und können bis heute dem nicht entgehen. Nur allmählich breitet sich ein Neuverständnis aus, das der Erweiterung unserer Kunstbegriffe durch die literarische Moderne zu verdanken ist. Paradox gesprochen: wer heute die Lieder Walthers von der Vogelweide nicht so liest wie etwa Gedichte von Paul Celan, liest sie immer noch wie Gleim 1779. Allerdings gilt es bei der höfischen Liedkunst des Mittelalters nicht, wie bei Celan, die persönlichen Metaphern und das subjektive Erleiden von Welt-deutung als zweite, verdeckte Sprachschicht aufzudecken. Sondern gerade umgekehrt: die konventionellen Gebrauchsmuster, die artistische Brillanz der Formensprache, die Topoi einer generellen Rhetorik der Huldigung und der

Zeitkritik sind hier die verborgene Sprachschicht, auf deren Hintergrund erst die persönlichen Nuancen und inhaltlichen Ausfüllungen der Muster verständlich werden.

2. Die Sammlung

2.1 Mündlichkeit

Was also sieht der, der das Buch vor sich hat? Er sieht, wie wir wissen, kein literarisches Dokument, keine Edition des Minnesangs, sondern eine literarische Dokumentation: eine denkwürdige Station in jenem Prozeß, der Entstehung, Leben und Überlieferung der Gebrauchskunst des deutschsprachigen Lieds im 12. und 13. Jahrhundert in ein großartiges Buch gerettet hat.

Gebrauchskunst der Laien: sie entstand und lebte noch im Hochmittelalter in einer vorwiegend mündlichen Laienkultur – in vielfältiger Symbiose freilich mit der lateinischen Kultur der schriftgelehrten Kleriker. Denn diese vermittelten damals ja auch, am Rand ihrer lateinischen Kirche, Schule und Wissenschaft, was im Königs- und Fürstendienst der Schriftlichkeit bedurfte – lateinisch. Daß aber in dieser Schriftwelt die mündliche Gebrauchskunst, die Gesellschaftskultur der Laien, daß gerade das volkssprachliche Lied kaum ein Echo fand, ist kein Wunder; es teilt solche Verschweigung bis ins 13. Jahrhundert mit dem 'gesprochenen' und nur mündlich tradierten Laienrecht u. v. a.

Als einzige zeitgenössisch-urkundliche Dokumentation, die ein volkssprachlicher Liedautor als solcher gefunden hat, ist die Aufzeichnung eines ansehnlichen Geldgeschenks an den *cantor* Walther von der Vogelweide überliefert: »für einen neuen Pelzrock«, eingetragen am 12. November 1203 unter der Station Zeiselmauer an der Donau oberhalb Wiens in eine Reisekosten-Aufstellung des Bischofs Wolfger von Passau – lateinisch![10] Wolfger, als späteren Patriarchen von Aquileja, hat Walther in einem erhaltenen Spruch gepriesen (34, 34), charakteristischerweise, denn *êre umbe guot geben* war geradezu Berufsbezeichnung für Berufssänger.

Für alle anderen Liederdichter, für ihre Zeit, ihre Heimat, gar für ihre Biographie, können wir nur die Autor- und sonst erwähnten Namen, dazu die Wappen unserer Handschrift, kombinieren mit denselben Namen in historischen Dokumenten, Wappenbüchern, Urkunden, hier meist unter Zeugenreihen versteckt – sofern sie da überhaupt zu finden sind, und oft zweifelnd, ob es sich auch um den Liedautor handelt. Daß eine dieser historischen Personen jemals ein Lied gedichtet oder gesungen hat, wird urkundlich nirgends erwähnt. Nur eine literarische Öffentlichkeit, und nur in volkssprachlicher Literatur, hat einige Namen, Zitate, freundliche und polemische Beziehungen registriert – mündlich und schriftlich.

Diese literarische Öffentlichkeit und die Funktion, den sozialen Ort der Liedkunst in ihr – soweit er sich aus den Texten erschließen läßt – müssen wir heute anders, vielleicht richtiger, beurteilen als die ältere Forschung, auch dank neuer sozialgeschichtlicher Perspektiven (sofern diese nicht eine geduldige

Beobachtung, aus der allein Schlüsse gezogen werden können, durch voreilige Abstraktionen mehr behindern als fördern).

Das Wichtigste: diese Liedkunst ist nicht Kunst in dem Sinn, der sich vom 18. durchs 19. Jahrhundert bis noch in die Gegenwart hinein entwickelt hat. Gewiß, auch Walther von der Vogelweide ist durch die Länder gezogen *von der Elbe unz an den Rîn und her wider unz an Ungerlant*, nicht anders als heute ein Virtuose: weit gerühmt und kritisiert, und hat sein Honorar gefordert, das er ebenso in gesellschaftlichen Rang umzumünzen verstand wie jener: *Ir sult sprechen willekomen . . .* (56, 14) – bis ihm schließlich ein Lehen des Kaisers, Friedrichs II., beides von höchster Stelle bestätigte.

Aber diese Kunst wurde nicht dargeboten wie heute: im Konzertsaal, vor einem auf Kunst gestimmten, sie als Bildungsbesitz gebrauchenden Publikum. Sondern eher vorgetragen wie die 'songs' auf den 'festivals' der Jugend-Freizeitkultur der sechziger Jahre: vor aktuell engagierten, diskutierenden, sich bekämpfenden Gebrauchergruppen – schwebend zwischen kollektiver Belustigung und Aufreizung zur Praxis – in engen Konventionen, aber jedes Lied 'neu' – unerschöpfliches Thema: Liebe in jeder Variante, aber auch politischer Kampf – Autoren, Komponisten, Sänger in labilen Übergängen und Moden weit gestreut von Dilettanten-Könnern bis zu beruflichen Könnern mit Spitzeneinkommen – Sprachgrenzen werden ohne Schwierigkeiten übersprungen. Der Vergleich ist nur in einer Hinsicht überzogen. Diese heutige ist 'underground'-Kunst einer, trotz erstaunlicher Wirkung fast tragisch isolierten, Subkultur-Gruppe. Die Liedkunst unserer Handschrift war die einer elitären, einer 'höfischen' Spitzenkultur-Gruppe, Hofkunst als Statussymbol für Feste der Fürsten, mit Kunstansprüchen an Texte und Melodien, die denen der geistlichen Liedkunst gleichkamen. Themen aber auch hier: Liebe und politisches Engagement – die Liebe, zunächst gegenwärtig in allen, auch derbsten Nuancen (gerade bei den Anfängen in der Provence und später in Deutschland: Wilhelm IX. und Kürenberg), bald aber fast ausschließlich stilisiert zur 'edlen', zur 'hohen Minne' – das religiöse, gesellschaftskritische, politische Engagement in Personalunion mit dem Minnesang seit Walther von der Vogelweide. Die Autoren-Komponisten-Sänger, in der Regel in einer Person, sind auch hier sowohl Dilettanten bis zum höchsten Adel hinauf als auch Berufssänger in labilen Übergängen von festen Hofdiensten bis zum Fahrenden. Und Sprachgrenzen werden auch hier ohne Schwierigkeit übersprungen. Auch hier eben: Gebrauchskunst einer Gruppe – keineswegs alle Höfe und Fürsten der Zeit schlossen sich ihr an –, die sich darin erkennt, fixiert, hintergründig artikuliert.

2.2 Vermittlung

An dieses Milieu müssen alle Überlegungen anknüpfen, die den Weg vom mündlich vorgetragenen Laien-Lied zu unseren Liederhandschriften begreiflich machen wollen. Dieser Weg aber, diese Vermittlung zwischen Mündlichkeit und Schrift, zwischen den Anfängen der Liedkunst mit ihrem bald als klassisch geltenden Höhepunkt um 1200 und den erhaltenen Liederhandschriften um 1300, ist eine Dunkelzone, aus der wir kaum etwas wissen.

Wir können sicher sein: es gab von Anfang an sowohl mündliche Traditionen wie Niederschriften von Liedern. Das eine kann sich berufen auf die erstaunlichen Gedächtnisleistungen, die es in der Kunst jeder mündlichen Kultur gibt, auch hier unterstützt von der Einprägsamkeit der Melodien. Das andere bezeugen Figuren wie z. B. der *meister* Heinrich von Veldeke: er war, gleich bedeutend als erster Epiker wie erster Liederdichter des 'neuen Stils' der Volkssprache seit etwa 1170, ziemlich sicher Kleriker; und von dem bekannten Spruchsänger Marner bewahren u. a. die Carmina Burana in Nachträgen auch lateinische Gedichte auf.[11]

Die Vermittlung von der Mündlichkeit bis in unsere Handschriften hinein hat sich die ältere Forschung etwa so vorgestellt, wie es am klarsten CARL VON KRAUS für die 'Kleine Heidelberger Liederhandschrift' (A) beschrieben hat:[12] »1. Stufe. Aufzeichnung des einzelnen Liedes auf einem losen Blatte; 2. Stufe. Eine Anzahl solcher Einzellieder wird, mit teilweise ungenügender Bezeichnung der Autorschaft, in einem losen Heft vereinigt; 3. Stufe. Mehrere solche Hefte werden zu einer Handschrift zusammengefügt, in der die Lieder jedes einzelnen Dichters (mit allerlei Irrtümern) unter seinem Namen beisammenstehn . . .« Strittig blieb nur der Ansatz der zweiten Stufe, der »losen Hefte«: ob auch schon beim Autor selbst, ob erst in 'Vortrags'- oder 'Repertoire'-Heften reproduzierender Sänger. Die Liedergruppen, deren Spuren in unseren Handschriften man dafür in Anspruch nahm – nach formalen, thematischen, womöglich auch biographisch-chronologischen Ordnungs-Gesichtspunkten –,[13] ergaben sich aus den Dichtungs- und Forschungsbegriffen seit dem 19. Jahrhundert.

Nun: dieser Vermittlungsweg hat sich in der Tat erhalten: vom Autor-Einzelblatt des Gedichts zum 'losen Heft' seiner Gedichte bis schließlich zum gedruckten Gedichtband im 18. Jahrhundert. Gedichte und Stücke von Goethe lebten in der Weimarer Gesellschaft in all diesen Formen, und manche, die er aus verschiedenen Gründen nicht in seine Werke aufnahm, tauchten so erst viel später auf: Briefgedichte an Frau von Stein, sogar der Urfaust. Für die Liedkunst des Mittelalters aber ist dieser Vermittlungs-Weg, wie man heute sehen kann, anachronistisch. Die Hintergründe ihrer Mündlichkeit wie ihrer Schriftlichkeit sind erst zu erfragen. Und auch die so erschlossenen Liedgruppen verdecken eher das zu erfragende Kunst-Bewußtsein dieser Zeit.

Wie noch bis zur ersten Hälfte des 13. Jahrhunderts Mündlichkeit und Schriftlichkeit der volkssprachlichen Laienkunst ineinandergreifen, dafür nur zwei Beispiele.

Der steirische Standesherr Ulrich von Lichtenstein (urkundlich 1227–1274) erzählt unbefangen, daß er nicht lesen konnte.[14] Das hat ihn nicht gehindert, seine rund 60 Lieder aus 30 Jahren in offenbar chronologischer Ordnung aufzubewahren und 1255 um sie herum eine – im Fiktiven sehr reale – Liebesleben-Biographie zu dichten, eine *vita nova*: »Frauendienst«. Und darin läßt er einmal einen Boten, der von seiner Minne-Dame zurückkehrt, seine Botschaft einleiten mit Walthers *Ir sult sprechen willekomen* (240, 1 ff.) – als anzügliches Zitat aus frei verfügbarer Mündlichkeit? Ein andermal aber sagt Ulrich von seinem »Leich«, der »gut war zum Singen wie für Instrumente«, daß die »schönen Frauen« ihn gerne »lasen« (422, 13–426, 8), und seiner Dame schickt er Lieder als

Briefe, also schriftlich zum Lesen oder Vorlesen, wie er auch sonst Briefe und Briefgedichte einflicht, einmal sogar ein paar schnippische Verse, die er von der Dame zur Antwort erhalten haben will (60, 25–61, 3).

Das zweite Beispiel kommt aus der deutschsprachigen Epik, deren Schriftlichkeit schon im 12. Jahrhundert fast ohne Bruch von geistlichen Stoffen und Autoren in die Laienkunst überging. Nun sagt einmal Wolfram von Eschenbach von sich mit Stolz: *ine kan decheinen buochstap* (Parz. 115, 27). Schon vor ihm aber hatte Hartmann von Aue im Armen Heinrich und im Iwein ebenso ausdrücklich sich als »lesegelehrten Ritter« vorgestellt. Der Gelehrtenstreit, ob Wolfram die Wahrheit sage oder nur so tue, als ob er nicht lesen könne, ist müßig.[15] Denn hier steht gar nicht Können gegen Nicht-Können. Vielmehr stehen zwei Haltungen, zwei Selbststilisierungen von Autoren, beide in der gleichen höfischen Kultur, gegeneinander: der gelernte Kleriker als Hof-Mann und Autor, Veldeke, Hartmann – und der ungelernte Weise als Hof-Mann und Autor, wie gerade Wolfram in der Nachwelt fortlebt: *leien munt nie baz gesprach*, ein Laie hat niemals Weiseres gesagt.[16] Im Grunde kämpft hier die Autorität der mündlichen Laienkultur gegen die der lateinischen Schriftkultur: *schildes ambet ist mîn art* (Parz. 115, 11), so stellt Wolfram die seine gegen die der anderen (hier sogar auf den Minnesang sich beziehend) – beide allerdings gleicherweise verflochten in das neue Werte-System der neuen Laienkunst. Für die Niederschriften aber, die Wolfram wie auch Ulrich von Lichtenstein brauchten, hatten sie Kanzleien zur Hand, ob sie nun selbst lesen und schreiben können wollten oder nicht.

So ist also die Situation: über das mündliche Fortleben der Laien-Liedkunst, über den Vortrag nicht-eigener Lieder durch Kollegen, Dilettanten oder Berufssänger, oder durch Fahrende, Spielleute u. ä., über die komplizierte Ausbildung zum Sänger – über all das wissen wir, sind wir ehrlich, nichts. Sänger wie Publikum haben es nicht für nötig gefunden, sich darüber zu äußern, weil es in der Gebrauchswelt ihrer Gebrauchskunst fest eingebettet war. Und ebensowenig wissen wir von einer frühen, auf den Autor zurückführenden Schriftlichkeit, von 'Einzelblättern' oder 'losen Heften': nichts davon ist erhalten, und das kann, lange vor dem Zeitalter des rascher verbrauchten Papiers, nur bedeuten, daß es – auch alle Zufälle der Aufbewahrung eingerechnet – den Zeitgenossen das Pergament kaum wert war. Es gibt keine kontinuierliche Vermittlung vom Liedvortrag in die Schrift, von der Liederpraxis in die Liedersammlung, vom Autor zu den Autorentexten und -bildern unserer Handschrift. Wann, wie und warum den Nachfahren das Pergament für Liedersammlungen wert war oder vielmehr wurde, können wir nur aus den erhaltenen Lieder-Sammelhandschriften selbst erschließen.

2.3 Schriftlichkeit: Die Liederhandschriften

2.31 Die Liedersammlungen und ihre Vorlagen

Neben unserer, der 'Manesseschen' oder 'Großen Heidelberger Liederhandschrift' (C) sind es noch drei, die hier, in Verbindung mit ihr, vor allem interessieren:[17] die 'Kleine Heidelberger' (A)[18], noch vor 1300 geschrieben, vielleicht aus Straßburg, die 'Weingartner', heute in Stuttgart (B)[19], um 1300, vielleicht aus Konstanz, und das 'Hausbuch' des Würzburger bischöflichen Protonotars Michael vom Löwenhof (E)[20] um 1350, heute in der Universitätsbibliothek München. Schon seit KARL LACHMANNs klassischer Edition Walthers von der Vogelweide 1827, dann durch die mühsamen Zusammenstellungen von W. WISSER 1889 und 1895[21], dann wieder durch W. WILMANNS' Überlieferungskapitel zu Walther[22] und durch weitere Arbeiten, die z. T. noch in Gang sind, weiß die Forschung, daß diese Handschriften bei gemeinsamen Liedautor-Gruppen Zusammenhänge aufweisen, die für die umfassendste, eben C, die Benutzung je gemeinsamer, uns verlorener Liedersammlungen bezeugen: ⋆BC, ⋆AC und ⋆EC, in dieser Reihenfolge. Durch die Vorstufe ⋆BC stehen sich am nächsten B und C, auch mit ihren Bildern und mit »Kaiser Heinrich« an erster Stelle. ⋆AC, in C zweimal und anscheinend in verschiedenen Zuständen benutzt, demonstriert einen anderen, älteren Typ von Liedersammlung (s. u. S. 92 ff.). E hat, unter deutschen und lateinischen Texten sonst, auch ein Walther- und Reimar-Corpus, das schon in der Vorstufe ⋆EC, also schon im 13. Jahrhundert, eine Fortentwicklung über den Stand von ⋆AC und ⋆BC hinaus zeigt: eine durch weitere Textzeugen ausgewiesene, im Text und Bestand erweiterte 'recensio communis', einen schriftlichen 'gemeinen Text', der auch später vor allem in Mitteldeutschland galt. Schließlich hat C, wie besonders aus seinem Walther-Corpus ersichtlich, neben diesen auch noch eine oder einige, uns ganz verlorene Vorlagen für die alten Meister benutzt.[23] Und die Liedkunst der zweiten Hälfte des 13. Jahrhunderts, die C zum größten Teil allein aufgenommen hat mit etwa 100 seiner insgesamt 140 Liederdichter, kam aus Vorlagen zusammen, die oft von weither geholt waren, wie noch der Nachtrag eines Liederbuchs ostdeutscher Fürsten beweist, der standesgemäß in die erste Lage eingeflickt wurde (Nr. 4–7).

2.32 Hypothesen

Die Erforschung dieser Textgeschichte – innerhalb unserer Liederhandschriften, in ihren Vorlagen und bis in deren dunkle Vorstufen hinein – ist durch geistreiche Argumente und Kombinationen gefördert worden, besonders in letzter Zeit[24]. Dabei wurde aber auch das Gewebe der Beobachtungen, die die Argumente und Hypothesen stützen müssen, immer dichter und immer komplexer.

Stellt man nur zusammen, was alles an den Handschriften selbst beobachtet werden muß, ohne auf die Richtigkeit, das mehr oder weniger Hypothetische, oft Strittige der Beobachtungen einzugehen, so ergibt sich folgende Aufzählung. a) Die *Schrift*: die einzelnen Schreiber der jeweiligen Handschrift (die 'Hände'), ihr Wechsel als Indiz der Entstehung der Handschrift, ihre Zeit, ihr Ort und ihr Rang im Umkreis der Schriftgeschichte, ihre Schreibgewohnheiten, ihre Orthographie und deren Ort, möglicherweise Ortswechsel, im Vergleich mit den (unterschiedenen) Schreibgewohnheiten der Zeit in Urkunden, Büchern usw., speziell die Initialen, deren Vor-Notierung durch die Schreiber, Ausführung durch sie oder zusätzliche Tätigkeit eines Künstlers, die Ausstattung in Material und Verzierungen; b) die '*Lagen*': die jetzigen Befunde der ineinandergelegten Pergamentblätter, ihre Planung, ihre Vorgeschichte, ihre Veränderungen: Verluste, Zusätze von Einlagen, angeklebten oder angenähten Blättern usw.; c) die *Texte*: das Verhältnis von 'Grundstock' und 'Nachträgen' in jeder Handschrift nach Autor, Zeit und Ort, literarischer Gattung, Beurteilung, ihr Verhältnis zu den erschlossenen Vorlagen; Register und Beurteilung dessen, was im Verhältnis der Handschriften untereinander jeweils aufgenommen ist und was 'fehlt', was 'echt' ist oder 'unecht', Register und wechselseitige Beurteilung der Reihenfolge von 'Autoren', von Liedern und Strophen innerhalb der einzelnen Text-Corpora, 'große' und 'kleine' Text-Corpora, 'geordnete' und 'zufällige' usw., schließlich die textkritischen Verhältnisse, die von Strophe zu Strophe wechseln können; d) die *Namen*, dazu in C die Wappen: ihr jeweiliges Verhältnis zu ihrer historischen Dokumentation, Stand und Rang, Zeit und Ort, ihre Reihenfolge in den einzelnen Handschriften und Vorlagen und deren Veränderungen; e) die *Bilder in B und C*: ihre Abhängigkeit voneinander, ihre Typen und Vorbilder, ihre Beziehung zu den Texten, die Maler-'Hände', ihre Folge und ihr Wechsel, Vorzeichnung und Ausführung, ihre buch- und stilgeschichtliche Einordnung und Bewertung nach Zeit und Ort und Herkunft, ihr Zusammenhang mit zeitgenössischer Wand- und Glasmalerei, mit geschnitzten Minnekästchen; dazu auch ihre 'Realien': Waffen, Kostüme, Architekturen, Szenen usw.; schließlich f) mögliche *Hinweise* auf Namen, Ort und Zeit der Auftraggeber, Planer, Sammler, Ordner, Schreib- und Mal-Werkstätten.

Diese Zusammenstellung, keineswegs vollständig und weiter zu differenzieren nach den einzelnen Handschriften, Autoren, Text-Corpora, ja nach einzelnen Liedern und sogar Strophen, könnte zu einem Kombinations-Versuch mit dem Computer reizen – wenn nur die einzugebenden 'Daten' feststünden. Aber schon die beteiligten Fachgebiete: Schrift- und Buch- und Bibliotheksgeschichte, Literaturgeschichte, politische, soziale und Kulturgeschichte, Kunstgeschichte, sind methodisch schwer zu kombinieren, und gerade für die Zeit um 1300 sind ihre Fakten fast überall nur auf Vermutungen gebaut.

Die speziellen Hypothesen, die aus derartigen Kombinationen bisher entwickelt wurden, brauchen hier nicht referiert zu werden. Text- und literaturgeschichtlich wichtiger sind andere Ergebnisse der gegenwärtigen Forschung.

2.33 Literatur- und Überlieferungsgeschichte der Handschriften

2.331 Die Autor-Frage

Gerade was noch für CARL VON KRAUS so selbstverständlich schien, daß er es vom Anfang der Liedüberlieferung an voraus- und höchstens 'Irrtümer' ansetzte: die Autornamen unserer Handschriften – gerade sie liefern uns einen ersten Ansatz, um an das Entstehen und an die Motivation dieser Sammlungen heranzukommen.

Gewiß, unsere Liederhandschriften A B C E und ihre Vorlagen sind ganz auf Autor-Namen und -Texte ausgerichtet, in B und C sogar mit Autor-Bildern, aber ohne Melodien; während J, eine hochherrschaftliche, ausdrücklich auf Autoren nur des kunstmeisterlichen Spruchsangs beschränkte Handschrift von ca. 1350, heute in Jena, mit Noten ausgestattet ist[25] – statt der Bilder von B und C! Daneben aber verläuft, auch schon seit dem 13. Jahrhundert, eine Tradition anonymer Liedersammlungen. Greifen wir als Beispiel nur die Lieder und Sprüche Walthers von der Vogelweide heraus: sie waren im Mittelalter am weitesten verbreitet und der Name am längsten bekannt, aber mehr als die Hälfte der erhaltenen Überlieferungen ist anonym.[26]

Die differenzierte Überlieferungsgeschichte des deutschen Liedes bis ins Spätmittelalter hier auszubreiten, ist natürlich unmöglich – ja, es ist dazu auch fachwissenschaftlich noch fast alles zu tun. Aber noch im weit besser dokumentierten 15. Jahrhundert, als eine zweite Welle von Liedersammlungen das Dunkel der Liedüberlieferung, das nach den Handschriften um 1300 eingetreten war, wieder lichtet, stehen solche Überlieferungstypen nebeneinander.

Einerseits im Auftrag des Autors angelegt (wie wohl schon bei Ulrich von Lichtenstein, s. o. S. 86 f.) sind jetzt hochherrschaftlich ausgestattete Einzelsammlungen der persönlichen Liedkunst fürs Familienarchiv, wie von Hugo von Montfort (gest. 1423)[27], mit Melodien, kostbaren Initialen und Prachtwappen, oder von Oswald von Wolkenstein (gest. 1445), mit den Noten ein- und mehrstimmiger Tonsätze und den ersten authentischen Porträts eines deutschen Autors[28].

Auch streng autorbezogen, aber ganz anders motiviert ist z. B. die sog. Kolmarer Handschrift von etwa 1470[29]. Ihre umfassende Sammlung, konsequent auf 'Meister'- und 'Töne'-Namen von Spruchsängern vom 13. bis ins 15. Jahrhundert samt ihren Melodien ausgerichtet, orientiert sich schon an einem regulierten Meistertum.[30]

Daneben aber stehen Handschriften der gleichen Zeit, die ihre Lieder ausgesprochen als anonymes Liedgut sammeln, wie neben vielen anderen z. B. einerseits das Lochamer-Liederbuch aus Nürnberg vor 1460[31], das Lieder mit Melodien und Tonsätzen enthält, die wohl in einem musikantischen Liebhaberzirkel um den Orgelmeister Paumann herum lebten; andrerseits z. B. eine reine Text-Handschrift, wie die heute in Prag liegende, geschrieben als reines 'Gebrauchsbuch' um 1470 in Augsburg von Clara Hätzlerin für den Bürger Jörg Roggenburg[32].

Wenn nun in solchen anonymen Sammlungen auch Lieder auftauchen, die anderwärts unter Autornamen gesammelt sind (sog. Konkordanzen), so besagt das ganz und gar nicht, daß in den anonymen die Namen etwa vergessen waren, die Lieder etwa als 'Volkslieder' u. dgl. aufgefaßt wurden. Vielmehr bezeugen die verschiedenen Sammlungen verschiedene Gebrauchsweisen der Lieder, unterscheidbare Gebrauchsrealitäten – wobei vier Typen sich, immer anders, überschneiden. Zum einen steht Aufzeichnung mit Musik-Notation, also einem Musizierbetrieb verpflichtet, gegen bloße Textaufzeichnung, also zum Lesen und Vorlesen von 'Gedichten'. Zum andern steht autor-bezogene Sammlung, als Repräsentation von Kunst-Meistern aus persönlichen oder genossenschaftlichen Interessen, gegen am Autor uninteressierte, rein sachbezogene Sammler-Interessen, sei's ein musikalisches wie im Lochamer-Liederbuch, sei's ein textliches von lesenden und zuhörenden Liebhabern der Inhaltswelt der Lieder wie in der Hätzlerin-Handschrift.

Als bezeichnendes Beispiel dafür, wie die vier Typen bei einem und demselben Œuvre sich überschneiden, führe ich noch die geistlichen und weltlichen deutschen Lieder des 'Mönchs von Salzburg' an[33]. Nach Indizien entstanden am Hof des Erzbischofs Pilgrim von Salzburg (1365–1396), mit Melodien und mehrstimmigen Sätzen, tauchen sie, von wenigen Ausnahmen abgesehen, erst etwa 50 Jahre später in Handschriften auf. Zwei davon sind umfassende Autor-Sammlungen mit Musik-Noten, doch steht hier und in weiteren Erwähnungen nur fest die Bezeichnung »Mönch von Salzburg« oder »der Mönch«[34]. Die Verbreitung aber, hauptsächlich der geistlichen Lieder, ist außerordentlich, SPECHTLER zählt 83 Handschriften, von denen die meisten allerdings nur einzelne Lieder (Streuüberlieferung) enthalten; ich zähle darunter 21 Aufzeichnungen mit Melodie-Noten und nur 18 mit der Autorbezeichnung.

Natürlich dürfen wir die literarischen und gesellschaftlichen Gebrauchs- und Überlieferungs-Bedingungen des volkssprachlichen Liedes im 15. Jahrhundert nicht einfach zurückübertragen ins 12. oder 13., auch nicht ins 14. Jahrhundert. Aber es gibt ohne Zweifel gattungstypische Parallelen, und es gibt auch Belege dafür.

2.332 Carmina Burana

Die früheste schriftliche Sammlung deutscher Liedstrophen findet sich in den Carmina Burana (M), der berühmten Handschrift lateinischer Lieder und geistlicher Spiele, geschrieben vielleicht schon um 1230, und zwar, nach BERNHARD BISCHOFFs Annahme, an einem Bischofssitz in der Steiermark, vielleicht in Seckau, aufwendig ausgestattet mit neumierten Melodien und Sach-Bildern.[35] Die deutschen Strophen sind hier angehängt an lateinische Gedichte, vor allem in einer Abteilung der Liebeslieder – ähnlich wie sonst in der Handschrift kurze lateinische Stücke, oft antike Zitate, zwischen den Liedern stehen: als eine Art Devisen, die die Lieder trennen, wie es später auch in einigen volkssprachlichen Sammlungen der Brauch ist[36]. Bei den deutschen Strophen spielen auch formale und inhaltliche Parallelen zu den lateinischen Liedern eine Rolle, gelegentlich scheint sogar das deutsche Lied, aus dem meist nur die Anfangsstrophe dasteht, Vorbild des lateinischen zu sein.

Alle Lieder, lateinisch wie deutsch, sind hier anonym. Von den 51 deutschen Strophen (ohne die 'Nachträge' der Handschrift und das Passionsspiel) ergeben zehn, die auch in unseren Autor-Liederhandschriften vorkommen, die Namen-Reihe: Otto von Botenlauben (48a), Dietmar von Aist (113a), Reimar (143a, 147a, 166a), Heinrich von Morungen (150a), Walther von der Vogelweide (151a, 169a, 211a), Neidhart (168a); dazu kommt eine Anfangsstrophe für das anonyme Dietrichepos Eckenlied (203a). Die anderen sind oft recht flüchtig aus Formeln zusammengefügt, ein paar Strophen scheinen sogar herunterzugreifen in Brauchtümliches (148a, 167a, 174a). Die lateinischen Lieder zeigen die gleiche Mischung von andernorts mit Autornamen bekannten, oft weit in ganz Europa berühmten, mit meist schwächeren, nur hier anonym überlieferten Texten, und mit vielen der letzteren gerade stehen die deutschen Strophen zusammen.

Die Forschung über unsere deutschen Liederhandschriften hat sich nur wenig um die Carmina Burana gekümmert – bedauerlicherweise, denn es können weitreichende Schlüsse aus deren Sachverhalten gezogen werden. Da ist erstens ein fast kameradschaftliches produktives Miteinander lateinischer und deutscher Liedkunst. Lateinisch gelehrte Kenner haben nicht nur die klassische lateinische Autoren-Liedkunst Europas und dazu Strophen einer ebenfalls klassischen deutschen Autoren-Liedkunst (dazu u. S. 97) gekannt und gesammelt, beides aber eben anonym und oft in schlechter Erhaltung; sondern auch eine anonym bleibende Produktion oder Tradition bis ins frühe 13. Jahrhundert in beiden Sprachen. Was hier elitär ist, ist es für die Sammler also nicht durch Namen, Rang oder Stand – sondern eben nur durch seine kunstmeisterliche Qualität! Da ist zweitens als Hintergrund der Sammlung zu erkennen ein für beide Sprachen gemeinsamer, kennerhafter Musizierbetrieb. Denn die linienlosen Neumen der Handschrift konnten nur für Praktiker etwas besagen, die gewohnt waren, in den Neumen vorwiegend liturgische einstimmige Melodien zu erkennen. Jedenfalls hatten die Schreiber auch Melodievorlagen, wiegestalt auch immer; über die Aufführungspraxis, eventuell mit Beteiligung von Instrumenten oder in habitueller Mehrstimmigkeit, wissen wir nichts und können auch die Neumen ohne Parallelüberlieferung in anderer Notation nicht übertragen. Und drittens: Der lateinische Bestand der Handschrift hatte wohl durchweg schriftliche Vorlagen. Ihre deutschen Strophen, auch die anonym bleibenden mit ihren häufigen Natureingängen, verstehen sich in der Regel offenbar als Zitat von Liedanfängen;[37] es würden also auch mehrstrophige Lieder dahinterstehen, und ihre Qualitäts- und Typenmischung ließe am ehesten an schriftliche Sammlungen derart denken, wie wir sie auch in Vorstufen der Handschrift A vermuten können (s. u. S. 94). Obwohl natürlich allerhand Liedchen, lateinische und deutsche, sogar selbstgedichtete, von den Sammlern auch direkt aus dem Gebrauch, aus ihrer Praxis dazugenommen sein mögen.

2.333 Die Kleine Heidelberger Liederhandschrift (A) und ihre Vorlage

Was die Carmina Burana gattungstypisch demonstrieren – trotz vieler Fraglichkeiten im einzelnen –, bestätigt die älteste unserer Liederhandschriften, die Kleine Heidelberger (A), in anderer, aber auch überraschender Weise. Äußerlich ist sie, wie die Weingartner (B), die Manessesche (C) und die Würzburger (E), ganz auf das Textprinzip, ohne Melodien, und auf das Autorprinzip gestellt.[38] Aber gerade bei den Autornamen zeigt sie einen solchen Wirrwarr, daß auch die ältere Forschung nicht mit schriftlichen Verwerfungen, Irrtümern und Verwechslungen allein auskam, sondern noch andere Sammlungsprinzipien ansetzen mußte. Wir sind hier einer Liedersammlung 'in statu nascendi' auf der Spur, deren Textvorlagen z. T. sehr gut waren, deren Zusammensetzung aber auf halbem Weg zur Autorensammlung steckengeblieben war.

Auf eine erste Gruppe von offenbar berühmtesten Autor-Œuvres, trotz Lücken ausgesprochen kompetent gesammelt: Nr. 1–6 Reimar, Walther von der

Vogelweide, Heinrich von Morungen und der etwas spätere Truchseß von St. Gallen (ohne die Nummern 2 und 3, dazu s. gleich unten), folgt mit Nr. 7–12 eine zweite von ganz anderer Art. An erster und vorletzter Stelle stehen nochmals zwei Autoren, die auch sonst zur ersten Gruppe gehören: Rubin (Nr. 7) und Neidhart (Nr. 10); beide sind hier aber wenig umfassend und vielfach fragmentarisch gesammelt[39]. Nr. 8 und 9 aber sind Sammlungen so bunten und fragmentarischen Inhalts und mit so fraglichem 'Autor'-Namen – den auch C, aber nur mit den anderswo nicht unterzubringenden, manchmal sogar mit doppelt geschriebenen Texten, in gleicher Reihenfolge aus *AC übernommen hat –, daß sie seit je nicht als Autor-Sammlungen gelten konnten, sondern zu 'Repertoirebüchlein' unter Namen von Fahrenden oder Spielleuten erklärt wurden: Niune (= »Nr. 9«? – in C auch Niuniu, z. T. auch unter Kol von Niunzen!): 1 Leich und 60 Strophen, neben 8 nur hier überlieferten alle andernorts mit anderen Autornamen, bis etwa zur Mitte des 13. Jahrhunderts datierbar; und Gedrut (Frauenname »Gertrud«, in C als Männername »Geltar«): mit 2 nur hier und 28 anderwärts, wie bei Niune, überlieferten Strophen. Das sind offenbar ursprünglich anonyme Liedersammlungen, die auf dem Weg von der Vorlage *AC zu A und C geradezu fahrlässig mit einem 'Autor'-Namen überdeckt wurden. Nr. 11 und 12 schließlich bringen ein anderes auffälliges Zeichen, eine ad-hoc-Differenzierung des 'Autor'-Namens: Spervogel und Der junge Spervogel. (Schon an Nr. 1 Reimar waren auf ähnliche Weise fragliche Textgruppen angehängt worden als Nr. 2 Reimar der Fiedler und Nr. 3 Reimar der Junge!) Die Spervogel-Namen vermischen nun in der Tat zwei Spruchsammlungen verschiedenen Alters, eine wohlgeordnete noch aus dem 12. Jahrhundert und eine erst nach Walther von der Vogelweide entstandene. Beide Namen aber sind offensichtlich nur aus einer Textstelle des Jüngeren gezogen: *alse mîn geselle Spervogel sanc* (MF 20, 18)![40] Der Rest des Grundstocks von A (Nr. 13–34) bringt auch sonst bekannte Autoren des 12. und frühen 13. Jahrhunderts, darunter auch die berühmten Epiker Hartmann von Aue (Nr. 16), Wolfram von Eschenbach (Nr. 17) und Gottfried von Straßburg (Nr. 21), alles aber mit zum großen Teil fragmentarischen Œuvre-Teilen und unechten Strophen. Zwischen ihnen überraschen vier 'gespaltene' Namen für ebenfalls oft fragmentarische und stark vermischte Liedgruppen aus dem gleichen Zeitraum: 13 *Rudolf von Rotenber* – 19 *Rudolf Offenburc*; 14 *Heinrich der Riche* – 15 *Heinrich von Rucche*; 22 *Heinrich von Veltkilchen* (= Veldeke) – 24 *Heinrich von Veltkilche* (der Name hier identisch); 23 *Der Marcgrave von Hohenburc* – 29 *Der Marcgrave von Rotenbur[c]* (s. auch Nr. 13!). Die Handschriften C und zweimal auch B haben unter den echten Autornamen Rotenburg, Rugge, Veldeke, Hohenburg bessere Sammlungen; C ist aber sehr unsicher in der Zuordnung der jeweiligen A-Strophen. Deren 'Namen' in A könnten aus stark abgekürzten oder schlecht lesbaren Beischriften zu einzelnen Liedern einer Liedersammlung stammen. Schließlich: unter Nr. 31 Liutolt von Seven steht gegen Ende in A noch einmal ein 'Liederbuch' wie in Nr. 8 und 9; der Autorname ist hier zwar auch in BC und historisch belegt, aber B und C bringen unter ihm nichts von dem bunten Bestand in A. Und, vielleicht auch ein Argument: diesen Liutolt von Seven – nicht den von BC! – verspottet als Allerweltssänger eine Strophe, die nur in A unter »Reimar der Fiedler« Nr. 2

steht – ein Spott auf dem Weg vom anonymen Liederbuch zu dem 'Namen' von A?

Die Vorlage von A, *AC, hatte also selbst Liederbücher als Vorlagen. Keinesfalls gingen diese auf einzelne Autor-Sammlungen zurück. Es waren bereits Redaktoren-Sammlungen, vielleicht nur wenige, jedenfalls lassen sich nur drei Nuancen ihres Sammelns unterscheiden. Als erste, in der Gruppe 1, ein durchaus kompetentes Liederbuch der drei berühmtesten klassischen Liedmeister Reimar – Walther – Morungen, dazu Ulrich von Singenberg. Mit diesem, dem Truchsessen von St. Gallen, der den Tod seines *meisters* Walther beklagt hat (SM II 24, Str. 5), könnte die Redaktion dieses Liederbuchs sogar auf irgendeine Weise zusammenhängen. Auch die Spervogel-Sammlungen Nr. 11 und 12 sind authentische Spruchsang-Corpora; der Autorname aber ist hier nur aus dem Text genommen und ad hoc differenziert. Eine zweite Nuance stellen die Lieder – jeweils wenige, oft fragmentarisch, und mit unbekannten vermischt – unter Autornamen vom Anfang des Minnesangs bis etwa 1230 dar, die in B und C meist besser und umfassender gesammelt sind. Wie die hierbei in A 'gespaltenen' Namen vermuten lassen, könnten sie aus einer Liedersammlung stammen, die bei- oder übergeschriebene Autornamen aufwies, sei's durchweg wie in E für jedes Lied, sei's nur gelegentlich wie z. B. *heren walters zanch* in s, der sonst, was die Lieder angeht, anonymen Haager Liederhandschrift um 1400[41]. Als dritte Nuance präsentieren sich ausdrücklich die Nummern 8, 9 und 31. Hier stehen z. T. Liedfragmente, die B und C unter echten Autor-Corpora bringen, aber auch Strophen und Lieder, die nach ihrer Bezeugung wie nach ihrem Stil aus einer sonst unbezeugten Unterschicht anonymer Liedproduktion stammen. Denn die Autor-Zuweisungen, die für sie dann C aus seiner umfassenderen Übersicht versucht, z. T. zu sonst bekannten oder auch unbekannten Namen, z. T. auch mit den 'Namen' von A, haben für diese Strophen nicht die geringste Gewähr. Es ist dieselbe Schicht, die schon in M auffällt, die in A B C, dann in E und später, mit Zusätzen und Anhängen zu einzelnen Autor-Corpora wie zur ganzen Sammlung, uns vor die Rätsel einer breiten anonymen Gebrauchsproduktion von Nachahmern und Kleinsängern stellt.

Dieses Bild der Vorstufen von A, vor allem die Mischung von Liedern klassischer Meister- und Schüler-Autoren bis etwa 1230, mit einer Unterschicht von peripherer, vielleicht sogar lokaler Liedproduktion aus anonymer Gebrauchstradition, kommt sehr nah heran an das Überlieferungsbild, das aus den Carmina Burana zu gewinnen war:[42] klassische und lokale Liedtradition vereinigt in anonymer schriftlicher Sammlung. Die Vorlage *AC selbst aber folgte schon dem Impuls, den bereits ihre Reimar-Walther-Morungen-Singenberg-Sammlung am Anfang (Nr. 1–6) verwirklichte, den B und, in anderer Weise, E dann durchführt und dem C mit ihrer ständischen Anordnung eine neue Wendung gab: dem Drang, die ganze verfügbare Liedtradition dem Autorprinzip zu unterwerfen. Warum dieses Prinzip in der Vorlage *AC und noch in ihrer Abschrift A zunächst so unvollkommen durchgeführt war, dafür lassen sich Gründe finden (s. u. S. 96 ff., 100).

2.334 Die Weingartner und die Würzburger Liederhandschrift
und ihre Vorlagen

Die Weingartner Liederhandschrift (B) steht, wie wir wissen, unserer Handschrift C am nächsten: mit ihren Bildern, mit »Kaiser Heinrich« an der Spitze. Aber gleich vom zweiten Namen, Rudolf von Fenis, an verwirklicht sie – in anderer Namensfolge als C! – das auch schon in A, Gruppe 1, geltende literarisch-klassische Autorprinzip am reinsten, auch am kompetentesten, wenn auch nicht am vollständigsten, wie schon C erkannte, indem diese ihre Abschriften fast immer mit der Vorlage *BC begann. Sie vereint die meisten Liederdichter von »Minnesangs Frühling« mit Walther von der Vogelweide und Wolfram von Eschenbach als Schlußgipfel des Grundbestands, dem noch Neidhart nachgetragen wird, weitet aber ebenso wie A diese auch für uns klassische Gruppe aus auf Namen, die für das 13. Jahrhundert ohne Unterscheidung dazu zählten, als Literaten datierbar bis spätestens um 1230. Ob – und wo – die verlorene Vorlage *BC erst später durch das Vorbild von C (oder einer Vorlage *C) überformt wurde?

Unsere Manessesche Handschrift (C) hat das Autorprinzip konsequent zur ständischen Rang- und Reihenfolge umgeformt. Davon sogleich (s. u. S. 103 f.).

Das Würzburger Hausbuch des Michael von Löwenhof schließlich hat eine Walther-Reimar-Sammlung (E) aufgenommen dank der lateinisch- und deutsch-literarischen und lokalpatriotischen Textinteressen des so deutlich profilierten Sammlers. Die Lieder, ohne Melodien, gelten hier eher als Minne-Lehrtext denn als Lied-Überlieferung. Und zweimal, lateinisch fol. 212va, und deutsch, unmittelbar nach der Walther-Reimar-Sammlung nachgetragen fol. 191va, steht hier die Nachricht von Walthers Grab im »Grashof« des Kreuzgangs von Stift Neumünster, eben in Würzburg[43]. Auf die letztere folgt in des Marners »Langer Weise« Lupold Hornburgs *lobelich rede von allen singern*. Das ist schon Vorspiel der 'meistersingerischen Schulkünste'! Schon die Vorlage *EC aber faßte die großen Meister Walther und Reimar zusammen, so wie sie bereits um 1210 Gottfried von Straßburg zusammenfaßte, und zwar schon in der nach Mitteldeutschland führenden, erweiterten *'recensio communis'*.[44]

2.34 Ordnungsprinzipien der Lieder

Ein anderer Komplex von Beobachtungen führt in dieselbe Richtung: die Reihung der einzelnen Lieder innerhalb der Autor-Corpora unserer Handschriften bzw. ihrer Vorlagen.

Als der kunstsinnige HERMANN SCHNEIDER 1923 darauf kam, daß in den verschiedensten Text-Corpora der Vorlage *BC die einzelnen Lieder nach einem Prinzip der *concatenatio* gereiht sind, das etwa der Strophenbindung der *coblas capfinidas* bei den Troubadours entspricht: der Anfang jedes folgenden Liedes nimmt Wendungen vom Schluß des vorhergehenden auf[45] – da wurde sogleich klar erkannt: »Wenn nun SCHNEIDER, auf WISSER fußend, den Urheber von Q zu einem Redaktor macht, der mit bewußtem Ordnungsprinzip in das

Chaos der Überlieferung eingriff, so würde allerdings das, was WILMANNS . . .
von der alten MÜLLENHOFFschen Liederbuchtheorie beibehalten hat, so gut wie
vollständig zusammenstürzen.«[46]

HERMANN SCHNEIDERS Nachweise blieben allerdings in gewissem Umfang
subjektiv, und sein Schüler KOHNLE, der ähnliches für *AC und *EC versuchte[47], geriet dabei in fragliche Konstruktionen. Die Forschung nahm dieses
Ordnungsprinzip mehr anekdotisch auf unter die biographisch-chronologischen, thematischen, formalen Autor-Ordnungsprinzipien, die sie weiter
suchte[48]. Aber der Forschungsanstoß: daß nicht kontinuierliche Vermittlung
vom Autor bis zu den Handschriften, sondern erst die konsequente Redaktortä-
tigkeit von Sammlern in den Vorlagen unserer Handschriften auch die Reihenfolge der Lieder hergestellt haben könnte, besteht weiter. Neben dem von
SCHNEIDER entdeckten mochte es noch andere Ordnungsprinzipien derart gegeben haben, manche sind schon beobachtet, aber das meiste bleibt noch im Gang
befindlichen weiteren Forschungen vorbehalten.[49] Das methodisch Wichtigste:
mit ihnen kämen ganz neue Liedkriterien – für uns mit unseren Mitteln sonst
kaum erreichbar – zum Vorschein, die im 13. Jahrhundert selbst in Gebrauch
waren.

2.4 Die 'Meister'-Rezeption seit 1230

Diese Beobachtungen an unseren Liederhandschriften – oft auch nur Kombinationen und Vermutungen – münden nun aber in Ergebnisse ein, die von der
entgegengesetzten Seite her möglich werden: aus der Geschichte der ganzen
volkssprachlichen Literaturszene in Deutschland, wieder vor allem durch die
Überlieferungsgeschichte.

Ihr allgemeinster Horizont ist die Tatsache, daß alle europäischen Volkssprachen an der Wende zum Spätmittelalter, in Deutschland seit rund 1230, einen
neuen kulturellen, geradezu kulturpolitischen Status der Schriftlichkeit sich
erobert haben. Sie dominieren noch keineswegs gegenüber dem Latein, wie erst
mit der Kulturwende am Beginn der Neuzeit. Aber sie dringen nun ein in die
Schriftlichkeit aller kulturellen Funktionen: nicht nur der Literatur, auch der
Institutionen, auch des praktischen Lebens.[50] Auf die Ursachen dieser Entwicklung einzugehen, auch auf den – nicht geringen – Anteil der volkssprachlichen
Kunst-Literatur dabei, ist hier nicht möglich.

Die deutsch-literarische Gebrauchskunst der Laien jedenfalls: Epik, Spruchsang, Minnelied, differenziert sich jetzt stärker, aber auf der gemeinsamen Basis
eines neuen Kunstbewußtseins mit neuer soziologischer Funktion: des Meistertums. Bis dahin lebten alle drei noch ganz in der oben (2.1) beschriebenen Welt
der Mündlichkeit: für die 'Aufführung' durch, wohl singendes, Vorlesen der
Epen und die Melodie-Kunst der Sänger. Die Aufführung bestimmte nicht nur
ihren kolloquialen Stil, die direkte Bezugnahme auf die gegenwärtigen Zuhörer,
sondern auch ihre soziale Aufgabe: vor den Laien ein nicht mehr ausschließlich
religiöses Heil zu diskutieren, sondern auch – in lockerem aber nie ausdrückli-
chem Gegensatz zu ihm – ein irdisches Heil für das irdische Laienleben, zunächst
für die ritterlich-höfischen Spitzengruppen. Es fand sich im kollektiven 'Staats-

Heil' und im kollektiv-personalen 'Minne-Heil'. Die Autoren sahen sich als Sprecher, als Fürsprecher und Kritiker in dieser Diskussion eines aktuellen Selbstbewußtseins ihrer Gesellschaft.[51]

Was, seit etwa 1230, nach dem Aufhören der Meister-Künstler Gottfried von Straßburg, Wolfram von Eschenbach, Walther von der Vogelweide sich ändert, hat man seit je auf die Formel von den 'Epigonen' als Gegensatz zu den 'Klassikern' gebracht. Übersetzt man den Anachronismus ins Mittelalter, dann ist es in der Tat ähnlich wie etwa im 19. Jahrhundert: ganze Künstler-Generationen empfinden sich als Nachfolger, als 'Nach-meister', und statuieren eben damit erst ihre Vorbilder zu Autoritäten, zu Klassikern, zu 'Meistern'! Der Begriff Meister verbindet sich mit jenen, aber er wird in anderer Situation neu gesehen und gestaltet, sei's eigenständig, sei's manieriert. Wir müssen uns nur darüber klar sein, daß die Zeitgenossen mit den Klassikern bzw. Epigonen andere, jedenfalls viel breitere Vorstellungen verbanden als unsere Literaturgeschichten, vor allem eher kunstmeisterliche als neuzeitlich ästhetische.

Zugleich ändert sich die soziale Situation der literarischen Laienkunst. Nicht ihre ständische Zusammensetzung – das Verhältnis von adligen Dilettanten und von adligen und freien Berufsliteraten bleibt etwa gleich. Und nicht ihr sozialer Hintergrund, ihre 'Basis', ihr 'Geist', etwa ins Bürgerliche hinüber, wie man oft lesen kann. Gerade die großen Höfe, später auch die Städte, spielen jetzt eine neue Rolle für die neue Literaturszene. Aber nicht sie haben sie provoziert, sondern umgekehrt: Die neuen, kunstmeisterlichen Literaten haben sich und den klassischen Meistern die Höfe und die Städte neu, d. h. jetzt schon schriftlich erobert, zuhöchst die Familien der staufischen Verwaltung in Deutschland unter den Söhnen Kaiser Friedrichs II., Heinrich (VII.) und Konrad IV., und später auch die Städte, wie neben anderem unsere Liederhandschriften zu zeigen scheinen.

Was in der literarischen Laienkunst selbst seit etwa 1230 sich ändert, ist sowohl ihre Mündlichkeit als solche, ihre Öffentlichkeit, ihre Funktion, als auch deren Verhältnis zur Schriftlichkeit. Auf die schon immer schrift-nähere Epik ist hier nicht einzugehen, zu bemerken nur: die neue Tendenz zur Sammlung der Meister (St. Gallen Cod. 857, aus Adelsbesitz?), zur stofflichen Vervollständigung ihrer Fragment gebliebenen Werke (Wolframs Willehalm, Gottfrieds Tristan), die nach dem Elsaß weisenden illustrierten Prachthandschriften von Wolfram und Gottfried samt dem Wilhelm des Rudolf von Ems (in München: cgm 19, 51, 63)[51a], und bald die Legendenbildung vor allem um Wolfram von Eschenbach: der Fortführer seiner Titurel-Fragmente um 1270 gibt sich in leicht durchschaubarer Fiktion als Wolfram aus, und in der Literatur-Sage vom Wartburgkrieg tritt Wolfram auf als Laien-Weiser gegen seine eigene Romanfigur Klingsor[52].

In der Liedkunst treiben Spruchsang und Minnelied wieder mehr und mehr auseinander, die erst Walther von der Vogelweide, als Berufs-Sänger par excellence, vereinigt hatte. Der Spruchsänger wird zum *gernden meister*, zum *fürtreter*, wie es später heißt[53]: er tritt als kritischer, von Gott und seines Wissens Gnade berufener Verkünder geltender Grundsätze vor sein Publikum, oft auch polemisch gegen Berufskollegen[54]. Bei den größeren, im Spruchsang ja auf wenige 'Töne' beschränkten Œuvres hätten wir einen relativ frühen Beleg für Schriftlichkeit vom Autor her – wenn GUSTAV ROETHES Hypothese stimmt, daß die Heidelberger Handschrift cpg 350 (D) eine 1241, schon zu seinen Lebzeiten gesammelte Teil-Ausgabe des berühmten adligen Spruch-Sängers Reimar von Zweter bewahrt.[55] Den neuen sozialen Status der Spruch-Meister und seine stärkere Gebrauchsnähe bezeugt die prachtvolle Jenaer Liederhandschrift (J) mit ihren Melodie-Noten. Auch hier gibt es bald Literatur-Sagen, eine Legendenbildung: Im 'Fürstenlob' des eben erwähnten Wartburgkriegs tritt der (wohl erfundene) Heinrich von Ofterdingen an mit einer Haupteswette, also auf Tod und Leben, gegen Walther von der Vogelweide und andere: in einem Wettkampf der Meisterkunst, wer den besseren Fürsten am 'richtigsten' lobe.[56] Im 15. Jahrhundert (wenn auch erst im 16. gut bezeugt) entsteht dann die Sage von den '12 alten Meistern' – mit wechselnden Zahlen und Namen, die aber noch die Kontinuität mit dem Spruchsang des 13. Jahrhunderts bewahren wie auch die Kolmarer Handschrift – und von ihrer 'Einsetzung' durch Kaiser Otto im Jahr 962. Wir werden sie noch für unsere, die Manessesche Handschrift brauchen.

Das Minnelied scheint im 13. Jahrhundert äußerlich am wenigsten verändert:[57] bei einer immer breiteren Zahl von Sängern die immer gleichen Formeln und Typen der Liebes-Entbehrungsklage, bereichert nur durch artistische Kunststücke und wenige frechere Wendungen. Die engagierte Gebrauchskunst des Minnelieds wird jetzt zum adligen Brauchtum in allen Landen. Ihr einigendes Band aber ist jetzt auch das Meistertum; gleich nach der Wende tritt es geradezu als Artistik in den Vordergrund, vor allem in den umfangreichen Œuvres: bei Otto von Botenlauben, bei Ulrich von Singenberg, der den Tod seines Meisters Walther von der Vogelweide beklagt (s. o. S. 94), bei Ulrich von Lichtenstein, bei den von etwa 1220 bis 1260 sich ablösenden Schwaben Burkhard von Hohenfels, Gottfried von Neifen, Ulrich von Winterstetten, die dem Hof König Heinrichs (VII.) nahestanden.

Wenn nun von diesen die bis etwa 1230 datierbaren Namen, z. B. Otto von Botenlauben und Ulrich von Singenberg, dazu Rubin, Wachsmut von Künzich u. a., zusammen mit den Klassikern vor Walther von der Vogelweide und Walther selbst und Neidhart ihren Platz im Grundstock aller unserer Liederhandschriften haben, andere, meist später zu datierende dagegen wie Ulrich von Lichtenstein, Burkhard von Hohenfels, Gottfried von Neifen, Ulrich von Winterstetten sich nur in der planmäßig umfassendsten Sammlung C finden, wenn weiter etwa dieselben Grundstock-Namen schon unter den Carmina-Burana-Strophen (s. o. S. 91) und durch Namenlisten in Sprüchen der Sänger Reimar von Brennenberg, des Marners, des späteren Spruchmeisters Hermann Damen bezeugt sind[58] – dann zeigt uns das zunächst nur eine Kanonisierung von 'alten Meistern' bis etwa 1230 an, die um die Mitte des 13. Jahrhunderts Allgemeingut geworden sein muß.

Ob noch mündlich – ob schon schriftlich? JAMMERS weist darauf hin, daß um 1250 auch die erhaltenen französischen *chansonniers* einsetzen,[59] und wir könnten die schriftlichen Vorlagen unserer Liederhandschriften, *AC, *BC und *EC, auch bis in diese Zeit zurückdatieren. Aber das bleibt Vermutung. Die Zufälle lassen sich nicht kalkulieren, durch die mittelalterliche Handschriften bis zu uns gerettet wurden; diese Vorlagen z. B. könnten noch zu wenig repräsentativ ausgestattet gewesen sein, um – gerade als volkssprachliche – in geistlichen oder fürstlichen Schatzkammern und Bibliotheken zu überleben. Wichtiger ist etwas anderes: von der noch mündlich lebenden Liedkunst, der beruflich statuierten Gebrauchskunst des Spruchsangs wie dem auf ein Adelspublikum ausgerichteten Brauchtum des Minnelieds, führt – anders als beim Epos – noch um die Mitte des 13. Jahrhunderts kein direkter, kein zwingender Weg in die neu geltende Schriftlichkeit; diese Reproduktion bleibt hier noch immer abseits von der weiter im mündlichen Gebrauch lebenden Lied-Produktion. Es war ein mühsamerer Weg als in der Epik, der unsere Liederhandschriften hervorbrachte. Und es brauchte eigene Anstöße, damit sie so wurden, wie sie jetzt daliegen.

2.5 Die Anstöße

2.51 Straßburg und die Kleine Heidelberger Liederhandschrift (A)

Nach allgemeiner Annahme sind die drei Liederhandschriften A, B und C vor und nach 1300 im Umkreis des oberdeutschen Städtedreiecks Straßburg–Konstanz–Zürich entstanden. Wenn allein aufgrund dieser – nicht einmal sicheren – Beobachtung geschlossen wird, diese Sammlungen hätten nichts mehr mit dem adlig-höfischen Sang zu tun, sie seien 'städtisch', aus sentimental-retrospektiven 'bürgerlichen' Interessen gesammelt – dann ist das nur ein, leider häufiger, Zirkelschluß aus literarischen Indizien auf soziologische und aus ihnen wieder zurück auf die Literatur. Für A und für ihre Vorlage *AC haben wir, außer sprachlichen, auch literarische Indizien, die in der Tat nach Straßburg, jedenfalls ins Elsaß weisen. Schon um 1210 gibt der, sicher auch lateinisch-gelehrte, *meister* Gottfried von Straßburg in seinem Tristan einen literaturkritischen Autoren-Katalog, worin er nach seiner Auseinandersetzung mit den Epikern die Minne-sang-»Nachtigallen« lobt: die schon gestorbene *leitevrouwe* »von Hagenau«, das ist Reimar, und ihre jetzige *meisterinne von der Vogelweide* (V. 4751 ff.) – also die beiden Spitzen auch fast aller Lieder-Namenskataloge und -sammlungen des 13. Jahrhunderts, so verbunden bis hin zum Würzburger Hausbuch des Michael de Leone (E). Um 1235 (?) rühmt der, wieder auch lateinisch-gelehrte, höfische, im Dienst Konrads IV. gestorbene 'Epigonen'-Meister Rudolf von Ems in einer Gottfried nachgeahmten Literaturkritik die Fürsorge eines *meister Hesse* in Straßburg für die Dichtung, also vielleicht auch die klassischen Epiker.[60] Um 1250 und später entstanden im Elsaß die ersten uns erhaltenen vollständigen, auch illustrierten Handschriften von Wolfram, Gottfried, Rudolf von Ems (s. o. S. 97). Der Straßburger Bischof in den Jahren 1273 bis 1299, Konrad von Lichtenberg, war ein Gönner des berühmten, wieder auch lateinisch-gelehrten epischen und Lied-*meisters* Konrad von Würzburg, von dem Michael de Leone sonst unbekannte Werke in seinem Hausbuch bewahrte, gestorben am 31. 8. 1287 als Basler Bürger.[61] Und in die siebziger Jahre und ins Elsaß setzt man die Liederhandschrift A.

Das gemeinsame Interesse all dieser Bemühungen in Straßburg um die literarische Kunst der Volkssprache über Jahrzehnte hinweg ist nicht bürgerlich, selbst wenn 'Bürger' beteiligt waren (nachgewiesen nur für Konrads von Würzburg Basler Jahre!) – es ist kunstmeisterlich, ja gelehrt! Nur in diese Richtung wiesen auch unsere Beobachtungen zu A. Wenn noch die Handschrift A sich als Autoren-Sammlung in statu nascendi darstellt, zusammengefügt aus einer kompetenten Sammlung 'alter Meister' bis etwa 1230 *und* fragmentarischen oder anonymen Gebrauchssammlungen von Liedern, mit z. T. bekannten, z. T. ganz fraglichen Autornamen überdeckt – dann spiegelt sie die Anfänge desselben kunstmeisterlichen Interesses auch für die Liedkunst. Nur daß es in der Minne-Liedkunst nicht nur viel mehr 'alte Meister', Berufs- und Dilettanten-Autoren gab, sie waren auch, wie gezeigt, viel schwerer aus dem breiteren Gebrauch, sei's noch mündlich oder schon schriftlich, herauszuholen als die Epiker. Es ist ja bezeichnend, daß Rudolf von Ems, anders als Gottfried von Straßburg, in seinen zwei Literaturkatalogen keinen Liederdichter mehr nennt. War ihm das Lied schon zu sehr Gebrauchskunst, ja Brauchtum geworden? Wie es schon bei den klassischen Epikern sich andeutete: Sie alle haben, mehr oder weniger nebenher, auch Lieder gedichtet: Heinrich von Veldeke und Hartmann von Aue ganze Œuvres, Wolfram von Eschenbach Tagelieder in seiner typischen Manier, und für Gottfried von Straßburg bemühen sich A und C etwas zu überliefern, alles allerdings sicher nicht von ihm, während andrerseits für ihn Rudolf von Ems eine Spruchstrophe anführt[62]. Von den Liedmeistern aber hat keiner ein Epos gedichtet! Auch das zeigt deutlich sowohl die freiere Handhabung der Minne-Liedkunst wie ihre unzuverlässigere und breitere Autoren-Streuung im 12./13. Jahrhundert, die es auch für Kenner so viel schwieriger machen mußte, unter kunstmeisterlichen Prinzipien eine Liedmeister-, eine Liedautoren-Sammlung anzufangen. Daß es zum erstenmal soweit gelang, ist wohl den 'Meistern von Straßburg' seit etwa 1250 zu verdanken.

2.52 Manesse

Die Städte Konstanz oder Zürich weisen keine derartigen Anhaltspunkte aus als mögliche Heimat für B und C. Die Vorlage *BC war, wie wir wissen, eine gegenüber A bereits viel kompetentere Sammlung von Liedmeistern. Wie sie zustande kam, darüber gibt es nicht einmal Vermutungen. Die Handschrift B selbst steht schon in Zusammenhang mit C, vermittelt möglicherweise über den Bischof von Konstanz 1293–1306, Heinrich von Klingenberg, den Hadlaub in seiner Züricher Minne-Gesellschaft so betont als »den Fürsten« darstellt. Aber auch darüber gibt es nur Vermutungen.

In C aber stehen unter dem Namen des *meister* Johannes Hadlaub, ziemlich am Ende als Nr. 105 (125), die berühmten »Manesse«-Strophen (fol. 372rb, Str. 21–23, Lied 8)[63], die BODMER veranlaßten, ihr den »zuvor nimmer gehörten Namen der Manessischen Handschrift« zu geben[64] – den sie trotz des Widerspruchs vieler Philologen auch in diesem Buch[1] trägt. Der Streit ist bis heute nicht geschlichtet.

Die wichtigste erste Strophe lautet (mit revidiertem Text und einer nicht geschönten, sondern allein auf Präzision bedachten Übersetzung):

Wâ vunde man sament so manic liet?
man vunde ir niet   im künicrîche
als in Zürich an buochen stât.
Des prüevet man dicke dâ meister sanc:
5   *der Maness ranc   dar endelîche,*
des er diu liederbuoch nu hât.
Sîm hove mechten nîgen die singære,
sîn lop hie prüeven und anderswâ,
wan sanc hât boum und würzen dâ,
10   *und wisse er, wâ   guot sanc noch wære,*
er wurbe vil endelîch darnâ.

2 *im*] *in dem* C   5 *Maness*] *Manesse* C   *dar*] *darnach* C   7 *Sîm*] *gegen sim* C

Wo fände man zusammen (= vereinigt, gesammelt) so viele Strophen? Man fände davon nichts (= nicht so viele zusammen) im (ganzen deutschen) Königreich, als (wie hier) in Zürich in Büchern (aufgeschrieben) steht.
Darum prüft man (beurteilt und ordnet man nach Regeln) da oft Sang der Meister: Der Manesse bemühte sich in dieser Richtung bis zum Erreichen des Ziels, weshalb er die Lieder-Bücher jetzt besitzt.
Vor seinem Hof könnten (= dürften, sollten) die Sänger sich verneigen, sein Lob hier und (überall) anderswo prüfen (= nach den Regeln als höchstes beurteilen), denn Sang hat (schriftlich aufbewahrt) den Baum und die Wurzeln (= Ursprung und Ausbreitung) da, und wenn er (Manesse) wüßte, wo noch guter Sang (aufbewahrt zu finden) wäre, er würde sich bis zum Erreichen des Ziels danach umtun.

Die drei »Manesse«-Strophen 21–23 klingen wie Preisstrophen eines Spruch-tons. Aber sie haben ähnliche Form und stehen zusammen mit einem, nur Hadlaub eigenen, Lied-Typ von sentimentalen Minneszenen, die den Anfang und Schluß der Sammlung seiner Lieder in C bilden. Es sind die Szenen, die Gottfried Keller biographisch in seiner Hadlaub-Novelle auskostete: Der Sänger heftet z. B., als Pilger verkleidet, seiner im Dunkeln von der Morgenmette heimkehrenden Dame einen Brief voll *tiefer rede von der minne* mit einer Angel an ihr Kleid (Str. 1–7, Lied 1), oder er liebkost ein Kind an den gleichen Stellen, wo sie es vorher liebgehabt hat (Str. 29–32, Lied 4).[65] Zwei dieser Lieder (2 und 5) aber bevölkern diese Minneszenen mit dem 'Beistand' von namentlich genann-ten, historisch in Verbindung mit Zürich wohl bekannten Personen, zusam-mengefaßt als *edel frouwen, hôhe pfaffen, ritter guot* (Str. 15),[66] und hier (in Str. 16) ist auch *her Rüedger Maness* noch einmal mit dabei. Der Stoff, die Motive, auch der Typ dieser Szenen lassen sich aus dem Typen-Vorrat des Minnesangs belegen, wie mehrfach nachgewiesen.[67] Neu ist ihre Verbindung mit einer Züricher historischen Szene um 1300 – so neu wie in den »Manesse«-Strophen die Verbindung von Liederbüchern mit dem Ritter und Züricher Patrizier Rüdiger (II.) Manesse (gest. 1304) und mit seinem Sohn Johannes (gest. 1297), 1296 als Kustos am Großmünster bezeugt, dem »Küster« als Helfer bei der Liedersammlung. Was sind das für Liederbücher? Wie verhalten sie sich zu dem uns erhaltenen Liederbuch?

Zweifel an beider Verbindung hat immer wieder die Mehrzahl bei Hadlaub erregt: da sind es mehrere (viele?, wenige?) Liederbücher – das uns erhaltene ist ein, und ein einzigartiges, Buch. Solange diese Differenz nicht aufzuklären ist, muß man mit zwei verschiedenen Unternehmungen kurz vor und nach 1300 rechnen: mit der von Hadlaub gepriesenen Lieder-Bibliothek der Manesse in Zürich – und der Planung, Sammlung, Ordnung und Ausführung unserer Handschrift, die auch nach Zürich weist, obgleich nur aufgrund von Indizien. Sekundäre Verbindungen zwischen beiden sich auszumalen, bleibt der Phantasie überlassen.

Prüfen wir statt dessen genau, was die »Manesse«-Strophen Hadlaubs sagen. a) Das ganze Gewicht legt Str. 21 auf die umfassende, auf Vollständigkeit zielende Bemühung der Manesse um den »Sang«. b) Die Lieder sind schriftlich aufgezeichnet: in »Büchern«; von Melodien ist nicht die Rede. c) Es ist »Sang« von »Meistern«, der bei ihnen »geprüft« wird: das entspricht schon dem 'Merken', dem Urteilen über Form und Inhalt von Liedern nach Regeln wie dann bei den Meistersingern; ob es sich auch auf die Ordnung der Autoren und der Lieder erstreckt, ist nicht gesagt; der Stand der Autoren bleibt außer Betracht. d) Sie haben »Baum und Wurzeln« dieses Sangs beisammen: die Entfaltung und die Grundlagen des Minnesangs, das meint doch: sowohl die 'alten Meister' (wie in M, in A und B und E) und die in C fast hundert weiteren Lieder und Lied-Œuvres von zum größten Teil neuen, nach ihnen gekommenen Liederdichtern. e) Die »Ehre« dieses Sammelns, den Manesse »angeboren« (Str. 22), ist der Preis der »Frauen-Wonne« (Str. 23) in Minneliedern. f) Sie wollten diesen Sang *nicht lân zergân* (Str. 22), nicht vergehen lassen; er wäre also ohne ihr Sammeln in Gefahr, vergessen zu werden. Das kann nicht bedeuten, daß es zu ihren Zeiten keine Minne-Liedkunst mehr gab, also eine sentimentale Rück- blicksklage auf den Lied-Sang überhaupt – schon die Sammlung von späten Autoren in C wie deren Nachtrag z. B. in A und B spricht dagegen, und wir haben genug Zeugnisse über die Produktion von Minneliedern, wenn auch veränderter Art, im 14. Jahrhundert. Es wird allerdings gerade den Großteil des früheren Minnesangs betreffen, der, mündlich und auch schriftlich, in der Tat schon in Vergessenheit geriet, wie die Zeugnisse des 14. und 15. Jahrhunderts verraten.

Das alles entspricht so genau der Planung und Anlage unserer Handschrift, daß man sich kaum vorstellen kann, es wären zwei Unternehmungen so gleicher Art in Zürich nebeneinanderher gelaufen.

Bei Hadlaub nicht erwähnt ist allerdings die Ausstattung von C, mit Bildern, Wappen, Initialen usw. Das dürfte für die Zeitgenossen, anders als für uns, ein Akzidens gewesen sein, eine zwar kostbare und prächtige, aber vor der eigentli- chen Leistung, der umfassenden Sammlung und Ordnung der »Meister« und ihrer Lieder zurücktretende, dekorative Nebensache.

Nicht erwähnt ist weiter eben »das« Buch, wie wir es haben. Es kann aber zu Lebzeiten der beiden Manesse noch gar nicht fertig gewesen sein – soweit es überhaupt fertig ist. Daß die Liederbücher der Manesse eine Bibliothek von Einzelexemplaren, z. B. *AC, *BC und *EC samt weiteren alten, dazu von lauter Einzel- oder Teil-Sammlungen der Späteren waren, ist sowieso unwahr- scheinlich. Sie werden sich viel eher das Material zum Abschreiben in einem Band von überall her ausgeliehen haben, wie es im Mittelalter üblich war, als daß sie es einzeln gekauft oder abgeschrieben hätten. Und »die Bücher« könnten so durchaus auch schon einzelne, nach Plan eingeteilte und angefangene Lagen unserer Handschrift gewesen sein. Zum Fort- und Zuendeführen müßten dann allerdings noch andere Instanzen dagewesen sein.

Aber da ist noch die Anordnung: Hadlaub sagt nichts von der streng ständischen Reihung der Autoren in C! Sie aber gilt ja als ihr literarisch-soziologisches Signum: ein »königliches« Liederbuch, eine hierarchische soziale Selbstbestätigung von Auftraggebern oder Sammlern, wo, wann und wie immer man den Anlaß dafür ansetzen mag. Hadlaub dagegen betont fast überschwenglich nur das meisterliche *prüeven* der Manesse – und die *êre*, die sie im »edlen« Sang von Frauenwonne suchen und finden! Des Rätsels Lösung ergibt sich, wenn wir auch hier den oben erwähnten literatursoziologischen Zirkelschluß vermeiden. Die Ehre der Sammler kommt nicht vom Stand der gesammelten Sänger, sondern vom »meisterlichen Sang«. Auch die, mehr oder weniger richtige, ständische Anordnung unserer Handschrift, auch die Sorge um die historische Wirklichkeit all ihrer Sänger mit Namen und Wappen könnte für Hadlaub – und für die Planer der Handschrift – nur ein Akzidens zum Meistertum und seiner »Ehre« gewesen sein. Ein Akzidens freilich von höchstem Repräsentationswert!

Entsprechende Statuierungen dieses Repräsentationswerts kennen wir schon für den Spruchsang: die Literatursage vom Sängerkrieg auf der Wartburg, ausgetragen am Hof und unter dem Vorsitz des Landgrafen und der Landgräfin von Thüringen, und die Literatursage von den '12 alten Meistern', als Institution gestiftet von Kaiser Otto dem Großen! Für die Anordnung unserer Handschrift gibt es aber noch eine weit ältere und näherliegende Analogie. König David, der Psalmendichter, galt schon seit langem als der Gründerheros der geistlichen Liedkunst und steht so, auch im Bild, als König *und* Sänger, am Anfang vieler Sammlungen und Abhandlungen.[68] Im gleichen Typ – und in gleicher Funktion! – steht Kaiser Heinrich am Anfang unserer Handschrift (und der Handschrift B – nachträglich?[68a]). Gerade den *hôhen pfaffen* der von Hadlaub inszenierten Züricher Gesellschaft konnte diese Analogie nicht verborgen sein. Womöglich geht die Idee dieses Anfangs auf sie zurück, und damit weiter die Idee der ganzen ständischen Anordnung, auch der weiteren Bilder, ausgehend von dem, auch in den Evangelistenbildern liturgischer Handschriften schon alten Grundtyp des Autorenbilds.[69] Daß auch hier dem *meister* Hadlaub für seine Preis-Strophen auf die Manesse das Meistertum der gesammelten Texte wichtiger war als die Anordnung, ließe sich verstehen.

Um so dringlicher werden die konkreten Fragen. Welche Interessen lassen die Manesse – die selbst offenbar keine Liedautoren waren, denn sonst stünden sie auch in C? – den »Sang der Meister« so umfassend sammeln? In welcher Funktion preist sie Hadlaub? In welcher Funktion läßt er eine hochadlige und patrizische Gesellschaft zu seinen Minneszenen, in Zürich präzise lokalisiert, 'Beistand' spielen? Und wie verhält sich das alles konkret zur Planung und Ausführung dieser unserer Handschrift? Wer konnte die Schreiber und die Maler finden und beauftragen? Wer konnte den Aufwand bezahlen?

Die Forschung hat die verschiedensten Antworten vorgeschlagen. Als bisher letzte hat HERTA RENK ein farbiges Bild des 'Manessekreises' entworfen: die

Lebensumstände der von Hadlaub in den Minneszenen und den »Manesse«-Strophen genannten Personen, ihre Herkunft, Verwandtschaft, Rang und Stellung in der Politik der Stadt Zürich, zu den Klöstern, zum Haus Habsburg, ihre ökonomischen Aktionen, angereichert mit Analogien zu den italienischen Städten, zum 'Dolce stil nuovo', zur zeitgenössischen Mystik.[70] Aber auch dieses Bild kann die fehlende Verbindung zwischen den Dokumentationen historischer Realität der Züricher Szene, der literarischen Dokumentation der Szene durch Hadlaub – so sprechend beide in sich sind – und beider zu unserer Handschrift nicht herstellen. Auf diese schon methodisch so schwierigen Fragen bleibt unsere Handschrift, wie wir wissen, stumm. Verantworten lassen sich höchstens ein paar vorsichtige Schlüsse aus der literarischen Situation.

Wenn Hadlaub in den drei – in seinem Œuvre auffälligen – »Manesse«-Strophen (21–23) die beiden Manesse persönlich als zielstrebige, auf die »Ehre« des »Meister-Sangs« bedachte Sammler preist, dann braucht das andere Beteiligte nicht auszuschließen: es ist nur die typische Haltung von Preisstrophen. Und wenn er eines seiner Minneszenen-Lieder ganz darauf abstellt, den Beistand einer hohen Gesellschaft zu inszenieren, so ist auch das sicher ein Preisgedicht; vielleicht spielt »der Regensberger«[71], der mit Gefolge noch einmal in einer zweiten Minneszene auftritt (Str. 230–234, Lied 5), für Hadlaub eine besondere Rolle. Die erste Szene, unter dem Vorsitz eines diesmal geistlichen Fürstenpaares, des Bischofs von Konstanz und der Fürstäbtissin von Zürich, klingt mindestens typologisch an die Sage vom Wartburgkrieg an, nur statt auf den Spruchsang hier ganz auf den Minnesang hin stilisiert und – zeitgenössisch inszeniert! Da nun auch Rüdiger Manesse in dieser Gesellschaft nochmals auftritt, hat jedenfalls Hadlaub sie mit den »Manesse«-Sammlungen in Verbindung gebracht – als Stifter und Förderer? Der *meister* Hadlaub selbst brauchte auch das nicht näher zu verantworten als durch die Preisstrophen: *êre umbe guot!* Wie sich die Lebenszeit dieser Personen mit der Entstehungszeit der Handschrift verträgt, kann angesichts der Fraglichkeiten ihrer Datierung hier offen bleiben.

Das Interesse des Unternehmens ist kein anderes als die *êre* des »Meister-Sangs« von »Frauenwonne«. In Zürich haben wir nicht, wie in Straßburg, greifbare literarische Indizien für dieses Interesse. Nur die Beteiligung hoher und höchster Geistlicher ließe auch hier auf einen lateinisch-gelehrten Hintergrund schließen. Auch im Basel Konrads von Würzburg, eine Generation vorher, ist die Szene anders. Konrads weitgebreitete literarische Fähigkeiten dienten in den verschiedensten Gattungen den verschiedensten Interessen seiner Gönner.[72] Für die Züricher 'Manesse-Gesellschaft' läßt sich nur ihr Interesse am Minnesang statuieren – alle weiterführenden Hypothesen verlieren sich im Dunkeln.

Im hellsten Licht scheint aber der Repräsentationswert, den unsere Handschrift diesem Meistertum zumißt, ebenso wie auch bei Hadlaub in seinem Gönnerlob. Wollen wir den oben erwähnten literatursoziologischen Zirkelschluß vermeiden, dann bleibt dazu soviel zu sagen: Es gehört zum mittelalterlichen Sozialgestus, zu seiner Symbolik sozusagen, daß soziales Selbstbewußtsein, sozialer Rang und Wert weit mehr durch Zeremoniell sich bestätigt als durch reale Faktoren; durch kirchliche und weltliche Feste z. B., und auch hier

gerade durch ihre Ausstattung mit jeder Art von mittelalterlicher Gebrauchskunst. Das gilt ja, mit veränderter Bewußtheit, noch bis ins Zeitalter des Barock
und Rokoko, auch für die Funktion der Künste.

Solch zeremoniellen Repräsentationswert hat nun offenbar auch die volkssprachliche Liedkunst in unserer Handschrift, daraufhin ist sie geordnet und
ausgestattet. Aber die soziale Rangfolge gibt nicht den Liedern ihren Wert.
Oder, um es nochmals pointiert zu sagen: nicht der Kaiser, nicht die Höfe und
nicht der Adel machen oder machten einmal diese Lieder wertvoll. Sondern
umgekehrt: diese Liedkunst machte und macht hier diesen Adel wertvoll; ihr
elitärer Kunstwert ließ – und läßt in unserer Handschrift überdeutlich –
bestimmte Adelsgruppen die Liedkunst wählen als Repräsentationswert einer
elitär »edlen« Selbstbestätigung, die sich mit dem Kaiser als Anfang und der
Standesfolge legitimiert. Ob und wie die Züricher, bei Hadlaub so konkret
gepriesene Adelsgruppe darauf kam, welche Zeit- und Stilströmungen dort und
damals zusammentrafen, um Plan und Anlage und Kostbarkeit unserer Handschrift zu konstituieren, das alles läßt sich mit unserem Wissen nicht mehr
erschließen.

ALLEGORIE UND ERZÄHLSTRUKTUR

BEIDE BEGRIFFE MEINES THEMAS nach ihrem historischen und systematischen Umfang zu erfassen, oder auch nur meinen Versuch definitorisch in ihre unabsehbare Diskussion hineinzustellen, ist mir jetzt unmöglich. Was ich hier tun kann, ist nur: aus meinem eigenen Umgang mit Texten und weiter herum Gesehenem und Gelesenem einen Anstoß zu vermitteln, der mir zum Thema zu gehören scheint.

1. Es hat mich zeitlebens gewundert, daß nicht nur mein 1948 veröffentlichtes Strukturschema von Hartmanns Erec fast unbesehen akzeptiert (und bis in Verfremdungen verwendet) wurde, sondern damit auch der Schlußpunkt der *Joie de la curt* als allegorische Zusammenfassung des Erzählten. Ich selbst war mir sowohl der Richtigkeit wie vor allem der historischen und systematischen Bedeutung oder Geltung dieses Schemas nie so sicher, und bei meinen andauernden Skrupeln spielte gerade der behauptete Übergang der Erzählung in eine ebenso erzählte – und nicht gedeutete! – Allegorie, als eine Art Schlüssel für die Struktur, die größte Rolle. Das Problem ist sowohl speziell[1] wie allgemein in der Allegorieforschung gegenwärtig[2], aber die Grenzen zwischen Erzählstruktur und erzählter Allegorie sind weiterhin ganz unklar – alles, was im hohen Mittelalter erzählt wird, *kann* in Handlungen, Zahlen, Dekor, Metaphorik usw. auch symbolisch und schon damit auch allegorisch verstanden und belegt werden, wie viele Beispiele aus der jüngeren Forschung zeigen.

Die einfachste Grenzziehung, die sozusagen naiv durch die Jahrhunderte seit der Antike galt, hat auch CHRISTEL MEIER im Umfeld der Allegorieforschung angedeutet,[3] und auch ich habe sie benutzt, indem ich zum Strukturbegriff nur auf die bekannten 'narrativen' Mechanismen (Schemaerwartung und -brechung, Befriedigung und Überraschung in Typen wie dem Märchen oder dem Kriminalroman) hingewiesen habe[4]: die Unterscheidung nämlich von geschehnishaftem Erzählen, welchen 'Sinn' immer das haben mag, und bedeutungshaftem Zeigen, auch in erzählter Allegorie. Dann aber wären allegorische Deutungen etwa des Dichters Vergil insofern sekundär; und die Vorstellung, daß im Mittelalter das 'Wort', daß 'Natur' und 'Geschichte' auch beim Erzählen von vornherein in einem Kosmos allegorisch 'bedeutender' Beziehungen schwebe, stünde am Rande der Spekulation; auf jeden Fall enthielte dann die Allegorieforschung einen immanenten Widerspruch, wenn sie auch das von vornherein nicht *so* gedeutete Erzählte als von vornherein allegorisch Gedeutetes aufsuchte.[5]

Die Schwierigkeit des Verhältnisses wird erst dann offenbar, wenn der Strukturbegriff ins Spiel kommt – den ja gerade auch die Allegorieforschung implizit oder explizit voraussetzt. Spricht man z. B. einer Erzählung eine Struktur zu, so unterstellt man dem erzählten Geschehen, nicht anders als beim allegorischen Zeigen, eine zweite Dimension. Der Unterschied ist nur, daß die allegorische Dimension aus einem System von in der Regel schon vorhandenen Dogmen oder Normen oder Ideen die Beziehung zwischen 'Wort' und 'Bedeutung' reguliert, während es in der heutigen Strukturalismus-Diskussion zwar eine (wissenschaftslogische) 'Technik' der Feststellung ihrer zweiten Dimension gibt[6], ihr 'Sinn' oder ihre Geltung aber – wenn man sich nicht auf eine Funktionsbeschreibung beschränkt – in immer divergentere Theorien entschwindet: als mythische oder 'narrative' Selbstbewegung oder in Determinanten der Struktur von außen, etwa tiefenpsychologische oder gesellschaftliche, was alles sich oft eklektisch vermischt – um nur zu meinem Thema vorkommende Beispiele zu nennen. In diesem Zusammenhang hat WÜNSCH die Allegorie der *Joie de la curt* in eins gesetzt mit dem 'Sinn' der Erec-Struktur: als funktionell identisches »normatives Verhaltensmodell«, Angebot zur »Identifikation«.

2. Hier aber fängt mein Problem erst an! Meinem Erec-Schema liegt eine Art Strukturmechanismus zugrunde, den ich aus ERNST SCHEUNEMANNS Entdeckung der erzählten Bewegung zwischen »Artushof und Abenteuer« entwickelt hatte[7]: das Schema von *descensus – ascensus*, nach einer 'Krise' variiert verdoppelt. Das ist ein weltliterarisches Motiv, ein Topos, ein Strukturtyp – wie immer man es nennen will –, auch in einfachsten Formen (als Mythos z. B. von der Unterweltfahrt, der Überwindung des Todes, oder im Märchen z. B. als Durchgang durch die Tierverwandlung, das Hexenhaus, die fremde Dienstbarkeit, auch Hölle und Tod) oft verbunden mit der Hilfe des Partners, Frau oder Mann, für Held und Heldin, und mit ihrer Neubestätigung über eine 'Krise' hinweg.

Im Rahmen dieser letzteren Variante erzählen Chrétien und, ihn bewußt nachbildend, Hartmann das zeitgenössische Thema der Minne, und man kann annehmen, daß dieser *erzählte Weg* Erecs zu und noch einmal mit Enite, samt »Artushof und Abenteuer«, all seinen halbmythischen Wundern und seinen Realismen, seinem stilisierten aristokratischen Kolorit – wie immer wir seine Quellen und seinen zeitgenössischen Horizont (= 'Produktions'- und 'Rezeptions-Erwartung') verstehen – zugleich für die Autoren der *Weg zum Erzählen der Minne* war: bewußt aus anderen Möglichkeiten des Erzählens der Minne ausgewählt in geradezu programmatischer Absicht. Von diesem Erzählen her ist die *Joie de la curt* aber nichts anderes als die letzte Aventiure, die Zielstation dieses Wegs – dahinter bleibt das Erzählen stehen: in Nantes (Chrétien) oder in Karnant (Hartmann). Auch die besonderen Wunder und die besondere Beurteilung dieser Zielstation sowohl durch den Erzähler wie im Munde des Helden selbst fallen aus diesem erzählten Weg nicht heraus!

Wer nun in der *Joie de la curt* trotz all dem eine Allegorie sehen will, kann sich nur auf Nuancen der eben erwähnten besonderen Signale der Ziel-Aventiure[8] berufen. Das Programmatische, wenn man will: Thesenhafte oder gar Symbolische, des erzählten Wegs Erecs und Enites war bis dahin so ins Erzählen integriert, so implizit erzählt, daß da, trotz vieler metaphorischer und sogar begrifflicher Stichworte in den Texten, erst der nachmittelalterliche Interpret mit der Reflexion von Begriffen eingriff, eingreifen mußte – wie unzureichend, zeigen all die jeweils zeitgebundenen Mißverständnisse bis hin zu den jüngsten Begriffen etwa für Enites sozialen Aufstieg oder für das *verligen* und seine 'Schuld'. Die *Joie de la curt* nun haben beide Autoren ausdrücklich auf den Begriff gebracht – aber auch hier keineswegs in der Weise neuzeitlichen Denkens, sondern indem sie auf die Normen der erzählten Minne zeigten, die Helden direkt auf ihre Normen zeigen ließen. Diese Normen selbst bleiben wiederum mittelalterlich impliziert in Normen-Systemen: Chrétiens *l'enors* (V. 6117; 6312), Hartmanns *bî den liuten* . . . (V. 9438) benennen charakteristischerweise das Normen-System ganz verschieden, und Hartmann hat seine konkretistische Wendung noch in den religiösen Normbereich hinein verdeutlicht mit dem Stichwort des *erbarmens*. Die Helden treten damit, wenn auch nur um eine Nuance, insofern aus der Erzählstruktur heraus, als sie zu ihrer erzählten Rolle hinzu eine ausdrücklich zeigende erhalten – keineswegs etwa als Personifikationen in einer erzählten Allegorie, aber als Darsteller und als Sprecher für die erzählerisch implizierte Programmatik. Und weil 'Kommentare' jeder Art in mittelalterlichen Erzählungen auch sonst vorkommen, ist es hier überhaupt nur die Verbindung der besonderen Signale mit dieser besonderen Rolle, die es vielleicht erlaubt, von Allegorie zu sprechen.

Wenn ich dem das 'Waldleben' in Gottfrieds Tristan gegenüberstelle, so springen, wie auch WÜNSCH deutlich macht, auf den ersten Blick die Unterschiede in die Augen: Gottfried gibt dieser erzählten Episode eine ausdrückliche Allegorese der Grotte mit[9] und gibt auch den erzählten Teilen des Waldlebens solche Signale ihrer Irrealität mit, die sie deutlich als erzählte Allegorie in definiertem Sinn kennzeichnen. Erstaunlicher ist aber, daß die Episode auch bei ihm die gleiche Stelle und die gleichen äußeren Kennzeichen des programmatischen Stellenwerts im erzählten Weg Tristans und Isolds hat wie z. B. bei Eilhart: als End- und Ziel-Aventiure der Serie von Ehebruchs-Schwänken im Dreieck Marke-Isold-Tristan, die in absteigender Linie schließlich auf die Isolierung und das »Elend« des Paares im Waldleben zulaufen. (Auf die Fragen der Fortsetzung mit der neuen Dreieckskonstellation Isold-Tristan-Isold II kann ich hier nicht eingehen.) Gottfried hat diese Stelle und diesen Stellenwert 'nur' radikal ins Gegenteil umgewertet, indem er die erzählte negative Episode ganz bewußt zur positiven Minneallegorie umdrehte. (Ein Verweis auf die umfangreiche Forschung, die das in vielen Details analysiert, muß hier genügen.)

Diese Ambivalenz wurde ermöglicht durch die Dialektik, die den erzählten Weg Tristans zu und mit Isold programmatisch charakterisiert, und zwar in allen uns überlieferten Fassungen. Er ist nicht eine Art tragische Kontrafaktur zu Chrétiens harmonisierendem Ausgleich zwischen Minne und Gesellschaft. Die Gesellschaft – Tristans Heimat, Marke und sein Hof, Irland, später die Heimatlosigkeit Tristans – stellt allerdings die Kontraste bereit für die Dialektik *dieses* erzählten Minne-Wegs: Selbsterhöhung und Selbstzerstörung durch die Macht der Minne. Genau das erzählen die Ehebruchs-Sequenzen seit dem Minnetrank (und weiter die Fortsetzung bis zur Vereinigung erst im Tod). Entstehung und Begründung dieser Dialektik aber wird erzählt im Schema der Brautwerbung: von Tristans Geburt bis zum Minnetrank.

Die hohe, ferne und gefährliche Brautwerbung ist als weltliterarischer Typ statuiert besonders seit FRINGS-BRAUN[10]. Ihr normaler Weg führt ein Paar bis zur Hochzeit, oft im 'doppelten Kursus'. Aber die Motivationen und Stationen – die Höhe, Ferne und Gefährlichkeit der Braut, die Fähigkeiten, Listen und Wunder bei ihrer Gewinnung und Wiedergewinnung – variieren so stark, daß der Typ eher wie eine Handlungshülse wirkt, denn als Handlungsstruktur. Im Deutschen gibt es allerdings (neben vielen sonstigen Varianten) seit dem 12. Jahrhundert eine Serie von Brautwerbungserzählungen, die in der Anfangsmotivierung und vielen Details erstaunlich übereinstimmen. In den Königsgeschichten der sog. Spielmannsepen wie in einer Gruppe heroischer Erzählungen sucht ein Fürst eine ebenbürtige Fürstin: als *consors regni* und zur Sicherung der legitimen Nachfolge, und die erzählte Brautwerbung, meist als Entführung, variiert oft ein gleiches Schema: die 'Minne' als eine Art Staatsräson des dynastischen Prinzips! Gerade sie aber wird im Ziel dieser Erzählungen wiederum erstaunlich oft abgebogen: Im Oswald und im Orendel zur Königs-Heiligkeit in der keuschen Ehe, im Salman und Morolf zur Parodie, in Ortnit zum Tod des Fürsten, für Kudrun zur Treueprobe – eigentlich nur der Rother und der Hildeteil der Kudrun kommen zum vorausgesetzten Zielpunkt (nur Beispiele!). Die Brünhild-Werbung im Nibelungenlied aber bricht das Schema in einer auch weltliterarisch sehr seltenen Variante: als Werbungshelfer Gunthers wird Siegfried einer direkten Verbindung mit Brünhild bezichtigt, was zu seinem und aller Beteiligten tragischen Untergang führt.

Dieselbe Variante nun trägt, nur aufs Direkteste konkretisiert, die Dialektik des Minnewegs für Tristan und Isold bis zum Tod.[11] Tristan, zunächst als legitimer Erbe und Nachfolger seines Onkels Marke eingesetzt (der deswegen ehelos bleiben will!), wird veranlaßt, als prokuratorischer Werber die dem König aufgedrängte gefährliche Brautwerbung um Isold zu unternehmen. Als solcher erwirbt er jedes 'Recht' des königlichen Werbers im Schema auf die Braut – anstelle des Königs selbst. Aber nur der irische Zaubertrank, der das bis dahin beziehungslose Königspaar Marke und Isold bei der Hochzeit 'binden' sollte, stürzt Werber und Braut in die ehebrecherische Konstellation des Dreiecks Marke-Isold-Tristan, die von da an als Minneweg Tristans und Isolds erzählt wird: Die legitime Brautwerbungs-Ehe des Königs wird insofern illegitim, als sowohl die Rechte auf und Legitimationen für die Braut Tristan allein zukommen, als auch der Zaubertrank aus konsequentem Versehen *sie* bindet, nicht König und Königin. Die ehebrecherisch illegitime 'Minne' der beiden aber wird insofern legitim, als sie die Brautwerbungsminne auf sie überträgt im Widerspruch zu deren 'normalem' Ziel. Welche Schwierigkeit diese Dialektik für die Erzähler bringt, bestätigt jede erhaltene Fassung mit ihren ambivalenten Beschreibungen und Wertungen. Aber auch Gottfried hat sie nicht auf den Begriff gebracht – er hat diese Dialektik zwar von den Prologen an als

'Programm' seiner Minne-Erzählung hervorgehoben und kommentiert, aber immer als das immanente Normen-System seiner erzählten Minne. Und eben dieses Normen-System reflektiert auch sein 'Waldleben' nicht in unserem Sinn, sondern es zeigt es – als Allegorie! In der trans-real 'idealen Wahrheit' auch aller späteren Minne-Allegorien 'lebt' das Paar *seine* Minne – gerade auch deren Dialektik zitiert es selbst mit den klassischen Liebestod-Mythen herein! Das macht die Erzählung wie die Kommentare Gottfrieds für uns so schwierig: Indem hier das Paar – im »Elend« des 'Programmes' der Erzählstruktur! – die ideale Wahrheit seiner Minne 'leben' darf, 'lebt' es nicht mehr als das erzählte Paar, sondern als das in seine eigene Personifikation transzendierte – bei der Entdeckung ruhen sie denn auch auf dem kristallenen Bett 'der' Minne wie die Figuren eines Grabmals auf ihrem Sarkophag! (Zu einer präzisen Textanalyse unter diesem Aspekt fehlen mir hier Raum und Zeit.)

Es wirken also – und zwar etwa in demselben Zeitraum, in dem auch die Allegorie wirkt – beim Erzählen 1. weltliterarische serielle Muster (Strukturmuster verschiedener 'Wege' zur Partnerschaft der Geschlechter, z. B. *descensus – ascensus*, Brautwerbung) so, daß sie 2. für spezifische Gruppen, Zeiten usw. charakteristische Themen (z. B. Minne) durch bewegliches Aufgreifen, Variieren, Brechen solcher Muster je 'programmatisch' zu erzählen ermöglichen; und solche 'Programme' können 3. im Erzählzusammenhang auch mit allegorischen Mitteln als gezeigte Norm-Systeme verdichtet werden. Die *Joie de la curt* deutet das für Chrétiens Minneprogramm in der Ziel-Episode nur vorsichtig an; im 'Waldleben' setzt Gottfried für die programmatische Minne-Dialektik der Tristan-Konzeption die zeitgenössische Allegorie-Struktur in die Ziel-Episode der ersten Ehebruchs-Serie *so* ein, daß deren Wertung im Sinn der Erzählstruktur bewußt dialektisch als Gegenwert gezeigt wird. (Auf die systematischen und historischen Nuancen dieser Allegorie einzugehen, muß ich weiterhin den Kennern überlassen.)

Meine Ausgangsfrage nach dem Verhältnis von Allegorie und Erzählstruktur kann nun so präzisiert werden: Wie verhält sich dieses programmatisch-normative Erzählen zum allegorischen Zeigen der Norm-Systeme? Oder – was auch das Verhältnis gegenwärtiger Interpretationsinteressen zur Gegenwartsliteratur beleuchten könnte –: wie verhält sich die Symbolik, Metaphorik, Inszenierung usw. solch programmatischen Erzählens zur Allegorie?

In dieser Hinsicht kann ein letztes extremstes Beispiel aus dem Umkreis der Brautwerbungsmotive noch einen Schritt weiterführen: die geistliche Allegorie »Die Hochzeit« in der Millstätter Sammelhandschrift. In einer der frühesten strukturalistischen Arbeiten zum Brautwerbungsschema (noch ohne die heutige Terminologie)[12] heißt es dazu (S. 135 u. ö.): »Was hier, in der geistlichen Allegorie, als Brautfahrtschema erkennbar ist«, hat »den Sprung in die Realität ... noch nicht getan.« Die den gegenwärtigen Stand der Allegorieforschung reflektierende jüngste Würdigung des lange getadelten Gedichts[13] sagt dagegen zur literarischen »Einordnung des Gedichts« (S. 73): »Ich möchte für eine Kategorie plädieren, die, gleich unter welchem Namen, auf jeden Fall das Nebeneinander, die Gleichzeitigkeit und das Ineinanderspielen geistlicher und weltlicher Dichtung wiedergibt«, und konkretisiert das als »geistliche Kontrafaktur ... zu weltlicher Heldendichtung« (S. 71) und »Brautwerbung und Hochzeit« als »archetypische(s) literarische(s) Motiv« (S. 73). Ich glaube, man kann über beide Urteile zum Verhältnis von Allegorie und Erzählstruktur durch zwei, bisher vernachlässigte, Beobachtungen am Text noch hinauskommen (vgl. zum Zusammenhang meinen Exkurs u. S. 113 ff.).

Zunächst: das *spell* (B) füllt in die erzählte Brautwerbung so viele Stichworte für die folgende Auslegung (C und D), daß es kaum noch als erzählte Braut-Allegorie, geschweige denn als Brautwerbungs-Erzählung in sich verstanden werden kann. Gerade die Szenerie aber (Berg, Wirt, Abgrund, Tal) und der Brautwerbungsentschluß selbst (V. 208–215) bleiben davon ausgespart. PETER GANZ erklärt überzeugend, daß auch für die Inszenierung »eine Deutung ganz offensichtlich impliziert« ist, »die Deutungen« aber »sind zu bekannt und ergeben sich von selbst« (S. 68). Und für die Brautwerbung, für die »trotz aller Bemühungen ... bis jetzt keine direkte Quelle ... bekannt geworden« ist, verweist er auf einen zeitgenössischen Hintergrund, der »letzthin« wohl zurück-geht »auf Auslegungen der Parabel von der Königlichen Hochzeit (Matth. 22, 2–14) ... die mit dem Hohen Lied in Verbindung gebracht wurden« (S. 62). Die Formel aber (V. 210 ff.): Gott will als *der guote chneht / gehiwen umbe daz reht, / daz er einen erben verliezze, / den nieman sines riches bestiezze* ..., zu der kein Kommentator etwas bemerkt, die auch das Gedicht weder trinitarisch noch heilsgeschichtlich explizit aufgreift, ist andrerseits die ausdrückliche Einsatzfor-mulierung für unser Brautwerbungsschema (s. o. S. 109 f.). Und das hier ausdrücklich auf die Brautwerbung bezogene *reht* ist das *reht* auch der – für »Die Hochzeit« wie für das Gedicht »Vom rehte« programmatischen – Formel *minnen daz reht!* Weil ich die, noch immer schwebende, lange Diskussion der Interpreta-tion und des Zusammenhanges der beiden, in der Millstätter Handschrift nacheinander überlieferten Gedichte hier unmöglich referieren kann, stelle ich einen für hier interessanten Vorschlag unvermittelt hin.

»Vom rehte« setzt die Formel *minnen daz reht* leitmotivisch vor allem für drei Beispiele irdischer Partnerschaften: Herr und Knecht, Herrin und Magd, die Ehe. Das gemeinte *reht* für sie ist Gott: als das 'dritte Recht'. Die Formel sagt also etwa: Jedes irdische Recht, jedes irdische Leben überhaupt ist nur dann 'recht' gelebt, wenn der Mensch als Partner seiner Mitmenschen den geistlichen Sinn seines Lebens lebt – in der *minne* zu Gott als dem 'dritten Partner' (auch in der Ehe!). Und: dann sind alle irdischen Sozialrechte der Partner vor Gott und am Ziel ihres Lebens gleichberechtigt! In der »Hochzeit« ist Gott der Partner jedes irdischen Gläubigen, mit seinen Heilsgütern und seiner Heilsgeschichte 'wirbt' er um die Menschen, damit er und sie zusammen *minnen daz reht* der Partnerschaft (V. 101 ff. u. ö.). Gerade die Partnerschaft der Brautwerbung enthält hier also, trotz ihres bekannten Allegorese-'Hintergrunds', doch so viel 'Überschuß' an erzählter irdischer Brautwerbung, daß sie wie ein Zitat im allegorischen Zusammenhang wirkt – Zitat nicht nur des Erzählmusters Braut-werbung schlechthin, sondern der 'Minne' als Staatsräson des göttlichen Wel-ten-Herrn (s. o. S. 109).

Denselben Eindruck verstärkt eine zweite Beobachtung. GANZ hat schon richtig gesehen, daß »nach der allegorischen Interpretation (Z. 325–811)« eine

»weitere« folgt, die »die Parabel« »als Ganzes in den Zusammenhang der Erlösungsgeschichte stellt« (S. 64). Nicht beachtet wurden bisher, soweit ich sehe, die Verse 787–790: *Nu han wir alle erchunnot / umbe daz leben unde umbe den tot, / nu mugen wir wol mit eren / an die gotes muotir cheren*. Sie benennen an der Nahtstelle präzise die Themen oder Programme der beiden Auslegungen (C und D). Für C: den 'Sinn' des irdischen Lebens jedes Menschen als Partner der göttlichen Heilsgüter, für D: Maria als *die* Partnerin der nun folgenden Erlösungsgeschichte und, z. T., -Allegorese. Aber die gerade für sie traditionelle Braut-Allegorese wird dann nicht expliziert, Maria wird sozusagen nur als ihr Stichwort zitiert! Wie in der ersten Auslegung real 'Leben und Tod', so ist in der zweiten die 'historische' Erlösungsgeschichte nicht das direkt in seinem allegorischen Sinn aufgehende 'Wort' – beide sind der reale Gegenstand des Gedichts, für dessen so dringlich zu vermittelnden Sinn, nämlich Gott als Partner auf die jenseitige *wirtschaft* hin (V. 311 ff.), die (mehrfache) *bezeichenunge* der Allegorese mit Vorliebe eingesetzt wird. Die Brautwerbung wäre dann ein beides vermittelndes, zwischen beidem schwebendes Motiv.

Im Verlauf meiner Argumentation bin ich, wie man leicht bemerkt, terminologisch immer vorsichtiger, wenn man will, immer unpräziser geworden: Gegenüber der Allegorie als Zeigen von Normen können Erzählstrukturen nicht einfach als erzähltes Geschehen abgesetzt werden (wie o. S. 106), was ich an meinen Beispielen zu präzisieren hatte: Die jeweilige Auswahl und Verwendung weltliterarischer Erzählmuster auf programmatisch variante Erzähltexte hin bleibt – wie immer man die Thesen oder Normen solcher Programmatik auf Begriffe bringen will und gebracht hat – ein rätselhafter Vorgang unter jedem Betracht. Ich bezweifle, daß das so erzählte Geschehen zur 'Identifikation' des Hörers mit ihm, auch mit seinen Normen, Thesen usw., auffordern wollte oder konnte – wie interessant und kompliziert immer die Literaturgeschichte in Hinsicht des implizierten Lesers auch ist! Die weltliterarischen Weg-Ziel-Muster für Partnerschaft der Geschlechter (hier: *descensus – ascensus* oder Brautwerbung) können auch für die, in ihren Rahmen investierten, zeitgenössischen Normen-Programme von erzählten 'Minne'-Wegen und -Zielen nur wie 'Geschehens'-Muster produktiv rezipiert worden sein.

Geschehens-Muster: noch so ein Wort – aber es könnte direkt in die heutige Diskussion über adäquate, methodisch nicht zu kurz greifende Struktur-Begriffe hineinführen. Das ist ein neues Thema. Deshalb hier zum Schluß nur noch ein Hinweis, der zu meinem Thema zurückführt. Ein theologischer Exkurs könnte zeigen, daß auch der 'normativste' Typ von Erzählung, die Parabel – ausdrückliches Geschehens-Muster mit seinem sog. Sitz im Leben: – die 'Identifikation' des Hörers geradezu abweist, indem sie vorhandene Normen irritiert, um verborgene 'denkbar' zu machen, die auch jede 'wahre' *imitatio Christi* ausmachen. In diesem weitesten religiösen Gebrauchsfeld ist auch die erzählte Allegorie nur ein Sonderfall – religiös auch sie um so 'besser', je mehr von solcher Ambivalenz aller Normen sie offenhält!

Exkurs:

Versuch einer Gliederung der »Hochzeit«

Text nach: WERNER SCHRÖDER (Hrsg.), Kleinere deutsche Gedichte des 11. und 12. Jahrhunderts. Nach der Auswahl von ALBERT WAAG neu hrsg., 1972 (ATB 71/72), Nr. IX, S. 132–170.

Die älteren Vorschläge und Erläuterungen, besonders durch CARL VON KRAUS, verzeichnet der Stellenkommentar von WAAGS Ausgabe ²1916.

Die von mir am linken Rand beigefügten Buchstaben und Zahlen versuchen, die wörtlichen Entsprechungen zwischen dem *spell* (B) und den *zwei Auslegungen* (C und D) sowie zweimal *bezeichenunge* im Prolog (A) und einmal (vorgreifend) im *spell* selbst (B) zu präzisieren; die Zahlen geben deren Reihenfolge je in C und D gesondert an (also nicht die des *spell*!).

GESAMTGLIEDERUNG

A: 1– 144   Prolog: Vom Erkennen und Verkünden des 'Sinns'
B: 145– 324   *spell*: Der Herr auf dem Berg und seine *chnehte*, Werbung um die
                     Braut im Tal
C: 325– 786   Erste Auslegung: Vom 'Leben und Tod' (s. V. 787/8)
D: 787–1061   Zweite Auslegung: Maria und die Heilsgeschichte (s. V. 789/90)
E: 1062–1089   Schluß

A. PROLOG: VOM ERKENNEN UND VERKÜNDEN DES 'SINNS'

1–6 Thema: *spell – chunich riche – zeichen – sin*

7–58 Der Sinn und das Gold:

	9	Goldschmied
	15	Die Frau und das Gold
(A1)	27	Das Gold im Mist (Luc. 15, 10)
(A1)	43	Auslegung: *Swer den wistuom treit*
		unde er in nieman seit [. . .]

59–82 Das Zeugnis des Sinns: die Bibel

	65	*An den buochen daz geschriben stat,*
		wie disiu werlt zergat.
		die heimuote, die wir hie han,
		die muozzen wir verlan.
		Ez wirt allez verwandelot (Luc. 21, 33 Parall.)
	73	richtige – falsche Werke

83–90 *Tunchil* [. . .] *ubir alle heidenschaft*

91–144 *Swer die touffe hat enphangen* [. . .]

	95	*der solt haben ein reht,*
		also wilen habete ein guot chneht
		unde ein erlich maget.
	100	*die niwen (ê)* [. . .]
		Diu maget und der guote chneht
		die wurben umbe daz reht.

103–124 Die Unbekehrten

	103	*Er ist ein guot chneht,*
		der da minnet daz reht.
		der ist niht guot chneht,

(A2)		*der da habet unreht,*
(A2)	109	*der bezeichent den hunt, der da wuotet,*

125–144 Der Kämpfer *widir sinen viant*

	125	*er ist ein guot chneht,*
		der da minnet daz reht.
	135	*wigant*
	138	*rehter degen*
	144	*chomen ze sinem hertuome.*

B. Das Spell

145–193 Der *wirt* auf dem hohen Berg und seine *chnehte*

	146 ff.	*meregarte*
		apgrunde
		gebirge
	151	*ein wirt*
	156	*Dar zoch sich bi alten ziten*
		ein herre mit sinen louten [...]
	159	*der habete vil chnehte [...]*
(D7)	163	*(sumeliche) die wurben niht rehte*
	166	*undir dem gebirge*
		ein vil michil sorge,
		ein tieffir charchære,
		der stuont alle wile lære;
		des habeten entrische loute vergezzen,
		der was mit wurmen besezzen.
		dar undir swief der herre
		sine ungetriwe chnehte verre [...]
	191	*andere loute*

194–207 Die *maget* im Tal

	194 ff.	*tief tal*
		lussam
		diet
		maget
(D3)	198	*edelez chunne*
(D4)	204	*varwe also lieht*

208–215 Der Werbungsbeschluß

	208	*Do chom im do in sinen muot,*
		daz im diu maget wære guot.
		do wolde do der guote chneht
		gehiwen umbe daz reht,
		daz er einen erben verliezze,
		den nieman sines riches bestiezze,
		der mohte sin ein chunich ane sorgen
		ubir die telir unde ubir die berge.

216–258 Der Bote, die Herrichtung der Braut

(C5; D6)	216	*Einen boten habete er al gar*
(C6)	222	*ir vriunt*
(C4)	226	*sin vingerlin*
(B1)	231	*huote*
	233	*ir eren*

(B1)   236   *huote*: der gute Mensch

          245   *Einen boten habte er al gar*

          251   (die Braut) *vlizzete sich ir wæte*

259–284 Abholung: Gesandtschaft, Kleidung der Braut

(C7)   270   *die allertiurist*

        (279   Bad der Braut? *watet* konjiziert zu *badet*

                mit Verweis auf 603?)

(C13)   280   *in gewæte daz wizze*

(C9)   282   *guldine spangen*

(C10)   283   *guldine wiere*

285–306 Heimholung der Braut

(C2)   285 ff. *diu maget und der herre*

(D1)   297   *da si fur in der vare*

(D2)   299   *liehtir tagesterne*

          302   *chindische loute*

(D5)   305   *hoy, wie si do sungen*

307–318 Empfang

(D7)   307   *heime waren loute* (?)

(D8)   316   *hermuowede loute* (Matth. 26, 29)

319–324 Die *wirtschaft*

(C1)   320   *wirtschaft*

          322   *ze sinen broutlouften*

C. Erste Auslegung 'Leben und Tod' (s. V. 787 f.)

325–378 Prolog

(C1)   331   *wirtschaft* = Gottes Herrschaft

        339–378 Geburt und Taufe

(C2; C12) 339   *Daz der broutegom dar chom*

                unde die brout zuo im nam,

                daz bezeichent aller meist

                den heiligen geist, [14]

                der in daz mennisch chumet.

                da ez mit weinen ende genimit,

                da mit wirt ez gelebente in got [...].

(C3)   347   *ere* = Taufe?

(C4)   353   *vingerlin* = Taufkleid (auch bei Auferstehung!)

(C5)   359   *bote al gare* = Priester bei Taufe?

(C6)   375   *vriunde an dem rate* = Taufpate?

379–481 Gesandtschaft etc.: Lebensweg zum himmlischen Jerusalem

(C7)   381 ff. [...] *die tiuristen loute*

                sande nach der broute,

                die bezeichent den tach

        407 ff. Arbeiter im Weinberg (Matth. 20, 1–10)

        431 ff. Das himmlische Jerusalem (Apg. 21, 12 ff. u. a.)

482–569 Die fünf Sinne als die 'Instrumente' des irdischen Heilslebens

(C8)   482 ff. *Daz alle die loute*

                gahoten vor der broute,

                also solten wir alle geliche

                gahen in daz selbe himilriche.

	486 ff.	*der riche* (Matth. 25, 35; Matth. 5, 3 ff.)
	510 ff.	Gleichnis von den fünf Talenten
		(Matth. 25, 14 ff.) = die fünf Sinne

570–708 Verjüngung des Adlers

	573	*cherigen daz hus* (Matth. 12, 44 Parall.)
	580	*tuon sam der edil are*
(vgl. 271?)	602 f.	*der bezeichent daz,*
		daz diu brout so wol gebadet wart,
		do si vuor an die vart.
	618 ff.	die drei Beichten
(C9)	693	*spange* = die goldene Beichte
(C10)	696	*golt* = dto.
(C11)	698	*wiere* = *ware minne*

709–786 Jüngstes Gericht

(C12)	711 ff.	*da der ware broutegoum da chumet*
		unde sine gemahelen zuo im nimet
		(Luc. 21, 25 ff.)
	741 ff.	Jüngstes Gericht (Matth. 24, 7)
(C13)	777	*daz wizze gewæte*

D. Maria und die Heilsgeschichte

787–790 Prolog

	787 ff.	*Nu han wir alle erchunnot*
		umbe daz leben unde umbe den tot,
		nu mugen wir wol mit eren
		an die gotes muotir cheren.

791–806 Marias Adel

(D1)	791	*Daz die brout da fuor in der vare*
(D2)	793	*tagesterne*
(D3)	797	*edlez chunne*
(D4)	799	*siu liehter schein*
(D5)	801 ff.	*Daz si so wol sungen,*
		[...] der gotes man

807–1061 Heilsgeschichte

(D6)	807 ff.	*heimwarte liute* = *funf werlt alle,*
	810	*die da waren in der helle* (Luc. 14, 36)
(D7)	812 ff.	Höllensturz
	819 ff.	Pelikan
	879 ff.	Bote: *der engil* (Verkündigung)
	893 ff.	Leidensgeschichte
	897	*diemuotin*
	899 ff.	Palmsonntag
	909 ff.	Leidensankündigung
	913 ff.	der Größte im Himmelreich (Matth. 23, 12 Parall.)
	919 ff.	Fußwaschung
	946 ff.	Amt der Apostel (Matth. 28, 19 Parall.)
	958 ff.	Kreuz = Paradiesbaum
	986 ff.	descensus
(D8)	1052 ff.	*hermuowede loute* = Apostel

E. Schluss

1062–1065 Prolog

[...] *nimmir mere*
dehein broutlouft so here,
wan disiu nimmir zergat [...].

1066–1079 'Wir'

    1066 ff.   [...] *geistliche* (?) *loute*
                  gezalt ze der selben broute.
                  [...]
                  wir solten sin meister,
                  [...] *diu gesegenten chint*
                  unde ouf uns jene wartunde sint,
                  [...]
                  [...] *unz an den suontach.* (?)
    1076 ff.   *swer daz reht begat,*
                  daz ze der selben broute (?) *bestat* [...]

1080–1089 Schlußgebet (Vaterunser)

    1084   *unsir vatir*
    1086 ff.   *Sit er uns ze sinen chinden hat genomen*
    1088   *wan wir von im haben den atem.*

II.

VERSUCH EINER LITERATURTYPOLOGIE
DES DEUTSCHEN 14. JAHRHUNDERTS

WAS ICH HIER VERSUCHE,[1] ist bei weitem keine literarhistorische Darstellung oder Abhandlung. Es ist ein erster informierender Bericht, seine Grundlagen sind die Zusammenarbeit mit Assistenten und Studenten in drei Seminarübungen der letzten Jahre und eine neu angelegte Vorlesung des Wintersemesters 1967/68. In diesem Verlauf wurden mehrere Fassungen einer Literatursystematik für die deutschen Texte des Mittelalters entwickelt[2] und wurde schließlich versucht, in zwei Listen von rund 350 Sammel- und Einzelnummern alle bibliographisch erfaßbaren Texte um 1300 und im 14. Jahrhundert typologisch zu ordnen.[3] Als Hilfsmittel dazu wurde weiterhin eine (sehr vorläufige) Liste von Œuvres entwickelt sowie eine (ebenso vorläufige) Liste von Überlieferungstypen, wobei insbesondere einige Sammelhandschriften ausführlich zu analysieren waren. Soviel zu den Voraussetzungen. Nun zum Bericht.

(1.) Das 14. Jahrhundert ist, wie man weiß, keine sogenannte Blütezeit, kein Eldorado deutscher Dichtung. Das war mit ein Anlaß, die deutschen Texte des Zeitraums insgesamt auf den ihnen angemessenen Literaturbegriff hin zu befragen, d. h. den legitimen Gegenstand einer Literaturgeschichte der Zeit aus den Quellen neu zu bestimmen. Ich will auf die vielfachen Überlegungen der letzten Jahrzehnte zum Literaturbegriff im Mittelalter nicht näher eingehen. Jedenfalls: die mannigfaltigen Interrelationen von Autoren, Texten, Publikum zwischen poetischer und Prosa-Form, zwischen 'frei' gestalteten und Zweck- und Gebrauchs-Texten, zwischen Geistlich und Weltlich, Belehrung und Unterhaltung usw. erzwingen hier einfach die materiale wie typologische Überschau über die Gesamtheit des Überlieferten. Man bekäme sonst methodisch jeden Text nur anachronistisch prädisponiert in den Blick.

(2.) Das 14. Jahrhundert ist nicht einmal eine Epoche deutscher Literatur, in welchem Sinn immer man sie definieren wollte. Die Texte der Adelsdichtung des 12. und 13. Jahrhunderts, Epik und Minnesang, werden weiter abgeschrieben. (Auf die Statistik dieser Tradition nach Autoren, Typen, nach Dichte, landschaftlicher und sozialer Verbreitung im 14. Jahrhundert kann ich für jetzt leider noch nicht eingehen.) Ihre Produktion ragt mit Ausläufern ins 14. Jahrhundert hinein. Dessen eigene Produktionstypen haben ihre Wurzeln zumeist im 13. Jahrhundert, so die Rede in Reimpaaren, das Meister-Strophenlied, die deutschen Reimpaare des geistlichen Spiels, die deutsche Prosa der Franziskaner und Dominikaner, die Rechts- und andere Sach-Prosa.

Noch die Jahrzehnte um 1300 könnte man eine geschlossene Literatursituation und in diesem Sinne eine Epoche nennen. Die einzelnen Typen zeigen noch oder schon ein ausgeprägtes Bewußtsein ihrer stofflichen und stilistischen Geschlossenheit und ihres Orts in der Tradition und im Publikum. Das läuft in den ersten Jahrzehnten des 14. Jahrhunderts aus. Und dann wieder um 1400: FRIEDRICH RANKES liebenswürdiges Bild eines Zusammentreffens großer Werke und Persönlichkeiten im Jahrzehnt 1400–1410 (Annalen 241 ff.) ist zwar vereinfacht und setzt andere Literaturzusammenhänge zurück, deutet aber doch eine Art neuen Höhe- und Ruhepunkts an. Die Änderung der deutschen Literatursituation, die darunter vor sich geht, beginnt jedoch schon im späteren 14. Jahrhundert und durchzieht das frühe 15., bis dann um die Mitte des 15. Jahrhunderts in Produktion und Bewußtsein eine gründlich neue Situation sich anzeigt.

Das innere 14. Jahrhundert kann nur als offene Literatursituation gesehen werden: Zeit von Abbrüchen und Übergängen, von Stagnationen und Diskontinuitäten. Verzichtet man also auf den historisch problematischen Epochenbegriff, so mußte das wieder Anlaß sein, die Einheit höchstens in der Disparatheit zu suchen. Sie besteht, wie ich meine, in dem jetzt erst entschieden und breit durchgebrochenen Zwang zur Schriftlichkeit der Laiensprache, zu einer allgemeinen Schriftkultur auf deutsch. Weil aber die Laiensprache nach Grammatik und Stil, Gebrauch und Tradition noch immer unter dem Gegensatz ihrer bis dahin vorwiegend mündlichen Laienkultur zur lateinischen Schriftkultur der *clerici litterati* steht, verbindet sie die disparaten Stoff- und Stil-Ansätze ihrer Texte doch noch zur Einheit einer schriftlichen 'Zwischenkultur' – aus der kein Text ohne bedenkliche Isolierung gerissen werden kann.

(3.) Nach welchen Kriterien einer Typologie: Gattungen, Werkstatt-Typen, Gebrauchsfunktionen usw. soll man dann aber greifen? Die üblichen Gattungsbegriffe unserer Literaturgeschichten stimmen für diese Zeit noch weniger als sonst im Mittelalter. Den Idealfall einer Koinzidenz von Stoff, Form, Stil, Aussage, Tradition, Gebrauch und Wirkung zu einem Typ gibt es wahrscheinlich überhaupt nicht. Die Texte der Zeit kennen wie bekannt keine eindeutigen Gattungstermini.

(3a.) Einen ersten Hinweis auf das Typen-Bewußtsein der Zeit kann man der Überlieferung entnehmen, insbesondere der Symbiose von Texten in Sammelhandschriften. Am wenigsten freilich dazu, am ehesten über landschaftliche oder persönliche Horizonte der Sammler sagen Miscellanhandschriften oder Hausbücher aus wie etwa die Würzburger codices des Michael de Leone (vor allem: Universitätsbibliothek München 2° Cod. ms. 731).[4] Hier hat der hohe Beamte zweier Bischöfe in mehreren Stufen nicht nur lateinische und deutsche Gebrauchstexte für Amtsverwaltung und Politik, für Frömmigkeit und Hausführung und Gesundheit sich aufbewahrt, sondern auch 'schöne Literatur' in beiden Sprachen, in erster Linie wohl aus seinem lokalen und persönlichen Umkreis: von der Walther-von-der-Vogelweide- (und Reimar?-)Sammlung bis zu den parodistischen Unica des Königs vom Odenwald und dem weit verbreiteten Renner.

Mehr kann man aus Sammelhandschriften schließen. Früh verbreitet ist z. B. ein Typ für Kleinformen in Reimpaaren: *rede* und *mære* und alles, was dazwischenliegt,[5] geistlich und weltlich gemischt, wie etwa der Heidelberger cpg 341 aus der ersten Hälfte des 14. Jahrhunderts, der wohl an eine frühe Strickertradition anschließt und auch meist noch Texte des 13. Jahrhunderts gibt. Ein anderer Sammlungstyp für poetische Formen, der *reden* mit Strophenliedern, meist in gesonderten Abteilungen, zusammenstellt, wie – erst seit Ende des Jahrhunderts – die Berliner Handschrift germ. fol. 922, die Haager Liederhandschrift, das Liederbuch der Clara Hätzlerin, ebenso dann in Autorenœuvres wie des Hugo von Montfort oder von Hans Folz, ist im 14. Jahrhundert noch selten, ansatzweise etwa in der Losse-Sammlung[6] belegt. Großwerke erhalten meist relativ autonome Überlieferung, einzeln oder in Sammlungen, wie die Epik des 13. Jahrhunderts in jener Gruppe von Adelshandschriften vom St. Galler Cod. 857 bis zur Ambraser Handschrift, die dazu auch *rede*-Typen aufnehmen;[7] aber auch neue Großwerke aus der *rede* in Reimpaaren, aus der Prosa von Recht, Geschichte, Theologie, Predigt, Naturwissen usw. Für eine Übersicht über Sammlungstypen in allen Texttypen des 14. Jahrhunderts fehlt es noch an statistischem Material.

Schließlich gibt es seit dem 14. Jahrhundert einen außerordentlichen, aber im mindesten nicht erschlossenen Vorrat von Gelegenheitseintragungen jeden Stoffs, jeder Form und Konsistenz, notiert vor, in und nach dem Text von Handschriften jeden Typs.[8] Hier Usancen, Konkordanzen. Beziehungen, Typen aufzufinden – damit stecken wir noch ganz im Anfang. Daß auch diese Texte uns interessieren müssen, ist kein Zweifel, schon weil sie zum Teil das hergeben, was etwa für die neuere Kunstgeschichte die Skizze ist.

(3b.) Natürlich bezeichnet auch die ganze Philologie des Einzeltextes – Quantität und Art der Überlieferung (breit/schmal, lokal/überregional, lang/kurz, früh/spät, autonom/bearbeitend, wertvoll ausgestattet/primitiv usw.), dazu ihre Sprach- und Textgeschichte bis zum Autor zurück, die Aussagen über Autor, Auftrag, Quelle, Stoff, Form und Typ, Schreibertitel und -notizen, Korrekturen usw. usw. – nicht nur seine isolierte Wirkungsgeschichte. Sie wird, beim Wagnis differenzierterer Analyse, hinausführen können über die noch allzu häufige Interpretation und Wertung nur der gedruckten Editionen: zu einem neuen Blick für das Verhältnis des Einzeltextes zur Literatursituation. Generalisieren läßt sich das freilich nicht leicht, auch nicht für das 14. Jahrhundert. Aber Haupt- und Grenzfälle in allen Typen sollen unten (4.) zur Typologie mit wirksam gemacht werden.

(3c.) Wieder andere Aussagen lassen sich von Autoren- und Typen-Œuvres erwarten. Im Unterschied zu den Symbiosen in Sammelhandschriften kann hier z. B. eine geschlossen auftretende Gruppe, etwa von Minnereden oder Schwankmären, auf ein differenzierenderes Gattungswissen der Zeit hinweisen. Autoren-Œuvres aber sind das wichtigste Indiz für einzelne, dennoch bezeichnende Literatursituationen. Auch sie können sich auf einen einzigen, freilich breit gestreuten Typ beschränken, z. B. beim Teichner auf die *rede* in Reimpaaren. Wie schon dem Spruchsänger Reimar von Zweter oder der Bescheidenheit Freidanks im 13. Jahrhundert scheint auch dem Teichner gerade die Beschränkung zur Intensivierung der Aussage wie zur Festigung eines 'Berufsbilds' zu dienen. Ein Literat wie Heinrich von Mügeln andrerseits, in höchsten Hofdiensten, sieht sich in seiner Produktion zu den verschiedensten Typen veranlaßt. Er pflegt von 'schöner Literatur' das Meisterlied, wohl als Zentrum (über 400 Strophen, in 7 Liedersammlungen und 7 Mischhandschriften überliefert, einige Lieder auch lateinisch), und die Groß-*rede*: Der meide kranz für Karl IV. (4 Handschriften); die noch traditionelle, aber schon verwissenschaftlichte Chronistik mit der Ungarnchronik für Ludwig I. von Ungarn und Rudolf IV. von Österreich (als deutsche Prosachronik 9 Handschriften, als kunstvolle lateinische Prosa-Vers-Chronik 1 Handschrift); aber auch die Prosa-Übersetzungen des Valerius Maximus für Hertnit von Pettau (20 Handschriften, 1 Druck) und des Psalters mit dem Kommentar des Nicolaus von Lyra (44 Handschriften, davon eine illustriert, und Drucke). In den scheinbar disparaten Literaturbereichen verrät sich doch die Einheit einer zeitgenössischen, auch lateinisch gebildeten 'meisterlichen' Wissensformung.[9]

Œuvres in Latein *und* Deutsch gehen sonst meist von der Klöster- und Laien-Betreuung gelehrter Kleriker aus: bei dem Prediger Eckhart, dem mystischen Seelsorger Seuse, dem Theologen Marquard von Lindau, dem Bischof und kaiserlichen Kanzler Johann von Neumarkt, dem Gelehrten Konrad von Megenberg, dem bischöflichen Beamten Baldemar von Petersweil(?), den Professoren der neugegründeten Wiener Universität unter Albrecht III. und IV. um 1400. Von Leopold Stainreuter, der auch in diesen Wirkungskreis gehört, sind Übersetzungswerke und die monumentale Chronik von den 95 Herrschaften erhalten.[9a]

(3d.) Daß jetzt mit Hilfe des Stoffes nur noch selten Typen sich ausgliedern lassen, wurde schon berührt. Geistliches und Weltliches ist nirgend mehr zu entmischen. Aber auch reine Sachliteraturen gehen oft ineinander über. Von den Autoren wie von der Überlieferung her steht am ehesten die Rechtsliteratur für sich, oft aber verbunden mit der Geschichtsschreibung derselben Kreise. Auch Theologisches, Predigt, Traktat usw., hält oft bis in die Zersetzungs-Überlieferung hinein seinen Sondercharakter fest. Ebenso manchmal Medizin und Naturwissen. Aber der allgemeine Literaturbetrieb auf deutsch lebt gerade im 14. Jahrhundert schon mehr in einer Omnipräsenz von allem und jedem Stoff in jeder Verbindung – auch dies ein Hinweis auf die nun breitere schriftliche 'Zwischenkultur' der Volkssprache.

(3e.) Auch die Formen typisieren jetzt nicht mehr so wie im 13. Jahrhundert, sie treten oft als unverbundene, viel verwendbare Hohlformen auf. Noch um 1300 bestanden gewisse Form-Blöcke: Reimpaare für fiktive, (pseudo-)historische und religiöse Erzählung (außer dem Prosa-Lancelot), für didaktische Großwerke, für alle Kleinformen, für die deutschen Texte im geistlichen Spiel; Strophen für Minne- und Spruchlied, für die Heldenromane, dazu für die schon beginnenden, jahrhundertelangen Wolfram-Wirkungen der Titurelstrophe; Prosa wie seit je für die Seelsorge, für das jetzt erst schriftlich werdende deutsche Laienrecht, Verwaltungs- und Urkundenwesen und die damit auch vom Autor her gekoppelten Anfänge der Prosa-Geschichtsschreibung, für Wissens-Summen bewußt schon seit dem Lucidarius um 1200.

Im 14. Jahrhundert verwischen sich diese Grenzen alle. Reimpaare halten gattungstypisch nur noch *rede* und *mære* und das geistliche Spiel fest. Daneben lebt aber auch hier die Prosaerzählung schon auf. In Erzählung und Erbauung, die aus dem Klosterleben und der Geistlichenseelsorge kommen, und in Kult-Übersetzungstexten häufiger, in Recht, Geschichte, Sachwissen und Praktiken gelegentlich, finden sich zwar auch Vers und Reim neben Prosa. Aber dann ist die Form oft nur Kleid für Sonderfunktionen. Vom Meisterlied, den Übergängen des Minnelieds, wissen wir wie gesagt wenig. Dafür wird jetzt die Liedform, meist mit neu primitiver Strophik, zu einer neuen Gebrauchsform, die jedoch z. T. ältere mündliche Typen in literarisch werdende Schriftlichkeit umbilden mag: im religiösen Lied,[10] historischen Lied (Parteilied), in der Kriminal- und der literaturverarbeitenden Ballade, im Stände- und Brauchtumslied. Solange nicht vor allem die Gelegenheitsüberlieferungen, von denen die Rede war, systematisch aufgearbeitet sind,[11] zeigen die Literaturgeschichten auch hier nur großüberlieferte Œuvres wie bei Heinrich von Mügeln oder mehr zufällig ins Blickfeld gerückte Ausschnitte.

Das immer größer werdende Feld der Prosa wird unten (4.) im einzelnen abzustecken versucht. Ein Modellfall der Übergänge ist die Deutschordensliteratur – Modellfall auch einer erstaunlichen typologischen Analogie zur frühmittelhochdeutschen Reimpaardichtung in entsprechender Literatursituation über die Zeiten hinweg.[12] Bis etwa 1350 leben hier: Deutsche Bibelerzählung, vor allem Alten Testaments, Mariendichtung, Heilsgeschichte, moralische Traktate, Geschichtliches, Legende, alles in einer Reimpaar-Einheitsform, die dort und hier einer geschlossenen Adelsgesellschaft zu Lebensorientierung und Lebenshilfe dient; sogar der Überlieferungstyp repräsentativer Sammelhandschriften wiederholt sich. Sprache, Form und Stil führen jetzt natürlich die Tradition der Literaten des 13. Jahrhunderts fort. Um 1350 aber geht auch der Orden für all das zur Prosa über, wozu dann auch Prosatexte für Verwaltung, Recht, Landvermessung u. a. pragmatische Zwecke treten.

(3f.) Als weiteres Kriterium der Typenbildung tritt gerade für diese Zeit die Autor-, Werk- und Publikums-Soziologie in den Vordergrund. Das Pauschalurteil allerdings, das Zeitalter sei ein bürgerliches, ist, wie man heute weiß, grundfalsch. Differenzierung bleibt jedoch sehr schwierig bei dem überwiegenden Mangel an Fakten geschweige Statistiken. Man muß sich mit vorsichtigen, alle Indizien der Texte ausnutzenden Annäherungen begnügen, wie es vorbildlich HANNS FISCHER für die *mæren* getan hat.[13] Fürsten und Hochadel, Klöster, Geistlichkeit und Patriziertum geben noch weithin Publikum und Besitzer der Texte vieler Typen ab, schon weil Papierhandschriften erst allmählich aufkommen. Das läßt sich öfter gerade für die Reimpaar- und Lied-Dichtung der deutschen Literaten belegen, obwohl ihr stofflicher Horizont und ihr Rollen-Repertoire, wie schon seit dem Stricker, durch alle Stände reicht. Auch religiöse Literatur auf deutsch findet, außer besonders in Frauenklöstern, gerade auch beim Laien-Adel seine Tradition.

Unter den Autoren werden die Literaten der 'freien' Literatur als *gerende* oder *farende* Leute bezeichnet, es müssen sich aber erhebliche soziale Differenzierungen darunter finden. Natürlich stellen die Kleriker, Ordens- und Weltgeistliche, Gelehrte und einfache Seelsorger, aber auch geistliche und bürgerliche Verwaltungsbeamte für Kirche, Hof und Stadt, einen sehr großen Anteil der Autoren für deutsche religiöse und pragmatische Literatur, Recht und Lokalgeschichte, Medizin und Naturwissen. Wo die Verfasser von Praxis-Anweisungen (Human- und Veterinärmedizin, Kriegs- und Fechtbücher, Haus- und Landwirtschaft usw.) und all der mehr gelegenheitlich überlieferten Praktiken zwischen lateinisch-gelehrter und deutsch-laikaler Ausbildung stehen, wird selten erkennbar sein. Neben Paris und den jetzt entstehenden deutschen Universitäten spielt für die gelehrte Bildung mehr und mehr Italien eine Rolle. Eine statistische Erfassung auch nur der wenigen greifbaren Fakten steht noch aus.

Die Soziologie der Werke selbst, ihrer Rollen, Ideologien und Kritiken, pragmatischen Zweckbestimmungen usw. weist aber zum größten Teil eine Pluralität der ständischen Horizonte auf. Man darf sie freilich nicht als 'Realismus' mißverstehen. Sie mag eher dem Pluralismus der politischen und sozialen Mechanismen der Zeit entsprechen, der jetzt ja von jedem sozialen Standort aus gesehen werden mußte. Dazu aber auch einer Rollen-Typik, die jetzt gern – jenseits der Realitäten – sowohl auf einen pessimistisch-moralischen wie einen grotesk-hyperbolischen Surrealismus als Stiltendenz hindrängt.

(3g.) Ein letztes Kriterium könnte schließlich noch ins Spiel gebracht werden, das auf der Wertung beruht. Nicht gemeint sind damit die Fragen der literarischen Wertung selbst. Sie bleiben zwar nicht ohne Zusammenhang mit den Typen, ihrem Gebrauchs- und sprachlichen Niveau. Aber die individuellen Komponenten stehen da doch im Vordergrund auch in den pragmatischen Literaturen. Gemeint ist vielmehr eine Art geschichtsmoralischer, halb politischer halb anthropologischer Wertung, die im Augenblick sehr im Schwange ist. Wo sie sich etwa auf eine ökonomisch-deterministische Abwertung feudaler Ideologie gegenüber Vorformen sozialer Sklavenaufstände zuspitzt, lasse ich sie als dogmatische Fälschung der geschichtlich gegebenen und anthropologisch weit differenzierteren Fakten beiseite. Aber wir sind gerade durch die jüngste Geschichte belehrt, daß auch Literatur anthropologische Relevanzen enthält, daß sie zwar geschichtlich-deterministisch und ästhetisch verstehbar sein mag, aber dennoch 'schlechten' oder 'guten' Zwängen dienstbar. Ich meine, die Frage sollte aufgehoben werden bis nach einer historischen Deskription der Literaturtypen des 14. Jahrhunderts (4.). Zu deren Differenzierung im Sinne historisch-faktischer Gegebenheiten mit Hilfe aller bisher erörterten Kriterien kann und darf sie nichts beitragen. Was gewesen ist, ist zumindest doch gewesen und hat das Recht, als Gewesenes erinnert zu werden. Die anthropologische Relevanz spielt bei solchem Erkennen implizit, wie hoffentlich schon zu spüren war, eine entscheidende Rolle mit. Ihr Fazit aber, ihr Gut und Böse kann explizit erst dem ganz vor uns liegenden Faktischen aufgerechnet werden (s. u. 5.).

(4.) Was ergibt sich aus diesen Vorüberlegungen für eine typologische Landkarte aller überlieferten deutschen Texte des 14. Jahrhunderts? Koinzidenz aller Kriterien zu eindeutigen Typen ist wie gesagt höchst unwahrscheinlich. Wir werden uns mit Koinzidenzen nur einiger Punkte und mit der Erkenntnis von Dominanzen begnügen müssen, die doch ein Zusammenschließen zu Typen ebenso wie die unscharfen Grenzen und Übergänge im lebendigen Gebrauch in den Blick bringen mögen.

Was hier der Begriff Typ besagen will – die Frage konnte man schon zu Anfang dieser Überlegungen erwarten, sie ist aber erst jetzt sinnvoll –, läßt sich keinesfalls mit Definitionen beantworten. Die Vorüberlegungen sollten zeigen, was alles als Teilaspekt zum Begriff des literarischen Typs negativ und positiv beiträgt. Ganz vorläufig, versuchsweise ließe sich von der Literatursituation des 14. Jahrhunderts aus umschreiben: Typ meint hier literarische Gebrauchsformen und -stoffe sowohl weitesten wie engsten Umkreises, die, ob freier sprachgestaltend oder in Sach- und Zweckbeziehungen unfreier determiniert, doch alle dem gleichen kulturellen Zwang nach deutscher Schriftliteratur für fast alle Lebensbereiche antworten. In diesem Sinn sei der Versuch gewagt, eine typologische Überschau aller überlieferten Texte vorzuführen, mit allerdings nur wenigen illustrierenden Beispielen und nur als vorläufige Arbeits- und Durchgangshypothese.

Vier Hauptgruppen bieten sich nach all diesen Vorüberlegungen zur Ausgrenzung an: (4a.) Reimpaar- und Strophen-Dichtung deutscher Literaten; (4b.) das Spiel; (4c.) religiöse Geistlichenliteratur; (4d.) Sachliteraturen.

(4a.) In der Nachfolge der deutschen schriftlichen Adelsliteratur meist französischer Rezeption um 1200, Epik und Minnesang, die doch noch in der vorwiegenden Mündlichkeit ihrer Laienkultur stand, entwickelte sich im 13. Jahrhundert eine stofflich sehr viel breitere, zunächst auch quantitativ dominierende Schriftliteratur deutscher Literaten verschiedener sozialer Festigung, aber noch vorwiegend für Fürsten, Adel, hohe Geistlichkeit und Patrizier produziert. Ins 14. Jahrhundert reicht von solcher Epik fast nur noch ein so charakteristischer Ausläufer wie die zyklische Erweiterung des Parzival durch den Goldschmied Philipp Colin und Claus Wisse in Straßburg mit Hilfe des Juden Pine als Dolmetscher aus dem Französischen, aber im Auftrag der hochadligen Rappoltsteiner. Neue Wege, Stoffe und Gebrauchssphären beginnen mit der Vermittlung der Niederlande: am Niederrhein der Karlmeinet, in den Hansekontoren z. B. Johann ûz dem Virgiere u. a. Die deutsche Literatenliteratur reduziert sich jetzt fast ganz auf die Reimpaarkleinformen und einige Groß-*reden* (Johann von Konstanz, die Minneburg, Hadamars Jagd) und auf das Meisterlied. Neben umfangreichen Œuvres wie den *reden* von Heinrich dem Teichner (ca. 700 Nummern, im Endreim signiert) oder Peter Suchenwirt, den Meisterliedern Heinrichs von Mügeln und manchen kleineren, z. T. auch nicht mehr verifizierbaren Autoren-Œuvres steht viel Anonymes. *Rede* und *mære* übersetzen sowohl überständische wie ständische, auch noch höfische Ideal-Fiktionen wie die Minne, aus der fiktiven Heilsweg- und Ziel-Struktur der 'Klassiker'-Tradition in direkte kritische Lebensorientierung, Lebenshilfe und Lebenssteigerung (bis hin zum Obszönen). Die so beliebten Personifikationen und Allegorien stellen nicht Verfall, Pessimismus usw. dar, sondern nur die neue, statischere Rolle der höfischen Ideal-Realitäten, wie die Spaziergangseinleitungen die neue Aventiure-Rolle des Übertritts aus der verwirrenden Wirklichkeit in die fortdauernde Realität der Ideale.

(4b.) Das geistliche Spiel hatte neben den von Anfang bis in die Neuzeit fortdauernden lateinischen Feiern und Darstellungen im Kirchenraum schon relativ früh auch Erweiterungen aus der Gesellschaftskultur der Kleriker entwickelt. Diese Symbiose, auch mit volkssprachlichen Texten, demonstriert z. B. die Handschrift der Carmina Burana.[14] Das lateinisch-deutsche geistliche Spiel des Spätmittelalters, das gerade diese Typen weiterführt, lebt dagegen allem Anschein nach isoliert von den sonstigen lateinischen wie deutschen Literatursituationen. Zwar gibt es Anzeichen deutschliterarischer Zusammenhänge, so schon im Murispiel die Minne-Travestie. Aber die besonderen Bedingungen von Gebrauch, Text, Publikum und Überlieferung schlagen so stark durch, daß das Spiel im 14. Jahrhundert (und im Gegensatz zum späteren 15. Jahrhundert) wie kein anderer Typ für sich zu leben scheint. Schon Datierung und Lokalisierung auf Grund der überlieferten Handschriften sind hier geradezu zufällig. Jeder Spieltext, ob aufführungsnah, wie die Textrollen oder die Schmal-Hoch-Formate, oder mehr literarisch überliefert, ist doch nur eine Art occasionelles Regiebuch. Die Ausgangsformen, Spielfamilien und -wanderungen bleiben erst noch umfassend zu bestimmen. Der Text selbst ist immer nur Abbreviatur eines Ganzen aus Gesang und Rezitativ aller liturgischen Musikgattungen, gesprochenem Text, Ausstattung und Spiel, wobei die Aufteilung der Spielvorgänge auf die lateinischen und deutschen Texte trotz mancher Rubriken-Hinweise noch ganz problematisch ist. Und die 'Quellen' der deutschen Erweiterungen liegen im Dunkeln. Mustert man ihre Ansatzpunkte, allein schon im Oster- und Passionsspiel, also die Magdalenenszenen, die Pilatusszenen und den Salbenkauf, dann könnten hier doch am ehesten repräsentative Vorgänge aus dem Leben selbst direkt ins Spiel herübergenommen und surrealistisch übersteigert sein: spät-höfische Gesellschaftsszenen und Buß-Devotion, öffentliche Auftritte aus dem Rechtsleben, Jahrmarktszenen, also Spiel der Spielsituation selbst. Eine kontinuierliche Ausweitung und Entwicklung zu 'Realismus', 'Bürgerlichkeit' usw. kann aber keinesfalls konstruiert werden, am wenigsten im 14. Jahrhundert. Es stehen hier – und zwar in dauernder Querverbindung zwischen Latein und Deutsch für Autoren, Spielleiter und Spieler, Musik, Ausstattung und Spielorte – alle Grade zwischen Keim- und Entfaltungstypen nebeneinander.[15]

Die einzigen im 14. Jahrhundert überlieferten weltlichen Spiele – das Schweizer Spiel von Mai und Herbst und das österreichische älteste Neidhartspiel – lassen sich weder mit dem geistlichen Spiel noch mit unterliterarischen Brauchtumsformen direkt in Zusammenhang bringen. Durch Personnage und Thematik gehören sie vielmehr in jene Minnesang-Travestie-Sphäre, die so kräftig wie dunkel quer durch verschiedene Literatur-Lebensbereiche ins Spätmittelalter fortzieht:[16] 'Zwischenliteratur' wie später dann das Fastnachtsspiel in Nürnberg, Lübeck, Südtirol.

(4c.) Das Stichwort des dritten Haupttyps kann nicht religiöse, christliche Literatur schlechthin heißen – ich mußte immer wieder betonen, daß die Dichotomie weltlich-geistlich im 14. Jahrhundert zum größten Teil irrelevant geworden ist. Aber er kann auch nicht einfach als der, wenn auch außerordentlich umfang- und artenreiche, Sachbereich christlicher Prosaliteratur allein verstanden werden.

Nur eine Gruppe grenzt sich deutlich als ein solcher Sachbereich aus, schon durch ihre außerordentliche Breitenwirkung, deren Überlieferung rein quantitativ nie von der deutschen Laiendichtung erreicht wurde, nur noch von Rechtsliteratur und einigen Praktiken: die Seelsorge-Prosa der großen Dominikanermystiker und z. T. franziskanischen Volksschriftsteller: Meister Eckhart (trotz des Häresieurteils über 200 Handschriften in corpus-, Streu- und Zersetzungsüberlieferung),[16a] Johannes Tauler (noch breiter und bis in die Drucke überliefert), Heinrich Seuse (vom Büchlein der ewigen Weisheit z. B. ca. 180 Handschriften); die 24 Alten des Otto von Passau (109 Handschriften), Heinrich von St. Gallen (vom Passionstraktat z. B. 78 Handschriften und viele Drucke), Marquard von Lindau (vom Eucharistie-Traktat z. B. über 50 Handschriften). Dazu kommt die außerordentliche Verbreitung der frühen und späteren niederländischen Mystik auch in Oberdeutschland.[17] Aber auch Johann von Neumarkt, Kanzler Karls IV. in Prag und Genosse seiner Italienverbindungen, hat mit der vom Humanismus inspirierten Hieronymusschrift (über 30 Handschriften, dazu Drucke) und noch mehr mit den deutschen Gebeten und Kanzleiformeln breite Wirkung erreicht. Da haben sich neue Tore für Schriftliteratur im spätmittelalterlichen Geistes- und Seelenleben geöffnet, nicht nur in den Frauenklöstern, sondern auch in Geistlichkeit, Adel, Bürgertum. Die Seelsorgeschriften auf deutsch von Professoren der jungen Wiener Universität, die unter den Herzögen Albrecht III. und IV. wohl bewußt einsetzen, geben eine etwas andere Nuance zu der gleichen Situation hinzu.

Im selben Gebrauchsumkreis und oft im Gefolge der großen Meister lebt aber auch die noch immer fast unübersehbare Menge des mehr oder weniger occasionell verbreiteten sonstigen Predigt-, Traktat-, Legenden-, Nonnenviten-, Exempel-, Dicta-, frommen Erzählungen- und Lieder-Schrifttums. Und wohl auch die Übersetzungsliteratur aus Kirchenvätern und Scholastikern, aus Dogma, Liturgie, Ordensregeln, die katechetischen Hilfsmittel jeden Gebrauchsniveaus, schließlich auch die Teil- und ersten Gesamtübersetzungen der Bibel. Nur einzelne Schneisen sind bisher in diese, alle lese- und vorlesungsbedürftigen Kreise der Zeit überziehenden deutschen Prosa-Textmassen geschlagen. Reimpaar- und Liedformen treten hier nur ganz am Rand und ganz in die Gebrauchs-Situation integriert auf.

Das besondere Modell der Deutschordensliteratur war oben schon angeführt (S. 125). Wenn hier die Tradition der deutschen Literatendichtung des 13. Jahrhunderts bis in die Mitte des 14. sich fortzieht, dann verdankt sie das der Literatursituation einer religiösen Orientierung für einen isolierten Laienadel, die typologisch so genau der frühmittelhochdeutschen entspricht.

Die größten typologischen Schwierigkeiten bereitet die meist nur schmal überlieferte, aber große Menge geistlicher Erzählungs- und Moralisationstexte. Um und nach 1200 war der Typ, ob von Geistlichen oder von Laien verfaßt, aus der frühmittelhochdeutschen Geistlichendichtung ganz in das Gefolge der ritterlich-höfischen Adelsdichtung geraten. Diese Zuordnung gilt noch für die Literatursituation um 1300 (Beispiele: EHRISMANN, Schlußband, S. 360–410, obzwar ein großes Durcheinander!).

Im 14. Jahrhundert tritt für geistliche Erzählung schon vielfach Prosa ein: Legendare, darunter das weitverbreitete sog. Wenzelspassional, Einzellegenden, z. B. viele Übersetzungen des Lebens der hl. Elisabeth, Leben Jesu und Passion, das Schicksal der Seelen nach dem Tod; als Moralisation z. B. Der Seelentrost (ca. 40 Handschriften und Drucke) und die von KLAUS BERG[18] gesichteten und behandelten Übersetzungen. Aber weit zahlreicher und z. T. ebenfalls weit verbreitet sind noch immer Reimpaarfassungen: Heilsgeschichte, z. B. Sibyllen Weissagung, Leben Jesu, Marienleben, Apokalypse und Schicksal der Seelen nach dem Tod; Legenden, z. B. das Buch der Märtyrer, und Einzellegenden, etwa St. Christophorus, und fromme Erzählungen; noch mehr die populären Sitten- und Tugendbücher; die meisten deutschen Schachbücher nach des Dominikaners Jacobus de Cessolis lateinischer Predigtprosa stehen in Reimpaaren, ebenso Tugend- und Lasterlehren wie z. B. Des Teufels Netz usw.

Was vermag hier eine typologische Ordnung? Radikale Trennung von Dichtung und Prosa, Unterscheidung von Traditionsbindungen nach rückwärts- und vorwärtsweisenden Neuansätzen, Zuteilung zu laikalen einerseits, zu geistlichen Autoren andrerseits, Scheidung zwischen mehr populärem und mehr wissenschaftlichem Niveau und alle ähnlichen Versuche führen sich am Material ad absurdum. Sogar klar erkennbare Gebrauchsfunktionen und Gebrauchssphären – wenn Text und Überlieferung das hergeben – entheben uns nicht der Entscheidung, ob da ein allgemeiner Typ nur adaptiert oder ein Sondertyp aus eigenen Bedingungen entstanden ist. So mag es bei dem Kompromiß bleiben, daß zwar die deutsche, auch die religiöse laikale Literatendichtung, soweit nach Verfassern und Überlieferung auszusondern, in der oben (4a.) geschilderten Verkürzung erscheint, die Masse der sonstigen religiösen Reimpaar- und Liedtexte jedoch im Funktionszusammenhang mit der religiösen Prosa angeführt wird, aber typologisch der hier noch ungeklärten Disparatheit des 14. Jahrhunderts im ganzen überantwortet bleibt.

(4d.) Das Stichwort Sachliteratur für den letzten Haupttyp scheint problematisch gleich nach zwei Richtungen. Einerseits würde man vom traditionellen Literaturbegriff unserer Literaturgeschichten her auch die religiöse Prosa und weithin sogar Poesie als Sachliteratur ansehen (und mit ihr aus der engeren Literaturgeschichte ausschließen). Andrerseits stehen Recht, Geschichtsschreibung, Naturwissen und Praktiken für unser Vorverständnis in so verschiedenen Lebensbezügen, daß ihre Zusammenfassung unter diesem Stichwort auch sachtheoretisch fraglich erscheint. Dagegen läßt sich anführen: das religiöse Schrifttum kommt gerade im 14. Jahrhundert so aus der Mitte der anthropologischen, auch literarischen Situation, daß seine typologische Mittel- und Mittlerstellung unvermeidlich ist; die anderen Sachbereiche aber hängen, wie schon die Überlieferung zeigt, im Gesamtfeld der deutschen Schriftlichkeit der Zeit so eng aneinander, daß man sie nicht trennen kann.

In der Rechtsliteratur beherrschen jetzt die deutschen Rezensionen, lateinischen Übersetzungen (hier sogar Rez. III d lateinisch gereimt!), deutschen

Rechtsgangbücher und Glossen zum Sachsenspiegel, auch die Rezeption der anderen Spiegel das Feld. Die Überlieferung ist außerordentlich, durch den Gebrauch bedingt. Dazu kommt der weite Verbund der Stadtrechtsbücher, Spruchsammlungen, Bescheide der Oberhöfe usw., alles auf deutsch. Auch Setzungen und Erneuungen von Reichs- und Landesrecht, auch die Urkunden, Stadtbücher, Akten und Korrespondenzen der meisten Instanzen werden jetzt mehr und mehr, z. T. schon fast ausschließlich deutsch. Zur fachlichen und literarischen Wertung müssen sich die Rechts- und Literarhistoriker noch zusammenfinden.

Die Geschichtsliteratur auf deutsch zeitigt auch noch ein paar Reimpaarwerke. Aber sie sind hier eindeutig Randerscheinungen unter Sonderbedingungen: Ausläufer des 'historischen Romans' wie Seifrieds Alexander, der traditionellen Weltchroniken wie der noch unbewältigte Heinrich von München; occasionelle Reimpaarchroniken wie Ernst von Kirchbergs Mecklenburgische Reimchronik (1 Prachthandschrift!) oder Klostergründungsgeschichten für die Laien-familia (Waldsassen, Zwettl, Kastl, St. Bernhard, je 1 Handschrift); dazu die verspätete Reimchronistik des Deutschen Ordens.

Aber es dominiert jetzt eindeutig die Prosachronistik, und zwar in so verschiedenen Sondertypen, daß der lebendige allgemeine Antrieb in diesem Lebensbereich unverkennbar ist. Die Prosawerke des 13. Jahrhunderts erhalten Fortsetzungen: Eikes Weltchronik, die Magdeburger und Lübecker Chronisten. Für die Vielfalt und soziologische Verschiedenheit der Neuansätze seien nur die bekanntesten angeführt: Christian Kuchimeisters, des Bürgers, Niuwe casus Sti Galli (1335); die Straßburger Kontinuation von Ellenhards lateinischer Sammlung über Fritsche Closeners deutsche zu Jakob Twingers von Königshofen deutscher Prosachronik (erste Fassung 1386, insgesamt 51 Handschriften); Tilman Elhens von Wolfshagen Limburgische Chronik (5 Handschriften, dazu Fragmente). Daraus wird ein Strom, der bis in die frühe Neuzeit nicht versiegt. Dagegen beginnt die deutsche Fürstenspiegel- und Staatskunstliteratur erst zaghaft mit Übersetzungen und Bearbeitungen von De regimine principum des Ägidius Colonna, für Philipp den Schönen geschrieben: niederrheinisch, Leopold Stainreuter (?), Johanns von Vitpech Katharina Divina.

Überlieferungsstatistiken spielen für die ganze Geschichtsliteratur eine andere Rolle als sonst: sie hängen mehr vom Typ lokaler oder überregionaler Gebrauchssituationen ab als von literarischer Wirkung.

Das dritte Stichwort der Sachliteratur faßt stofflich zwar Zusammenhängendes, formal und im Gebrauch aber reichlich Disparates zusammen: Übersetzungen und Bearbeitungen allgemeiner, d. h. nicht-theologischer Wissenschaften, dazu Sachwissen und Sach-Praktiken jeden Niveaus.

Die Systematik dieses Komplexes ist schwierig. Moderne Wissenschaftssystematik wirkt, fürs Mittelalter angewandt, anachronistisch. Dennoch folgt die speziell fachhistorische Forschung meist ihren Bahnen. Die mittelalterliche lateinische Wissenschaftssystematik zeitigte, auch in der Scholastik, recht verschiedene Versuche.[19] Die deutschen Texte bleiben darüber hinaus zwischen den Extremen reiner Übersetzung von lateinisch wissenschaftlicher Literatur und reiner Handwerks-Praktik, die seit dem 13. Jahrhundert auch mehr und

mehr zur Schriftlichkeit kommt, vielfach in der Schwebe, wobei die Bildungs-
voraussetzungen für beides sich durchaus auch überkreuzen können. Charakteristisch sind die Überlieferungssymbiosen von oft einzelnen und meist anonymen Stücken in Sammelhandschriften: Rezepte aus Medizin und Veterinärmedizin, wissenschaftliche Einzelstücke jeder Art, Technologie jedes Bereichs,
kuriose Denkwürdigkeiten usw.[20]

Eine 'Summe' in mehr theologischem Sinn erschien auf deutsch schon mit
dem Lucidarius, um 1190 von seinen *capellanen* im Auftrag Heinrichs des Löwen
ausdrücklich in Prosa geschrieben: um der 'Wahrheit' willen! Er wurde so breit
wie lang überliefert und bearbeitet (ca. 60 Handschriften, über 80 Drucke bis ins
18. Jahrhundert), auch in andere Sprachen übersetzt. Schon er zeigt also die
typologische Sonderstellung dieser Literatur: Lehrbücher theoretischen wie
praktikablen Wissens schaffen sich ihre Gebrauchssphäre und damit ihre oft sehr
lange Überlieferungs- und Wirkungsgeschichte selbst – vom Bedarf her ähnlich
wie die geistliche Gebrauchsliteratur, aber in der Wirkungsgeschichte grundverschieden. Im 14. Jahrhundert wirken ebenso die vielen deutschen Bearbeitungen
der Pseudo-Aristotelischen Secreta Secretorum (auch in Reimpaaren!) und noch
mehr Konrads von Megenberg Buch der Natur nach Thomas von Chantimpré
(während Konrads spezialistischere Deutsche Sphära nur in 8 Handschriften
überliefert ist).

Aus den *Artes liberales* gewinnen jetzt, soweit wir sehen können, nur die neuen
lateinisch-deutschen Glossare eine ebenso außerordentliche Wirkung[21] – verständlich aus ihrem Schulgebrauch neuen Stils und neuer Verbreitung. Die
anderen Artes liberales werden auf deutsch erst in der veränderten Situation des
späten 15. Jahrhunderts nötig.

Nur als einen Bereich, unter dem Stichwort der Rezepte und Praktiken,
möchte ich alle Texte einer 'Naturkunde' zusammenfassen, die auch die Überlieferung vor allem kleinerer Stücke nicht trennt. Dem Stoff nach reicht er von
Human- und Veterinärmedizin über Tier- und Pflanzenkunde, Edelsteine und
andere Mineralien, Landwirtschaft, Hauswirtschaft bis zu den Handwerken; in
den Techniken vom Zubereiten bis zum Bearbeiten, Färben, Heilen usw.; die
Formen, nur ganz gelegentlich noch in Versen, decken den ganzen Raum
zwischen dem wissenschaftlichen Traktat und dem einzelüberlieferten Rezept,
Segen, Zauber. Namen, Zuschreibungen, Datierungen, Textbearbeitungen und
-zersetzungen tragen hier die Unsicherheit einer Überlieferung hauptsächlich
unter Spezialisten an sich, die bei aller mittelalterlichen Autoritätengläubigkeit
doch direkter auf die Praxis gerichtet sind, zwar oft treue Schüler, aber
untereinander auch Konkurrenten. Aus der Text- und Namen-Masse umfang-
reicher wie kleiner, weitberühmter wie ganz gelegentlicher Stücke – die mit den
vorhandenen Hilfsmitteln noch gar nicht zuverlässig zu überblicken ist – hebe
ich nur ein paar der verbreitetsten heraus: in der Humanmedizin die Praktik des
Meisters Bartholomäus, vielleicht noch aus dem 13. Jahrhundert, um 1400 die
des Ortolf von Baierland; aus der Veterinärmedizin das bezeichnenderweise
durch sehr viele Handschriften und Drucke verbreitete Roßarzneibuch Albrants,
vielleicht auch schon aus dem 13. Jahrhundert; Tierkunde und Jagdpraxis
vereinen die vielen erst jüngst in weiterem Umfang erschlossenen Jagdbücher.[22]

Wie verschieden angewendet Pflanzenkunde erscheinen kann, zeigen einerseits das verbreitete Pelzbuch Gottfrieds von Franken, andrerseits die Lehren und Rezepte vom Färben mit Pflanzenfarbstoffen. Nennt man schließlich noch die ersten Reise- und Pilgerbücher, meist für die Wallfahrtspraxis, oder die frühesten Fecht-[23] und Ringerbücher, gerade auch für den gerichtlichen Zweikampf gemeint, oder älteste überlieferte Handelsbücher, dann zeigt sich ganz die Weite und Buntheit einer jetzt erst allgemein werdenden volkssprachlichen Schriftkultur.

(5.) Was ist mit all dem getan? Es wurde – vom Ende zum Anfang zurückbetrachtet – (4.) eine Aufgliederung aller überlieferten deutschen Texte des 14. Jahrhunderts versucht, die sich von den üblichen Einteilungen in Nuancen unterscheiden mag, dafür aber den relativ unbestimmten Begriff des Typs einführt. Und sie zeigt nur das Modell mit Beispielen, der wirkliche Sprung ins Wasser, die Bewältigung aller Texte, mußte hier ausbleiben.

Als traditionell erscheint, daß auch diese Aufgliederung die sogenannte schöne Literatur wenigstens in formalem Sinn, nämlich Versdichtung, voranstellt (4a und b), die sogenannte Zweck- und Gebrauchsliteratur, nämlich religiöse und praktische, der Prosa unterstellt (4c und d) – allerdings sehr unrein und im Sinn überzeitlicher Literaturtypologien inkonsequent: ein Großteil der religiösen und moralischen, ja auch sach- und zweckbezogenen Versdichtung, die in alt- und frühmittelhochdeutscher Literatur für die 'schöne Literatur' unserer Literaturgeschichten fast ausschließlich eintreten muß, im späten 12. und im 13. Jahrhundert unter der 'Blütezeit' der fast absolut gesehenen höfischen Ritterdichtung wenigstens formal als Dichtung mitlaufen darf – sie wird hier fürs 14. Jahrhundert von der 'schönen Literatur' gelöst und, wenn auch unter typologischen Qualen, der religiösen und Sachprosa zugeordnet. Das ist – um damit nur das am meisten in die Augen springende Symptom der versuchten neuen Nuancen anzuführen – der Abschied von überzeitlicher Literaturtypologie. Nicht nur die inkonsequente – und fast schizoide – Spaltung unserer mittelalterlichen Literaturgeschichte in 'echte' Dichtungsgeschichte einerseits und 'nur-philologische', bestenfalls geistesgeschichtlich aktivierbare Texte andrerseits – sondern auch ihre durchgehenden Gattungsbegriffe, Gattungsein- und -zuteilungen, fälschen die historischen Fakten dieser Literatur. Denn sie bauen auf eine spätgeborene – und durch die Entwicklung der 'Moderne' seit fast einem Jahrhundert überholte – Literarästhetik, die fürs Mittelalter nur anachronistisch sein kann. Ich will damit ganz und gar nicht die philologischen und literarästhetischen Fortschritte der Grimm- und Schererzeit und der geistesgeschichtlichen Forschung streichen. Nur – sie müssen heute eingebracht werden in all die neuen Perspektiven, die wir zu sehen gezwungen sind.

Was also als scheinbar normativ 'schöne Literatur' voransteht (4a.), ist nur der engere Umkreis einer deutschen Literatenliteratur, der durch ein Zusammenwirken mehrerer historischer Kriterien für diese Zeit isoliert wurde. Um 1300 noch war dieser Literatenbetrieb viel breiter, im 14. Jahrhundert hielt noch die Deutschordensdichtung seine Tradition aufrecht – bis auch diese geschlossene Literatursituation zur Prosa überging. So wird noch mancher Text religiöser

Versdichtung an der Literaturtradition des 13. Jahrhunderts hängen. Aber ihre literarische Produktion steht jetzt unter anderen Voraussetzungen. Die religiöse und die Sachliteratur in Prosa (4c und d) entfalten im 14. Jahrhundert – anders als im 13. – eine solche Funktionsdichte, daß sie zur Unterordnung der Produktion auch der meisten religiösen Versdichtungen unter die Kategorien der literarischen Funktion der Prosa veranlaßt. Im 15. Jahrhundert werden sich dann neue Trennungen unter neuen Literaturbegriffen ergeben.

Die Kriterien dafür, die ich im vorhergehenden Abschnitt zu entwickeln versuchte (3.), gehören (und sind zu ergänzen) zu dem, was ich an anderer Stelle als Phänomenologie (3a–c) und als Typologie (3d–f) der deutschen Texte im Mittelalter zu systematisieren versucht habe. Das ist das Feld möglichst aller philologischen und kulturhistorischen Fakten, das uns die überlieferten Texte aufzubauen erlauben. (Zur statistischen Übersicht über sie fehlt uns freilich noch alles.) Diese Faktenforschung vom (leider!) längst vergessenen 'Positivismus' methodisch zu unterscheiden, scheint heute kaum mehr nötig. Dennoch ist ihr Ort in der heutigen Methodologie der Philologien noch recht unsicher, wenn nicht suspekt. Hier nur ein paar Worte, ihn bewußter zu machen. Es kann sich uns nicht mehr um lineare Kausalitäten von Quellen, Einflüssen, psychologischen Mechanismen handeln, auch nicht um kunstpsychologische oder geistesgeschichtliche Determinationen. Es muß statt dessen, mit einem Bild gesprochen, versucht werden, Felder von Wirkungslinien aufzubauen, in denen die jeweilige Situation der Literatur, sowohl die kulturabhängige wie die kulturbestimmende Sprachfunktion, als jeweils andere und neue sichtbar wird. Die Fakten sind damit, schon angefangen von ihrer Heuristik, durchdrungen von dem ganzen Bedeutungsgefüge, das der Sprache im menschlichen Leben und in der Geschichte zukommt. Diesem Ziel – utopisch insofern, als die Kluft zwischen statistischer Verifizierbarkeit und hermeneutischem Zirkel der Faktenerschließung in den Philologien wohl nie zu schließen sein wird – will dieser Versuch um einen winzigen Schritt näherkommen. Darum stellte er vor die Erörterung der Kriterien einer Literaturtypologie (3.) noch ihre knappe Abhebung vom traditionellen Epochenbegriff (2.) und von der Literaturgeschichte als Dichtungsgeschichte (1.), beide Trennungen fürs Mittelalter unvermeidlich, wenn anachronistische Prädispositionen ausgeschaltet bleiben sollten.

Zum Schluß die Wertungsfragen. Literarischer Wertung sind uns heute Texte zugänglich geworden, die es noch vor kurzem nie hätten sein können. Das liegt vor allem an der neuen Anthropologie des literarischen Werts. Zieht man dafür das Fazit fürs 14. Jahrhundert, dann bedeutet damals Literatur nicht Befreiung durch ästhetische Distanz, sondern unmittelbarste Lebensorientierung (im Religiösen und Didaktischen), Lebenshilfe (im Moralischen und im Praktischen), Lebenssteigerung (im Surrealismus ihrer rationalistischen und grotesken Übertreibungen). Das mag uns durch die jüngste Moderne verständlicher geworden sein als noch vor kurzem. Das Gut und Böse darin aber – wer mag es damals wie heute ohne Dogmatismus entscheiden?

VERSUCH ÜBER DAS 15. JAHRHUNDERT IN DER DEUTSCHEN LITERATUR[1]

0. Eingrenzung und Forschung

0.1 AUF DIE EPOCHEN-PROBLEMATIK kann und will ich hier nicht eingehen. Sie ist unter neueren literarhistorischen Gesichtspunkten zwar keineswegs irrelevant geworden, aber auch historische Differenzierungen der Schichtung, der Gleichzeitigkeit des Ungleichzeitigen und umgekehrt bleiben merkwürdig blaß gegenüber strukturellen Aspekten der Literatur-Typen, -Gattungen, -Funktionen usw., die sich damit ihrerseits keineswegs 'ahistorisch' darstellen müssen. Die Rechtfertigung für meine – selbstverständlich ganz grob und ungenau zu verstehende – Jahrhundert-Einteilung nehme ich aus der Überlieferung. Wenn man nicht nur einzelne Textgruppen und ihre mehr oder weniger präzis datierbaren Erstproduktionen auswählt, sondern die (freilich für einen einzelnen unmöglich überschaubare) 'Totalität' der schriftlichen Überlieferung aller deutschsprachigen Texte in diesem Zeitraum, alter und neuer, zugrunde legt, dann sind Datierungen, häufig nur durch paläographische Kriterien, für eine Mehrzahl von Handschriften so vage, oft nur nach dem Jahrhundert möglich, daß jede Präzision eines 'epochalen' Zeitraums sich als Illusion oder Präsumtion herausstellt.

0.2 Die weit verzweigte Forschungsliteratur, und zwar gerade auch ältere und älteste, hat sich um einzelne Texte und Textgruppen so verdient gemacht, daß ohne ihre Benutzung kaum ein Nebensatz oder Adjektiv zu diesem Zeitraum verantwortet werden kann. Zugleich liegen hier aber so verschiedene materielle und methodische Forschungszustände nebeneinander, und zwar auch in der Gegenwart, daß ohne deren Berücksichtigung die jeweiligen Ergebnisse fast immer in einem falschen Lichte stehen. Hier vor allem zeigt sich fast überall die – für den jeweiligen Nicht-Spezialisten fatale – Entwicklung, daß beim Erst-Forscher noch vorsichtig als Hypothese formulierte Ergebnisse schon beim nächsten Benutzer zu Fakten oder Wahrheiten degenerieren, die dann als solche ihren langen Marsch durch die Wissenschaft antreten. Daran leiden insbesondere auch die Versuche der Gesamtdarstellung. Es gibt inzwischen aber eine ganze Reihe von Einzeluntersuchungen, die den methodischen Stand, den ich im folgenden anzudeuten versuche, ermöglicht haben.

1. Aspekte der Literatursituation

Die hier anzuführenden Beobachtungen sollen – und können einstweilen – keinerlei literaturtheoretischen oder wenigstens systematischen Status beanspruchen. Es sind mehr oder weniger Impressionen, d. h. Generalisierungen (mit allen nötigen Vorbehalten) von innerliterarischen und außerliterarischen Bedingungen.

1.1 Zur Gebrauchssituation

Im Kontext der gesamten Schrift-Überlieferung deutscher Texte bedeutet das 15. Jahrhundert geradezu eine Literatur-Explosion. Das ordnet sich natürlich ein in eine gesamteuropäische Literarisierung der Kultur, auf Latein ebenso wie nun auch in den Volkssprachen. Diese Kulturverhältnisse des 'Mediums' Sprache werden aber insofern immer komplizierter, als einerseits Latein nicht mehr allein im kirchlichen Gebrauch und seinen Derivationen (Kanzleien usw.) die Traditionen, Evolutionen und Revolutionen der Zeit als mittelalterliche Schriftkultur vermittelt, sondern das Humanistenlatein (und -italienisch) sein neues Kultur-Medium dagegensetzt – wobei allerdings geistesgeschichtliche Polarisierungen wie spätes Mittelalter gegen frühe Neuzeit die komplexen Verhältnisse nur verfälschen. Die Volkssprachen andrerseits haben bereits einen großen Teil der Schriftlichkeit in den Staaten und Verwaltungen, Rechten, Sach- und Gesellschaftskulturen übernommen, bis hinein in den Schriftverkehr der Geistlichkeit. Jetzt erst kann von einer volkssprachlichen Popularisierung der lateinischen Schrift-Tradition die Rede sein, und zwar in großer Breite, die für die vorangehenden Jahrhunderte volkssprachlicher Schriftlichkeit oft zu oberflächlich angesetzt wird. Aber jetzt muß auch um so mehr differenziert werden, was Popularisierung meint. Schichtenspezifisch nur insofern, als sie Lesen *und* Hören von Schriftlichkeit voraussetzt, amalgamiert sie auf hundert verschiedene Weisen Schriftkultur-Aneignung mit bisher mündlichen Traditionen und Praktiken, und das darf wiederum keineswegs als Absinken oder/und Aufsteigen von Kulturgut mißverstanden werden, auch nicht im Zug einer modischen Soziologisierung von Trivialität usw., womöglich als revolutionäres Bewußtsein. Soziologisch gesehen verband sich z. B. für das Recht schon seit dem 13. Jahrhundert die Mündlichkeit von Tradition und Praxis gerade der hohen Aristokratie mit der schriftlichen lateinischen und deutschen 'juristischen' Berufssystematik. Und die Vorbereitung revolutionärer Konfrontationen, wie z. B. der Bauernkriege, vollzog sich fast ausschließlich in religiösen Bewegungen.

Popularisierung kann also für das 15. Jahrhundert nur heißen, daß die Möglichkeit und Bereitschaft, deutsch zu schreiben, zu lesen (und vorgelesen zu hören) in allen Kulturgebieten so breit geworden ist, daß Quantität in Qualität umschlagen kann insofern, als daraus ein generelles schriftliches Rezeptions-Verlangen hervorgeht. Oder auch umgekehrt: daß eine Notwendigkeit zur schriftlichen Rezeption überall die Bereitschaft und die Möglichkeit zum Schreiben etc. in der Volkssprache, schließlich zum Buchdruck, hervorgerufen hat.

Diese Rezeptionsbereitschaft ist das allgemeinste Gebrauchsmuster für die deutschen Texte des Zeitraums in allen Gebieten. Es wird mehr und mehr das Zeitalter der Übersetzungen, Bearbeitungen, Adaptionen – so sehr, daß alle Text-Konstituentien geradezu in diesem Verbrauch unterzugehen scheinen, daß auch die Neu-Produktionen nur vom Durchscheinen rezipierter Muster her sich verstehen lassen. Ihr weitester Horizont ist, was damals europäisch als Weltliteratur gelten konnte – bis hin zum Pantschatantra.

Das Deutsche, Deutschland überhaupt, steht dabei jetzt meist eindeutiger am Ende der europäischen Rezeptionsketten als in den voraufgehenden Jahrhunderten. Um das richtig zu nuancieren, müssen aber zwei Gesichtspunkte mitbedacht werden. Erstens ist auch die europäische 'Weltliteratur' des Jahrhunderts zum großen Teil selbst Rezeptionsliteratur, und zwar nicht nur im mittelalterlichen wie im humanistischen Latein – mit je verschiedenen Bezugssystemen 'ad fontes' –, sondern in allen Volkssprachen. Und zweitens gewinnt gerade in diesem Horizont die Popularisierung durch die Volkssprache einen anderen Akzent. Wenn Luthers Bibel-Übersetzung der revolutionierende Abschluß dieser Sprach-Gebrauchssituation – und ein Beginn der neuzeitlichen – ist, dann gerade nicht unter dem längst abgebrauchten Aspekt einer 'Eindeutschung' der religiösen Verbindlichkeit. Indem Luther die neuen Editionen der Urtexte zugrunde legt, ist gerade sein Deutsch das Vehikel einer Rückkehr 'ad fontes': zum 'reinen Wort', zur 'reinen Kirche', aber im Medium einer neu statuierten 'Öffentlichkeit', d. h. eben dem der Volkssprache. Die im 15. Jahrhundert verstärkten mittelalterlichen Widerstände gegen Übersetzungen im religiösen und wissenschaftlichen Bereich (vgl. das Edikt des Mainzer Erzbischofs von 1485) richten sich gar nicht gegen eine Popularisierung als solche – ihre seelsorgerische Funktion war niemals bestritten –, sondern gegen diese neue Öffentlichkeit der mittelalterlich-lateinischen ('artistischen'!) Diskussion, d. h. gegen ihren möglichen zu direkten Gebrauch durch die Laien. Auch schon die Stil-Kontroverse zwischen Steinhöwels Übersetzen 'Sinn aus Sinn' und Wyles Übersetzen 'Wort aus Wort' bezieht sich ganz und gar nicht auf die 'Deutschheit' der Übersetzungssprache, wie man bis heute mißversteht, sondern auf das je gemäßere 'ad fontes' der Übersetzung. Überhaupt sind die Stilprobleme und -qualitäten des Deutsch im 15. Jahrhundert verkannt, wenn sie – immer noch – auf eigenständige Normen der Volkssprache bezogen werden. Ob Vers oder Prosa, ihre Normen reflektieren die Auseinandersetzung zwischen traditionellen Gebrauchsmustern – z. B. der 'höfische' Vers in aristokratischen, geistlichen, städtischen Gebrauchsgruppen, die Prosa in den verschiedenen Kanzleipraktiken – und der jeweiligen Dignität der Quellen. Noch die Grammatiker und die Sprachgesellschaften des 17. Jahrhunderts kämpften mehr für Gebrauchsräume und -funktionen der Volkssprache – erst mit der Aufklärung entwickeln sich autonome Sprach- und Stil-Normen.

1.2 Zum Medienwechsel

Die neue 'Öffentlichkeit' auf der Basis der Schriftlichkeit der Volkssprache ist, wie zu sehen, der allgemeinste Zielpunkt dieser Gebrauchssituationen. Sie wird, samt ihren revolutionierenden Folgen für die europäische Neuzeit, noch immer auf den – zunächst noch vorwiegend Lateinisches tragenden – Medienwechsel vom Manuskript zum Buchdruck zurückgeführt. Aber der Buchdruck ist keineswegs die isolierte geniale Innovation, als die er so erscheint, und er hat nicht mit einem Schlag den anonymen Warencharakter des Buches erzeugt. Schon die Verbreitung des Papiers hatte allgemein die Schriftlichkeit gefördert, und es gibt auch Schreibstuben, die auf deutsch als 'Verlage', nicht nur auf Bestellung produzieren (vgl. die 'Prospekte' von Diepold Lauber u. a.). Es gibt jetzt auch Kaufmanns- und Bürgerschulen, und die verbreiten nicht nur pragmatisches Lesen und Schreiben und Rechnen, sondern auch Stilmuster und Rhetorik. Es gibt Bibliotheken nicht mehr nur in Klöstern und Kirchen. Mit dem Ehrenbrief des bayerischen Ritters Püterich von Reichertshausen von 1462 kennen wir zwei Bibliotheken deutscher Texte: die seine, mehr auf 'altdeutsche' Literatur ausgerichtet, und die der Pfalzgräfin Mechthild in Rottenburg, die Altes und Neues in ritterlicher und humanistischer Manier, z. T. mit Dedikationen, besaß. Es entstehen die fürstlichen Bibliotheken, die den Grundstock der Palatina, der Münchener und Wiener Hofbibliothek bilden. Daß und wie diese Bibliotheken auch für Neuproduktionen benutzt wurden, zeigt z. B. Ulrich Fuetrers cgm 1 in Titurelstrophen, und man kann annehmen, daß nur die wenigsten literarischen Neuproduktionen des späten 15. Jahrhunderts ohne Benutzung von Büchern und Bibliotheken zustande kamen: kaum eine Seite sowohl literarischer wie pragmatischer Texte ist, wie gesagt, jetzt lesbar, ohne daß man ihre Durchsichtigkeit für Zitate, Stoff- oder Motiv-Anspielungen, Parodierung usw. von anderen Büchern mit kalkuliert.

1.3 Zum Literaturbegriff und zur Literatursoziologie

Eine Bemerkung zuvor, die ich hier nicht ins Grundsätzliche und Theoretische verfolge, weil sie im 15. Jahrhundert, wie im ganzen Mittelalter, sich als geradezu selbstverständlich ergibt. Auch für die deutschen Texte des 15. Jahrhunderts kann es keine Literaturtheorie und -soziologie des Autors und seiner Leser geben – sondern nur eine des 'Machens' und des Lesens und Hörens von Literatur. Dies nicht etwa, weil noch jetzt – und noch durch die nächsten Jahrhunderte – das historische Material für beide, Autoren und Leser, dürftig fließt oder überhaupt fehlt. Sondern 'Autor' und 'Rezipient' übertragen anachronistisch Begriffe von und Reaktionen auf Literatur, die grundsätzlich erst seit dem 18. Jahrhundert gelten. Und das heißt weiter: den jeweiligen Text konstituiert hier nicht seine 'Negativität', seine Offenheit für die Rezipienten, sondern seine 'positive' Endgültigkeit als je einzelne Kulturerscheinung. Gerade in diesem Zeitalter des Texte-Verbrauchs eignet noch der zufälligste Verbrauchszustand einer Handschrift dem Text eine je eigene situationelle Konsistenz zu, die sich keineswegs aus dem Verhältnis Autor-Rezipient ergibt, sondern aus dem Verhältnis Machen-Lesen in spezifischen Gebrauchs-Situationen. Darum werden heute auch Text-Kritik und Edition ganz unterschiedlich je nach den Gebrauchssituationen des Texttyps realisiert – nicht nach Autor- oder Leser-Intentionen. Darum auch ist es naiv, Literaturgeschichte und Sozialgeschichte der Literatur fürs 15. Jahrhundert auf Grund nur der Neuproduktionen, ihrer Autoren und ihrer Leser zu schreiben, was noch immer fast unreflektiert geschieht. Die Überlieferung älterer Literatur bis ins 11. Jahrhundert zurück (z. B. Williram), Abschriften, Bearbeitungen, Übersetzungen, Umsetzungen in Prosa, Wert-Signale durch Pergament oder Illustration, Verbrauchssignale durch Schrift, Format, Material, schließlich auch Übergang in den Buchdruck mit seinen Wert- und Verbrauchssignalen durch Drucker und Druckorte, Auflagen, Ausstattung mit Holzschnitten usw. – all dieses Weitertradieren konstituiert jetzt die Literaturbegriffe für Typen und Gattungen, für Mittelalterliches und Humanistisches, für 'literarische' und 'pragmatische' Literatur, für ihre Machart und ihre Lese-Situationen fast mehr als die Neuproduktionen, die ja selbst auch wesentlich Rezeptionen sind (s. o.).

Erst auf Grund dieser – geradezu selbstverständlichen – Gebrauchs-Definitionen können Gebrauchszentren der deutschen Texte im 15. Jahrhundert sozialgeschichtlich fixiert werden (hier auch nur in Andeutungen). Eine große Rolle spielen jetzt gerade die Fürstenhöfe, vielfach verwandtschaftlich miteinander kommunizierend: als Brotgeber (z. B. für Beheim in Wien und Heidelberg), als Auftraggeber oder Widmungsempfänger, oft für Hofbeamte (z. B. Hartlieb als Leibarzt in München, Fuetrer als Wappen- und Fassadenmaler in München, die Pfalzgräfin Mechthild in Rottenburg und ihr Sohn Eberhard von Württemberg für Sachsenheim, Wyle usw., Prag schon seit Karl IV. bis zum Umzug der Reichsverwaltung nach Wien). Kanzleibeamte, Stadtschreiber, Stadtärzte verbinden auch städtische Dienste mit Literaturproduktion (Johannes Rothe als Stadtschreiber in Erfurt, Wyle als Stadtschreiber und Schulmeister zuletzt in Esslingen, Steinhöwel zuletzt als Stadtarzt in Ulm usw.). Die Stadt wirkt aber nicht als einheitliches Literaturzentrum (in Nürnberg entsteht aus der Musizierpraxis der stadtbürgerlichen Bildungsschicht das Lochamer-Liederbuch neben der Tätigkeit der 'Meister' Rosenplüt – Hans Folz – Hans Sachs, die weniger Handwerksmeister als Literatur-Unternehmer sind, Folz mit eigener Druckerei!). Geistliche Zentren spiegeln die Geschichte der religiösen Bewegungen gerade auch in deutschen Texten (schon um 1400 z. B. die Universität Wien in Zusammenhang mit der Benediktinerreform). Anonyme Literatur schließt sich oft an gesellschaftliche Freiräume an, z. B. das Lied (eine Musiziergruppe um Paumann in Nürnberg: Lochamer-Liederbuch, Universitätsgesellschaften: Rostocker Liederbuch, Schedels Liederbuch mit Erinnerungen seiner italienischen Studienzeit). Das geistliche Spiel trägt mit seinen immer breiteren Jahrmarktszenen dem Aufführungsort Rechnung. Die literarische Funktion der Badereisen (z. B. bei der Pfalzgräfin Mechthild) ist ein noch nicht angefaßtes Thema.

All das und vieles mehr sind noch nicht systematisch aufgearbeitete Materialien einer Sozialgeschichte deutscher Literatur im 15. Jahrhundert. Bevor man sie wirklich überblickt, sind Schlüsse aus sozialen Gebrauchssituationen auf

Thematik oder 'Bewußtsein' von Texten die reine Willkür. Und noch einmal: nicht Autor und Leser, sondern nur der Literaturgebrauch kann Gegenstand dieser Soziologie sein.

1.4 Zur Überlieferungsgeschichte

Für die 'arbeitenden' Philologen (leider nicht oft für die 'konstruierenden') in der Germanistik ist es darum heute selbstverständlich, daß jede Textanalyse, jede Gattungs- oder Literaturgeschichte bei der Überlieferung ansetzen muß. Für jetzt kann ich dieses Grundsätzliche nur mit wenigen Beispielen illustrieren. Die traditionelle (mißmutige) Benutzung von in der Regel 'verdorbener' Überlieferung zur Rekonstruktion eines idealen Originals, Archetyps usw. hat sich am 15. Jahrhundert, wie schon deutlich wurde, seit je ad absurdum geführt. Die Gebrauchs-, ja Verbrauchs-Zustände von Texten jeder Art, alten wie neuen, sind das Signum des Jahrhunderts. Auch wenn es sich um autorisierte Handschriften oder Drucke handelt – und sie finden sich erst jetzt auch für die Volkssprache in bezeichnender Häufigkeit –, ist es nicht das Werk, das autorisiert wird, sondern der Gebrauch (z. B. schon nach 1400 die Autor-Œuvres von Oswald von Wolkenstein oder Hugo von Montfort fürs Familienerbe, oder die Dedikation von Albrechts von Eyb Ehebüchlein für den Nürnberger Rat 1472 – aber die schlechtere Fassung!).

Die Weite solcher Gebrauchsfunktionen geben besonders die Sammelhandschriften des 15. Jahrhunderts und die Verlagsprogramme der frühen Drucker zu erkennen. In vielen von ihnen stehen beieinander: Literarisches, Wissenschaftliches, Praktiken, Vers und Prosa, Geistliches und Weltliches usw. Dasselbe gilt für die Typen und Gattungen, gilt für die Œuvres von Autoren: alle traditionellen (oder anachronistisch von der Wissenschaft herangetragenen) Stoff- und Funktions-, Form- und Stilunterscheidungen scheinen aufgehoben, jeder Überlieferungsträger scheint offen zu stehen für eine Gebrauchsnotwendigkeit, die sich nicht mehr, wie noch im 14. Jahrhundert, auf spezifische Situationen beziehen läßt (wie z. B. das Hausbuch des Michael de Leone in Würzburg), sondern nun als allgemeine Erwartung von Lebenshilfe und Lebensorientierung durch volkssprachliche Literatur alle Texte und Textgemeinschaften überflutet. Und das ist zugleich wohl der allgemeinste europäische Literaturzustand im Spätmittelalter. Auch die Gattungs- und Stilinnovationen der italienischen Humanisten zielen ja, auch mit ihren antiquarischen Interessen, nicht auf eine ästhetische oder philosophische Autonomie der Literatur, der Autoren und Leser – das war das anachronistische Verständnis des 19. Jahrhunderts –, sondern auf eine, allerdings reformerische, Didaktik und Pädagogik, auf eine neue Lebensorientierung gesellschaftlicher Rollenpersonalität in Erziehung, Liebe, Ehe, Beruf. Derselbe Impuls zur Lebensorientierung für die 'gesellschaftliche Person' durchzieht aber auch alle Typen der noch vorwiegend 'mittelalterlichen' deutschen Literatur, und er hat ja auch gerade in Deutschland auf dem 'mittelalterlichen' Weg der religiösen Reform schließlich zum umwälzend Neuen der Reformation geführt.

Nicht zufällig führt also erst die Überlieferungsgeschichte auf diesen zentralen

Strukturbegriff, und nicht zufällig kommt erst auf diesem Weg das Problem der 'Person' in seinen strukturellen Zusammenhang. Damit auch der Autor, das Autorbild dieser Literatur, dessen anachronistische Fassung ich oben abgewehrt habe.

Es gibt auch für Deutschsprachiges die Überlieferung ganzer Autorœuvres, am ehesten charakteristischerweise im festen Gattungssystem des Liedes, wo schon seit dem späteren 13. Jahrhundert die Sammeltätigkeit sich am Lied-'Meister' orientiert hatte (nach 1400: der Mönch von Salzburg, Oswald von Wolkenstein, Hugo von Montfort, gegen 1470 sammelt Beheim eine Art Ausgabe letzter Hand). Unter humanistisch-didaktischem Aspekt ediert Niklas von Wyle 1478 eine Gesamtausgabe seiner Translatzen. Für Heinrich Laufenberg sammelten (verbrannte) Straßburger Handschriften seine Arbeiten aus Seelsorge, Wissenschaft und geistlichem Lied. Auch für die Nürnberger 'Meister' (s. o.) bewahrt die Überlieferung teilweise Œuvre-Zusammenhänge für Lied-Rede-Spruch-Fastnachtspiel. Aber weit häufiger zerlegt auch jetzt noch die Überlieferung das Gesamtœuvre eines Autors, das erst uns sich so darstellt, in unbezogene Gattungs- oder Funktions-Traditionen, wie schon im 13. Jahrhundert bei Hartmann von Aue, Konrad von Würzburg u. a. Von Johannes Hartliebs verschiedenartigen Arbeiten ging jede ihren eigenen Überlieferungsweg.

Die Überlieferung kann also – aus verschiedensten Funktions-Ansätzen – durchaus den Autor repräsentieren, er ist aber noch keineswegs eine feste Größe, weder von ihm selbst aus noch für die Rezeption in ihren Funktions-Ansätzen. Aber es setzt sich im Verlauf des Jahrhunderts eine Art Personalisierung auch 'mittelalterlicher' Autoren durch, die mit der humanistischen Autor-Personalisierung parallel geht. Die Autorennamen Freidank oder Neidhart waren schon seit dem 13. Jahrhundert eine Art Markenzeichen für die streng typisierten Sonderformen des Zweizeiler-Spruchs oder der Bauernszene: 'ein Freidank', 'ein Neidhart'! Etwa in der Mitte des 15. Jahrhunderts setzt an diese Freidank-Marke eine, in sich ganz unhistorische, Re-Personalisierung zur Autorfigur an, und die Neidharte werden im Druck von ca. 1490 zu einer Pseudo-Biographie. Der Tannhäuser wird mit einer Bußlegende biographisch verbunden. Wolfram von Eschenbach, als der weise Laien-Meister in Überlieferung und Literatursage (Wartburgkrieg) schon seit dem 13. Jahrhundert etabliert, wird wieder zur Person, deren Grab Püterich aufsucht – wie das Grab des Reisenden Mandeville. (Wenn schon Mitte des 14. Jahrhunderts im Hausbuch des Michael de Leone die Gräber Walthers von der Vogelweide und Reimars geortet werden, so dient das noch dem Würzburger Lokalpatriotismus.) Am Schluß des Prosatristan (Drucke seit 1484) sagt der Verfasser, über Tristan habe zuerst geschrieben »der Meister von Britannie und nachmals sein Buch geliehen einem mit Namen Filhart von Oberet, der hat es danach in Reimen geschrieben« – den (Thomas) von Britannien kann er nur aus Gottfried von Straßburg haben, den er nicht zitiert, Eilhart von Oberg ist seine Vers-Vorlage, aber der Quellen-Epilog nimmt die charakteristisch personalisierte Form des Bücherausleihens an!

Solche (und weitere) Symptome zeigen an, daß jetzt die Personalisierung des Autors nicht eine humanistische Spezialität ist, daß aber für beide, mittelalterliche wie humanistische Rezeption im deutschen 15. Jahrhundert, nicht der

historische oder biographische Autor, sondern ein aus seiner Funktion re-
personalisierter Autor die jetzt personal werdende Autorrolle trägt – was weiter
in die Breite und bis ins 16. Jahrhundert zu verfolgen wäre.

2. Zur Typologie

Die entscheidende Aufgabe einer neuen Literaturgeschichte des deutschen 15.
Jahrhunderts – die hier nur angedeutet werden kann – wäre, die Totalität der
schriftlichen Überlieferung in den Griff zu bekommen, was wiederum nur mit
Hilfe einer Typologie möglich wäre, die die jeweils zentralen Strukturen träfe.
Auch sie steht vor Schwierigkeiten, die nicht allein aus der unübersehbaren Fülle
stammen, sondern ebenso grundsätzlicher Natur sind. Ich kann sie vorerst nur
in zwei alternativen Konstruktions-Problemen fassen – ob und wie sie sich
ergänzen, bleibt noch offen.

2.1 Gattung / Inszenierungstyp

Daß die 'Naturformen' Epik-Lyrik-Dramatik überhaupt nur spekulative
Valenz haben, keine konkrete, braucht fürs Mittelalter nicht mehr gezeigt zu
werden. Aber auch der Versuch, aus Traditionen plus Werkstrukturen plus
Rezeptionen konkrete Gattungskonventionen zusammenzuknüpfen, bleibt
gerade fürs 15. Jahrhundert ganz problematisch. Die Durchlässigkeit solcher
Konventionen für jede Art 'Inhalte' und ihre Übergänglichkeit ineinander ist,
wie schon gesagt, jetzt so allgegenwärtig, daß man nirgends festen Fuß faßt. Es
gibt aber literarische Vorgänge, die in all diesem Wirrwarr ein je gesondertes
Gemeinsames durchsetzen, wie z. B. das Strophenlied. Wenn man sie literarische Gattungen nennt, gibt man fast alles auf, was sonst Gattungsbegriffe
konstituiert. Ich würde sie eher literarische Inszenierungstypen nennen. Damit
bleibt das jeweils Gemeinsame auf jene Hohlformen gesellschaftlicher Realisierung reduziert, die all die disparaten Auffüllungen erlauben. Aber es bleibt
fraglich, ob und wie damit mehr als Abstraktionen zu erreichen sind.

Das Lied hält am striktesten seine Einheit als melodisch-textliche Auffüh-
rungsform fest, meist auch als Sololied, nur im religiösen Gebrauch (wie schon
vorher) und jetzt mit der Mehrstimmigkeit auch als Gemeinschaftsform. Das
Zentrum für Gebrauch, Struktur und Überlieferung liegt auch im 15. Jahrhun-
dert noch im 'Hofieren', d. h. in der Tradition einer freien gesellschaftlichen
Artistik, deren Haupt-Thema noch immer die Minne – jetzt aber 'Liebe' – ist.
Das bezeugen zahlreiche, zunächst mehr autorbezogene, später meist anonyme
Sammlungen, die, nach dem Abklingen der Sammeltätigkeit im frühen 14.
Jahrhundert, jetzt wieder die Überlieferung tragen. Die jeweils erkennbaren
Gebrauchsgruppen sind aber schon so differenziert (Höfe, Stadtpatriziat, andere
Bürgergruppen, Universitäten), daß daraus kein Gattungszusammenhang mehr
herzuleiten ist. Die spezielle Tradition von Spruchsang schon seit dem 13.
Jahrhundert mündet einerseits im freien Hof-'Meister-Sang' (zuletzt Beheim),

andrerseits im bürgerlich institutionalisierten 'Meistergesang', der, dann vor allem religiös-reformatorisch gefärbt, bis tief in die Neuzeit sein Eigenleben weiterführt. Im religiösen Gebrauch entwickelt das Lied weniger scharfe Konturen. Sein sozusagen offiziöser (quasiliturgischer) Gebrauch, auch z. B. im geistlichen Spiel, wird erst mit der Gottesdienstreform der Reformatoren zum liturgischen Gemeindelied; der Liedgebrauch religiöser Gruppen (mystische Lieder, Liederbuch der Anna von Köln) dokumentiert sich in mehr zufälliger Überlieferung; religiöse Thematik gehört aber auch, schon seit dem 12. Jahrhundert, ins freie Repertoire der Lied- und Spruchsänger. Noch isolierter durch punktuelle Überlieferung bleibt das 'Partei-Lied' zu einzelnen historischen Ereignissen und bleiben die sog. Balladen, oft erst in Fliegenden Blättern, die im Gebrauch mehr die Boulevard-Seite der 'Neuen Zeitung' darstellen: von der Anwendung traditioneller Fabeln auf 'historische' Namen bis zum Typ des aktuellen Kriminalfalls. Die meist einfacheren erzählenden Strophenformen (und ihre präsent bleibende Sangbarkeit?) verbinden diesen Typ mit der mindestens seit dem Nibelungenlied traditionellen strophischen Form der deutschen heroischen Erzählung (dazu s. u.).

Diesen Typ könnte man sogar als Gattung im mittelalterlichen Struktursinn nehmen: seine Einheit gibt die literarische Inszenierung, die textlich-metrisch-musikalische Aufführungspraxis, und diese wirkt, schon mit der Strophenwiederkehr, in die Textstrukturen sowohl mehr lyrischer wie erzählender Haltung hinein.

Anders liegt es schon bei dem zweiten, durch die dramatische Aufführungspraxis ebenfalls fest strukturierten Typ, dem Spiel. Die zwei schriftlich überlieferten Realisierungen dieser 'Naturform', die schon im 13. Jahrhundert (Carmina Burana) auch ins Deutsche ausgreifende 'geistliche' und die mit Texten nur in den Nürnberger und tirolischen Spiel- und Bearbeitungshandschriften überlieferte, da schon zum Fastnachtsspiel fixierte, 'weltliche', haben in fast jeder Hinsicht nichts miteinander zu tun. (Erst Anfang des 16. Jahrhunderts inszeniert und überliefert der Südtiroler Vigil Raber beide nebeneinander.) Läßt man auch alle stoffgeschichtlichen und soziologischen Spekulationen beiseite, so bleibt doch überlieferungs-, theater- und aufführungs-geschichtlich das geistliche Spiel in unmittelbarem Konnex mit der lateinisch-gesungenen Liturgie – das weltliche geradezu mit einer Art Anti-Brauchtum. Setzt man allerdings als strukturellen Kern des Fastnachtsspiels eine artistische Durchsetzung des Rollenspiels innerhalb der brauchtümlichen Fastnacht an, also eine Art irritierender 'Ermöglichung des Unmöglichen'[2] – dann wäre die Tatsache vergleichbar, daß das volkssprachliche geistliche Spiel, neben der ständigen Fortdauer der liturgienahen 'Feier', strukturell auch als eine 'Ermöglichung des Unmöglichen' zu begreifen ist, nämlich als Durchsetzung einer spielerisch-'öffentlichen' Real-Präsenz innerhalb der christlich-transzendent-kultischen Real-Präsenz, was auch die religiös inkonsistente Zunahme additiver 'Spiel'-Realismen erklären könnte. Aber zu *einer* dramatischen Gattung kann man auch so die beiden Spiel-Typen nicht zusammenrechnen, sie bleiben getrennte Typen einer insofern un- oder übertypischen Inszenierungsform.

Formtypus und Überlieferung hält jetzt, wie schon vorher, eine weitere

literarische Gruppe zusammen: die Reimpaar-Kleinformen. Legende – mære –
bispel – rede als Untergattungen, Erzählung – Traktat – Fabel – Allegorie als
literarische Typen, Unterhaltung und Belehrung als Intention, stehen in den
Sammelhandschriften beisammen, wenn auch gelegentlich in Autor- oder
Typen-Gruppen geschieden. Die im Grundsätzlichen entsprechende humanistische Symbiose entsprechender Typen, in Einzeltexten selbst wie in Sammlungen, wird in ihren deutschen Übersetzungen durch die Überlieferung kaum mit
der mittelalterlichen vermischt. Hier scheint fast nur die Aufnahmesituation, der
gleiche kürzere 'Atem' für das einzelne Stück, die Klammer zu bilden. Ist das
noch eine Inszenierungsform?

Die ganze restliche Literatur, die unabsehbare Masse des Überlieferten und
z. T. am reichsten Überlieferten, läßt sich nach solchen Kriterien nicht gliedern,
weder durch die Überlieferung, noch durch die Form, z. B. Vers oder Prosa,
noch als Gattung, z. B. Erzählung, Didaktik, noch durch die Textstrukturen.
Wohl heben sich einzelne Gruppen heraus. Der Versroman des 13. Jahrhunderts
setzt seine normative Autonomie noch jetzt auch in der Überlieferung fort, setzt
sie sogar durch bis in seine Prosabearbeitungen und so in die Drucke. Die
strophischen Kleinepen um Dietrich von Bern leben oft breit in Einzeldrucken
mit Holzschnitten weiter. Und die Seelsorgeliteratur variiert die gemeinsame
Ausgangsform des Predigt-Traktats durch Groß- und Kleinformen, Aufschwellung und Zersetzung bis in 'Dicta'-Sammlungen – während sonst religiöse
Unterweisung in alle Überlieferungs- und Form-Kleider schlüpfen kann, vom
Schachbuch in Versen bis zur Katechismus-Tafel. Medizinische und sonstige
Wissens- und Praktik-Literatur schließlich findet sich in allen denkbaren Sym-
biosen und allen Formen vom Großwerk bis zum Randeintrag von Rezepten.

2.2 Funktions-/Strukturtyp

Die Forschung resigniert sich deshalb für diese Literatur-Masse bei Stoff-
Einteilungen, wobei das für die Zeit Charakteristischste, die Überlieferungs-
Symbiosen, zerrissen wird. Dazu kommt, daß solche Stoff-Einteilungen entwe-
der anachronistisch aus der Gegenwart übertragen werden, oder, wenn an
mittelalterliche Systematik angelehnt, solche, immer nur als 'Theorie' über der
Praxis und den Praktiken schwebenden, Zufallssystematiken absolutiert werden
(GERHARD EIS' drei Artes-Systeme, WOLFGANG STAMMLERS Prosa-System).
Wenn denn schon die Stoffe zur Einteilung herhalten müssen, können sie nur
mitsamt ihren zeitgenössischen schriftliterarischen Funktionen richtig kalkuliert
werden.

Daß solche Funktionen sich aus zugrundeliegenden Interessen herleiten, ist
heute ein Gemeinplatz. Fragt sich bloß, wie man ohne anachronistische Präsup-
positionen an die spezifische Art mittelalterlicher bzw. spätmittelalterlicher
Interessen herankommt, die hier ja nie direkt ausgesprochen mitüberliefert sind.
Während eine 'objektive' Historie sie als Exzentrizitäten des Mittelalters – wie
Kinderkreuzzüge oder Minnesang – feststellt, verband die Geistesgeschichte sie
deterministisch mit 'Weltanschauungen', verbindet sie heute ein materieller oder
materialistischer (dialektischer) Determinismus mit den sozio-ökonomischen

Verhältnissen. Es scheint mir aber nötiger, zunächst einmal ihre spezifische Struktur ('symbolische Interaktions-Form') zu sehen – dann erst können auch deterministische Kausalerklärungen richtig ansetzen.

Ich stelle für jetzt und hier nur ganz abstrakt die Behauptung hin, daß die in den volkssprachlichen Schriftliteraturen des Mittelalters wirkenden Interessen noch immer ein quasi-mythisches Element enthalten, und wähle dafür als bezeichnendes Stichwort den Begriff der Faszination.

Als Beispiel möge das, alle mittelalterlichen Kulturen Europas so direkt durchdringende, religiös-christliche Element dienen. Die im deutschen Spätmittelalter überwältigende Menge solcher Literatur wird heute niemand mehr einfach politisch, aus der Propaganda der Macht der Kirche, oder heilsgeschichtlich, als innere Missionierung des Volkes auf die Reformation hin, erklären wollen. Als Moment religiöser Faszination steht sie in Kulturzusammenhängen wie z. B. der Durchdringung des Jahreslaufs mit den christlichen Festen und Heiligentagen (bis ins 19. Jahrhundert), der Durchdringung der sozialen Gruppen mit religiösen Vereinigungen, Bruderschaften usw., der sozialen Kraft religiöser Bewegungen überhaupt, z. B. der Mystik, u. v. a.

Versucht man eine stoffliche Gliederung der deutschen Schriftliteratur unter solchen Gesichtspunkten, dann wird diese sich, umgekehrt wie beim Versuch einer Gattungsgliederung, gerade dadurch bewähren, daß sie sich jeweils über die verschiedensten Gattungs- oder Inszenierungsformen hinweg durchsetzt, also gerade die Übergänglichkeit und Durchlässigkeit der Inszenierungstypen für 'Stoffe' jederart und die Überlieferungs-Symbiosen ausdrücklich in den Blick bringt. In dieser Weise ergeben sich mir vier hauptsächliche Faszinationsbereiche.

2.21 Der religiöse Bereich

Er erzeugt, wie gesagt, die Masse der überlieferten und auch gerade die meistüberlieferten Texte (z. B. Marquard von Lindau, Otto von Passau, Seuses Büchlein der ewigen Weisheit, der Passionstraktat Heinrichs von St. Gallen – nur der Sachsenspiegel oder Bruder Bertholds Rechtsbuch oder Glossare haben noch vergleichbare Überlieferungszahlen). Für seine innere Systematik gelten die gleichen Probleme wie für eine allgemeine: weder die Stoffe der theologischen Fächer noch die Darbietungsform geben die Funktionen angemessen wieder. Von ihnen her bietet sich am ehesten die – theologisch nicht häufig verwendete – Gliederung nach Funktionsstufen an: Katechetik – Aszetik – Mystik (vgl.: *lectio – doctrina – meditatio* als Unterrichtsformen im 12. Jahrhundert an der Universität Paris;[3] und schon: Praktik [Handwerk und Künste], Klugheit [*discretio*] und Theoria bei Aristoteles [Nik. Eth. Buch 6]). Ich gebe (auch im folgenden) nur das Material tabellarisch an, was zugleich die Gliederung erläutert.

2.211 Katechetik: Glaubens-Wissen, auch in Erzählung, und Glaubensunterricht

a) Erzählendes, Historienbibeln, Bibelübersetzungen etc. (Formen: Reimpaare und Prosa)

b) 'Katechismus' (Buchtyp erst seit Luther!): Glaube, Dekalog, Beichte; Messe und Liturgie, Paternoster etc., Ave Maria, Sakramente (Formen: Tafeln, Predigten, Auslegungen, Gedichte etc.)

2.212 Aszetik: Glaubens-Leben, Erbauung, Seelenführung

a) Liturgisch: Breviere, Stundenbücher etc.

b) Geistliches Lied (Gemeindelied, Gruppenlied, Autorlied, Meisterlied, 'Volkslied')

c) Geistliches Spiel

d) Predigt, Traktat usw.

2.213 Mystik: Glaubens-Erkenntnis, Spekulation, Meditation, Kontemplation

a) Deutsche Mystik (Formen: Predigt, Sendbrief, Traktat – Überlieferung: Bearbeitung, Aufschwellung, 'Mosaik', 'Zersetzung' / Streuüberlieferung, 'Dicta' etc.)

b) Die Übersetzungs- und Bearbeitungs-Texte einer 'deutschen Scholastik' lassen sich charakteristischerweise diesen Funktionstypen kaum deutlich zuordnen; sie bleiben zwischen ihnen und denen der lateinischen theologischen Quellen in der Schwebe.

2.22 Theorie, Praxis und Praktiken in Schule und Leben

Das Stichwort faßt, äußerlich gesehen, das zusammen, was gewöhnlich als nicht-theologische volkssprachliche Sachliteratur (außer der juristischen) zusammengestellt wird. Ist schon diese Zusammenfassung problematisch, so muß es geradezu verwegen erscheinen, auch ihr eine Faszination zu unterschieben. Scheint es sich doch hier – bei einem Stoff-Material, das sachlich in die Wissenschaftsgeschichten zahlreicher Einzelfächer zerfällt und in diesen auch lateinisch weit mehr als in der Volkssprache interessierte – durchweg um Popularisierung im naivsten Sinn zu handeln. Aber gerade hier wird die besondere mittelalterliche Färbung von Interessen am greifbarsten. Ihr gemeinsamer Gegenstand sind – die lateinisch schulmäßigen Zuordnungen (*Artes*) überall auf Praxis hin durchstoßend – die direktesten Lebensbedürfnisse, ja Lebenszwänge (wie z. B. Krankheit). Hier treffen überall erlernte und mündlich tradierte Praktiken zusammen mit der Schrifttradition lateinischer Autoritäten mehr oder weniger praktischen Ranges. Man muß sich nur einmal klarmachen, daß im Mittelalter z. B. ein praktischer Wundarzt oder Jäger oder Gärtner, ob Laie oder Geistlicher, sein Fachgebiet aus mündlicher Tradition und Erfahrung sicher besser kennt, als es ihm durch lateinische oder übersetzte Schriften vermittelt werden kann. Wer das übersieht, nimmt diesen Bereich volkssprachlicher Literatur als eine Art Vorgänger der Lehrbücher unserer Berufsschulen. Es ist im Spätmittelalter und bis in die Neuzeit eher umgekehrt: nicht die Praxis lernt von der Schriftliteratur, sondern die Schriftliteratur lernt, der Praxis durch Vermittlung von mündlichen und (lateinisch-)schriftlichen Traditionen eine neue Öffentlichkeit zu geben, einen System-Platz in der immer bewußter volkssprachlichen Schriftkultur. (So versteht sich z. B. das deutsche Hohenberger Regimen sanitatis als Regel zur Vermeidung verschuldeter und unverschuldeter 'Zwischenfälle' in dem von Gott gesetzten Lebenslauf.) Man kann das sehr wohl eine Faszination nennen: den Drang, die Berufs- und Arbeits- und Schicksalswelt vor allem der Laien, gesehen oft noch von den Interessen der hohen Aristokratie her, in den Griff einer öffentlichen Geordnetheit zu bekommen, wozu dann auch die Denkschulung im Umkreis der alten *Artes liberales* gehörte.

Ich gebe wieder eine nur erst tabellarische Übersicht der hierher gehörenden Stoffbereiche.

> Summen, Artes
> Glossare, Vocabularien
> Grammatik
> Rhetorik, Briefsteller
> (Dialektik?)
> Arithmetik, kaufmännische Rechnung
> Geometrie, Vermessung
> Musik (Deutsches erst am Ende des Jahrhunderts!)
> Astronomie, Astrologie, Kalender, Prognostika, Magisches,
>   Mantisches
> Alchemie
> Humanmedizin, Rezepte, Arzneibücher, regimina, Praktiken,
>   (z. B. Chirurgie)
> Veterinärmedizin, Jagdbücher, Tierbücher
> Botanik, Pflanzenbücher
> Handwerke
> Haushaltführung (Gedichte!), Kochbücher
> Reise-, Pilgerbücher
> Epigrafik

2.23 Staat – Recht – Geschichte

Daß Staat, Recht und Geschichte in lateinischer Dokumentation und Reflexion des Mittelalters einen einzigen untrennbaren Komplex darstellen, hat die Geschichtswissenschaft seit je gewußt und in ihrer Arbeitsweise realisiert. Für Deutsches hat sie auch in Deutschland keine spezifischen wissenschaftlichen Kategorien entwickelt, es bestenfalls als Dokument der *mentalité* genommen. Nur fürs Recht hat der unmittelbare Übergang des Laienrechts aus der Mündlichkeit in die deutsche Schriftlichkeit insbesondere des Sachsenspiegels eine juristische Germanistik begründet. Dem Deutschen fehlt also nicht nur die hier zum Gegenstand gehörende wissenschaftlich-historische Legitimation – auch noch fürs Spätmittelalter trotz seiner Ausbreitung in die historischen Doku-

mente. Es scheint auch literarhistorisch in diesem Bereich völlig auseinanderzu-
fallen in die Sachbereiche der juristischen Germanistik, der Diplomatik und der
Kulturgeschichte rechts- oder kriegsgeschichtlicher Sachgüter (z. B. Fechtbücher, Geschützbücher) einerseits, für die die Literaturgeschichte sachlich unzu-
ständig ist, – und die Phantastik von Geschichtsromanen und volkssprachlichen
Chroniken andrerseits, die eher zur Gattung fiktiver Erzählungsliteratur als
zum Gegenstand Geschichte verrechnet werden müssen.

Und doch: die dem Gegenstand scheinbar ganz äußerliche Einheit der Volks-
sprache bringt, gerade im Spätmittelalter, etwas zum Vorschein, das für die
Gruppen wie für jeden Einzelnen nicht nur schicksalhaft, sondern auch ein
Faszinosum ist: die Bedeutung der Öffentlichkeit als Ordnungs- und Wert-
Instanz, als Entscheidungsraum eines irdischen und, bei der Verflechtung von
Staat und Kirche, auch ewigen Heils. Dieses Allgemeininteresse ist der Grund,
aus dem die schriftliche Volkssprache schon seit dem 13. Jahrhundert Recht,
Verwaltung und Urkundenwesen, die pragmatische Seite des Bereichs, ergreift.
Der gleiche Grund aber hat schon seit dem 12. Jahrhundert eine spezifisch laikale
literarische Geschichts-, Rechts- und Staatsreflexion, den 'Staatsroman' zutage
gebracht:[4] Annolied, Alexanderlied, Kaiserchronik, Rolandslied, Brautwer-
bungsroman (König Rother). Heroische Tradition, die im Nibelungenlied ein
höchstes (tragisches) Bewußtsein gewinnt. Die Buntheit dieser deutschen literarischen Ansätze – die sich, wie gleich zu zeigen, bis ins 15. Jahrhundert nur noch
vermehrt – muß vor dem Hintergrund der französischen Schöpfung des Staatsromans gesehen werden. Hier hat – unter welchen politisch-sozialen Voraussetzungen immer – das Rolandslied mit Karl dem Großen als Zentrum und mit
dem Loyalitätskonflikt der Paladine den klassischen Typ des mittelalterlich-
laikalen Staatsromans initiiert: französische Nationalgeschichte, Sozialgeschichte der Aristokratie und christliche Heilsgeschichte als Heidenkrieg in
einem Gründungsmythos versammelnd. Für die Deutschen ist mit der translatio
imperii Karl der Große nur eine späte Station in der Reichsgeschichte, die sich
nur im größten Rahmen der mittelmeerisch-antiken und christlichen, bei der
Schöpfung und den Geschichtsbüchern des Alten Testaments beginnenden
Weltgeschichte verstehen kann, was auch die deutsche Welt- und Lokalchroni-
stik immer aufs neue festmacht. Nationalgeschichte aber muß sich an Völker-
wanderungs-Heroentraditionen halten, die in der christlichen Weltgeschichte
nicht nur punktuell sind, sondern wie Attila und Theoderich verteufelt werden.
Kein einheitlicher Gründungsmythos also, und so ist hier vielleicht die Brautwerbung, die Kontamination des Staatsheils mit der Minne als irdischem Heil
(s. u.), in den Staatsroman gekommen, auch in den heroischen wie z. B. im
Nibelungenlied.

Noch das 15. Jahrhundert trägt diese literarischen Ansätze in seiner Weise aus.
Weltgeschichte in Überlieferung, Bearbeitung und Kontamination in Vers und
Prosa, auch zumindest vorausgesetzt als Rahmen einer breiten lokalen und
Partei-Chronistik, ebenso Alexander- und Trojaroman; Heroengeschichte in
den Überlieferungen, Bearbeitungen, Aufschwellungen und Kürzungen stro-
phischer Fassungen; Brautwerbungsfabeln bearbeitet als Königslegenden (z. B.
König Oswald mit dem Raben); einiges davon auch im Lied. Die Übersetzun-

gen lateinischer Staatsschriften, Fürstenspiegel usw. spielen dagegen eine geringere Rolle.

2.24 Liebe und Gesellschaft

Was unter diesem Faszinationsbegriff zusammentrifft, ist der Hauptbestand dessen, was man in der Forschung seit je als Literatur im eigentlichen Sinn isolierte: als fiktive Literatur, poetische Literatur, als schöne wenn auch hier meist unschöne Literatur. So gesehen scheint die Anstrengung meines doppelten Modells für die 'Totalität' der Überlieferung des 15. Jahrhunderts unnötig, ja willkürlich zu sein. Genügt es nicht, wie bisher diese 'eigentliche' Literatur unter literarischen Kategorien zu analysieren, d. h. sie als solche nach Formen, Stilen, Gattungen, 'Reihen' usw. zu ordnen und wie auch immer – ästhetisch, geistes-geschichtlich, soziologisch, 'politisch' – mit ihrer Situation zu vermitteln? Alles andere dann als Sachliteratur zu isolieren, entsprechend 'fachwissenschaftlich' zu analysieren, die dort vorfindlichen 'poetischen' Formen und Gattungen als Übergreifen literarischer Einkleidung zu registrieren – was keineswegs nur antiquarische Interessen zu befriedigen brauchte, sondern zu kultur- oder gei-stes- oder sozialgeschichtlichen Synthesen von Kulturgebieten zusammenfließen könnte?

Welch ein veralteter, die bloße Addition von 'Kulturgütern' perennierender Kulturbegriff damit bis heute fortwirkt, zeigt sich jedoch nirgend deutlicher als hier. Wer will so den alle literarischen Gattungen und Formen durchziehenden Anspruch der fiktiven Diskussion gesellschaftlicher Normen erklären, wer den rein fiktiven, bis in innerweltliche Askese einerseits, in Obszönität andrerseits reichenden Anspruch der 'Minne', der innerweltlichen Geschlechtsliebe? Wer-den diese Ansprüche als 'Literatur' isoliert, dann müssen sie entweder zur bloß historischen 'Reihe' von Fiktionstypen werden oder zur Widerspiegelung, bestätigend oder kritisch, von der Literatur äußerlichen, realen Normen, oder zur Allegorie für nachträgliche Identifikationen, die gesellschaftliche Prozesse vorantreiben oder hemmen sollen. Das alles demonstriert doch nur das Elend einer Literaturgeschichte, die die fiktive mittelalterliche Gebrauchsliteratur ins-besondere der Volkssprachen anachronistisch mit der 'absoluten Kunst' seit der Aufklärung verwechselt, die allerdings ihre Gebrauchsfunktionen appellativ herstellen oder behaupten muß. Gerade die fiktiven Literaturen des 15. Jahrhun-derts inszenieren umgekehrt die ihnen real aus allen Faszinationsbereichen vorgegebenen Gebrauchsfunktionen zu Demonstrationen eines hier nur ebenso ungesicherten wie uneingeschränkten Geltungsanspruches, der keineswegs aus Widerspiegelungen oder Identifikationen stammt, sondern aus der Faszination selbst. Das gilt insbesondere für die Geschlechtsliebe, die das Zentrum der hier zusammenzufassenden Gesellschaftsreflexionen bleibt – ebenso ja auch im Humanismus! –, und zwar in allen ihren physischen und psychischen Aspekten, immer einerseits nur als 'freie' Liebe (nur als freier Entschluß auch zur Ehe im Humanismus) reflektiert, andrerseits nur als innergesellschaftlicher Anspruch, sei es des 'Hofierens' im Klagelied, sei's der Obszönität im Fastnachtspiel. Denn diese Liebe fungiert hier keineswegs literarisch-ästhetisch oder -anthropologisch (als »einer unserer schönsten Triebe«), sondern als zentraler Komplex innerweltlicher Auseinandersetzungen zwischen Kollektivität und Personalität, zwischen Zwang und Freiheit: als Paradigma eines innerweltlichen, transsubjektiven, noch kollektiven 'Gewissens'.

Eine Sozialgeschichte dieser 'schönen Literatur' kann also gerade nicht Geschichte der literarischen, historischen, sozialen usw. Rückverbindungen isoliert fiktiver Setzungen sein, sondern nur umgekehrt Geschichte ihrer realen (historischen, sozialen usw.) Gebrauchs-Faszinationen. Nur so wird auch die jetzt ungehemmte Übergänglichkeit aller Stoffe und literarischen Formen ineinander verständlich: religiöser, staatlich-rechtlich-öffentlicher, praktischer und gesellschaftlicher Lebensnotwendigkeiten, in alle Formen des Anspruchs der neuen volkssprachlichen Öffentlichkeit (s. o.).

Was also scheinbar als 'eigentliche' (fiktive usw.) Literatur sich herausisoliert, ist, richtig gesehen, die hier nur häufigere fiktive Inszenierung der faszinierenden Problematik spezifisch gesellschaftlicher Normen, die natürlich auch ganz offen ist zu den Normen-Sanktionen der anderen Faszinationsgebiete, religiösen, staatlich-rechtlichen, praktischen. Eben darum aber besagen in diesem Bereich stoffliche Zuweisungen überhaupt nichts, eine Abgrenzung von der 'Sachliteratur' ergibt nur die hier noch weitergehende, oft fast grenzenlose Ungesichertheit durch alte oder neue, vorgegebene und vorgespiegelte Sanktionen. Das ist auch der Grund dafür, daß hier jede Festlegung auf inhaltliche Stellungnahmen, affirmative oder kritische, auch auf Ironie, Parodie, Satire in diesem Sinn, so seltsam ins Leere greift. Ob in den Fortüberlieferungen und Neufassungen des Gesellschafts-Liebesromans, der Liebesdiskussion überhaupt, alte Ideale 'literarisch' weiterleben, wiederaufleben, ob sie einen Verfall höfischer Ideale darstellen, ist genauso irrelevant wie die Frage, ob Narrenliteratur oder Fastnachtsspiel desolate Gesellschaftszustände wollüstig oder dialektisch-soziologisch spiegeln oder religiös-moralisch zur Abschreckung demonstrieren, oder ob schon seit dem Ackermann aus Böhmen 'literarisch' eine neue Renaissance-Haltung gegen die religiös-mittelalterliche antritt. Greifbar ist allein ein überall wirksamer lebenspraktischer Anspruch der Fiktion, der überall irritierend, noch fast ohne Stellungnahme, alte und neue Modelle verbraucht.

So ergibt sich eine bezeichnend disparate Rest-Liste von 'Literatur' (gegenüber den voranstehenden Sach-Bereichen), die ich wieder zunächst rein statistisch andeute.

a) Traditionen des 'Gesellschafts-Liebes-Romans': Fortüberlieferung, Vers- und Prosa-Bearbeitungen, Kürzungen, Zyklen usw.
b) Reimpaar-Kleingattungen: meist Fortüberlieferungen der Novelle (mære) – neue Novellen-Weltliteratur in Übersetzungen – meist Fortüberlieferung der didaktischen rede und Minne-rede – Cato und Facetus – Fabel
c) Narrenliteratur, Neidhart-Tradition
d) Fastnachtsspiel der Nürnberger 'Meister' seit Mitte des 15. Jahrhunderts
e) Strophenlied: höfisches Sololied und Sololied der 'Meister' ('Autorenlied') – Gruppenmusizier-Lied, anonym, z. T. mehrstimmig (Lochamer- u. a. Liederbücher, Universitäten, Patriziat) – 'Balladen' – Gemeinschaftslied?

2.3 Es bleibt, zur Eingangsfrage des Abschnitts zurückzukehren: zur Frage nach einer Vermittlung zwischen diesen zwei Modellen einer Gliederung der 'Totalität' überlieferter deutschsprachiger Texte des 15. Jahrhunderts.

Eine Gliederung nach literarischen Formen (z. B. Vers/Prosa), Typen und Gattungen ist, wie gezeigt, an sich legitim und wird oft auch durch die Überlieferung in überraschenden Stoff- oder Typen-Zuweisungen bestätigt. Das könnte sicher auch für weniger eindeutig strukturierte Typen als z. B. das Lied fruchtbar gemacht werden, z. B. für Prosa-Erzählung, und würde jedenfalls weit mehr 'Werkstatt-Typen' sichtbar werden lassen, als wir bisher greifen. Zumal z. B. Versform in der Volkssprache oft bestimmte Dignitäten setzt oder ersetzt (z. B. in der Bibel-Epik die Dignität der – selbst in Prosa 'niederen Stils' geschriebenen! – Heiligen Schrift), andrerseits z. B. Prosa nicht nur allgemein das alte christliche Mißtrauen gegen die 'Lügen' der (antiken!) Dichter weiterführt, auch keineswegs allgemein als Gefäß von Realismus auftritt, sondern auch etwa, stilistisch überhöht, eigenen Lebens- oder Berufsformen wie z. B. der Kanzleitätigkeit literarischen Rang abgewinnt. Über solche längst bekannten Differenzierungen hinaus wäre sicher ein großes Neuland der Typen-Gliederung noch zu entdecken.

Und doch stößt auch all das an eine Grenze, die von der Literaturtypologie als solcher nicht überschritten werden kann. Was zuletzt für die fiktive Literatur im Gesellschaftsnormen-Bereich diskutiert wurde, gilt ja allgemein: Die literarischen Formen, Typen und Gattungen bleiben als 'Kulturgut' isoliert, wenn sie nicht mit ihren Situationen, ihren Funktionen, den Interessen oder Faszinationen zusammengesehen werden. Das aber kann – wie anderwärts gezeigt[5] – nur 'komplementär' geschehen. Denn 'Gestalten sind multifunktional – Funktionen sind polymorph', d. h. die Formen, Gattungen, Typen sprachlicher Gestaltung determinieren eben keineswegs durchgehend ihre Funktionen – die Funktionen keineswegs durchgehend ihre sprachliche Gestaltung. Das zeigt sich nirgends deutlicher als im 15. Jahrhundert. Indes die deutsche Volkssprache jetzt schon mehr und mehr zum Instrument einer neuen schriftsprachlichen Öffentlichkeit wird, behält sie doch noch viel von ihrer früheren mündlichen Situationsgebundenheit. Eben darum treten die zur Sprache kommenden Funktionen oder Interessen noch so stark als Faszination auf. Deren sprachliche formale Bindungen aber, die z. B. im Minnesang oder im höfischen Roman relativ eindeutig zum jeweiligen Diskussions- oder Faszinations-Thema gehörten, sind mit dem neuen Öffentlichkeitscharakter des Mediums schon so beliebig verfügbar geworden, daß sie in allen Lebensbereichen austauschbar oder übergänglich verwendbar erscheinen. Noch ist das keine subjektiv bewußte Zuordnung, wie sie im 16. Jahrhundert sich dann durchsetzt, es bleibt noch eine transsubjektive Beweglichkeit und darum mehr irritierend gebrauchsbezogen als direkt stellungnehmend.

Es können also nur die beiden Systematiken, die literarisch-gattungsbezogene (2.1) und die historisch-funktionsbezogene (2.2), nebeneinander und komplementär sich ergänzend die 'Totalität' der deutschen Schriftliteratur im 15. Jahrhundert angemessen beschreiben.

3. Zur Wertung

Die ebenso unabweisbare wie unerfüllbare Aufgabe der Wertung in Literaturgeschichten – eine Blütenlese würde hier eher Komik als Rezeptionsgeschichte
vermitteln – findet nach all dem für das deutsche 15. Jahrhundert eine geradezu
absurde Lage vor. Zwar hat Italien jetzt schon die Normen für alle Kunst- und
Denk- und Lebensbereiche statuiert, die die europäische Neuzeit tragen (und bis
heute immer noch wie eine unüberwindbare Mauer auch die 'Moderne'
beschränken): die Subjekt-Objekt-Perspektive. Aber Deutschland ist wie im
Stadtbild so auch in der Literatur niemals 'gotischer' als im 15. und bis tief ins
16. Jahrhundert. Das gilt genauso für die deutsche Humanismus- (und Renais-
sance-)Rezeption wie für das fortlebende Mittelalter. Und läßt sich durchaus
nicht einfach als Mißverständnis des 'Neuen' abtun. Denn dieses Neue selbst
lebt ja im 15. Jahrhundert überall noch als unorientierte Lebenspraxis, die alles
Normative aufsaugt – worauf ich hier nicht eingehen kann –, bis auch in Italien
erst um 1500 eine neue Wende die Subjekt-Objekt-Perspektive durchschlagend
praktikabel macht wie dann ebenso in Deutschland die Reformation. Erst aus
diesen Normen-Systemen stammen dann die Wertungen, die, historisch gewendet seit dem 19. Jahrhundert, das Urteil über die Literatur des 15. Jahrhunderts
in Deutschland bestimmten: von formlos bis wertlos, von exzentrisch bis
obszön.

Aber auch die, heute durchgesetzte, Abkehr von diesen naiven Normierun-
gen hat im Grunde noch nicht weitergeführt, alle neuen Denk- und Strukturie-
rungsmittel, Normen-Geschichte, Normen-Hermeneutik, Normen-Revolutio-
nen, bleiben affirmativ an irgendeine Normen-Systematik ('Horizont') gebunden, und gerade eine solche versagt uns das deutsche 15. Jahrhundert grundsätzlich.

Schon ein einfacher Rezeptionstest macht das deutlich: Was von dieser
Literatur wird heute durch die Literaturgeschichte, die Forschung und womöglich eine breitere Öffentlichkeit – soweit diese, nach dem Ende der 'Bildungs'-
Ära, noch für einen solchen Test in Anspruch genommen werden kann –
sozusagen zwanglos akzeptiert? Das war z. B. schon seit dem Anfang des
Jahrhunderts der Ackermann aus Böhmen, ist gerade jetzt Oswald von Wolkenstein und, noch in der Forschung isoliert, Wittenwilers Ring; die Wertung der
mystischen Theologia Deutsch, die Luther 1516 edierte, beschäftigt nur Histori-
ker. Das alles stammt vom Anfang des 15. Jahrhunderts. Aus seiner Mitte
wüßte ich kaum etwas zu nennen außer vielleicht dem fraglichen Ruhm der
Fastnachtsspiele, vom Ende vielleicht das Narrenschiff des Sebastian Brant
(1494), das aber, wie auch die lateinischen Humanisten, vor allem Ulrich von
Hutten, seinen öffentlichen 'Bildungs'-Ruhm aus dem 19. Jahrhundert verloren
hat. Zu ihrer Zeit nun sind von diesen der Ackermann und die Theologia
Deutsch stärker, Oswald erst nur in der Wolkensteiner Hausüberlieferung,
Wittenwiler nur einmal überliefert; nur das Narrenschiff war ein Bestseller. Die
wahren Bestseller durchs 15. und 16. Jahrhundert, im religiösen Bereich z. B.
Legendare oder Erbauungsbücher wie Marquards von Lindau oder Ottos von
Passau 24 Alte, ganz zu schweigen von Thomas a Kempis' Wirkung durch

Jahrhunderte, im Praxisbereich jedenfalls Gattungen wie z. B. Glossare, Regimina sanitatis oder Pilgerreisen, im staatlichen der Sachsenspiegel und Rechtssummen, sind auch für die neuesten Wertnorm-Ansätze tot, und für den engeren literarischen Bereich kennt auch die Forschung im Grund nur Wertnormen von rückwärts, von der 'Klassik' um 1200 her, oder von voraus, von der Frühneuzeit her. Das trifft natürlich z. T. die Situation von Wertnormen in der Zeit selbst. Aber es erklärt gerade nicht den Produktionszwang und seine so grundsätzliche wie vielschichtige Rückbindung an Lebenspraxis in dieser Zeit. Weder eine zeitgenössische noch die gegenwärtige Rezeptionsästhetik (weder »Alterität« noch »Modernität« des deutschen 15. Jahrhunderts) eröffnen einen Zugang zu dem, was jenseits eines 'bloß' historischen Interesses die Interessen der damaligen Literatur mit unseren heutigen im Sinn einer Wertungsgeschichte und -hermeneutik vermitteln könnte.

Den Versuch, den ich dazu vorlege, kann ich für jetzt und hier nur an einem Beispiel, dazu noch auf einem Umweg, demonstrieren – sozusagen als Experiment.

Theodor Fontanes Roman »Der Stechlin« hat eine Zentralgestalt, den alten Stechlin. Aber er hat auch ein Zentralthema, das allein diese Figur und die fast willkürliche Buntheit der sonstigen persönlichen und der in ihnen gespiegelten öffentlichen Situationen zusammenhält. Für dieses Thema wählte er eine Symbolgestalt: die Gräfin Melusine.

Was er mit diesem Namen hereinzitiert und in vielen, meist witzigen und sogar ironischen Anspielungen als Zitat festmacht, ist die in Handschriften und Drucken weit verbreitete deutsche Prosaübersetzung des französischen Versromans des Couldrette durch den Berner Patrizier Thüring von Ringoltingen (1456; gedruckt seit 1474), die, als romantisches 'Volksbuch', zum BildungsBesitz des 19. Jahrhunderts in Deutschland gehörte. (Ich verzichte vorerst auf die breitere Rezeptionsgeschichte.)

Der französische Roman ist sowohl in der viel weiter verbreiteten Prosafassung von Jean d'Arras (1392) wie in der literarisch besser komponierten Versfassung von Couldrette (1401) nach deren Pro- und Epilogen im Auftrag der Familie Lusignan-de Parthenay verfaßt, und noch in der deutschen Übersetzung wird er durch dem Verfasser bekannte Zeugen der berühmten südfranzösischen Lusignan-Bauwerke 'historisch' beglaubigt.

Was Fontane aus ihm mit seiner Melusine in die Situation des Nach-Bismarckschen Preußen hereinzitiert, ist die Glücksfigur der 'Fee' Melusine (»Das ist eine Dame und ein Frauenzimmer dazu . . . So müssen Weiber sein«, sagt der alte Stechlin gleich bei der ersten Begegnung), mit ihrem Tabu und dem Tabu-Bruch (im langen Apenninen-Tunnel gleich nach ihrer Hochzeit mit dem Grafen Ghiberti), der sie gerade als Frau zur 'Zuschauerin' macht (». . . wenn du wüßtest! Ich habe nur die Freude, du hast auch die Last«, sagt sie zur Schwester nach deren Verlobung mit dem jüngeren Stechlin).

Im Roman des 15. Jahrhunderts steht diese Melusine im Kontext eines sehr allgemeinen Märchenschemas. Da ist Raymond, der arme Sohn und Verwandte; er erfährt seine Initialschuld, die die Sterne vorausgesagt haben, indem er unfreiwillig seinen Herrn und Verwandten auf der Jagd tötet; erfährt das damit vorausgesagte außerordentliche Glück (ob durch Gottes 'Wunder', Fortuna oder die Sterne bestimmt, bleibt offen, die sind nur Deutungs-Angebote!) als Geschenk der Meerfee Melusine mit ihrem (hier wöchentlichen) Schlangen-leib-Tabu, erlebt Aufstieg und weltweite Verbreitung seines Geschlechts durch die Söhne (die aber außermenschlich-tierische Zeichen mitbekommen), vollzieht schließlich im Zorn wegen der außerordentlichen Grausamkeitstaten des Sohnes Geoffroy den Tabu-Bruch, der die Familie in weit ausgreifendem, wenn auch z. T. gestörtem Erfolg, Melusine aber als ewiges Familiengespenst zurückläßt: als Veränderungen anzeigende unsichtbare Zuschauerin, weil der Tabu-Bruch ihr Seins-Ziel, als Mensch 'historisch'-real zu leben und zu sterben, vereitelt hat – was alles erst zum Schluß (in der Couldrette-Fassung) in einer Feen-Vorgeschichte ganz im Stil von 1001 Nacht unvermittelt motiviert wird.

Was an dieser Geschichte, ob in Versen oder, mehr kanzleimäßig, in Prosa erzählt, irritiert, ist eben diese völlig unmotivierte Verbindung der, immer wieder durch Zeugen und Zeugnisse bewährten, Historizität des Aufstiegs der Familie Lusignan-Parthenay – die ja eigentlich kaum mehr als lokales Interesse beanspruchen kann – mit der absolut unbekümmerten Märchen-Stofflichkeit und -Systematik, die dieses historisch 'neue' Glück der Familie wie ein Signum, ein Zeichen überdeckt (wie ein Sirenen-Wappen, ein »Glück von Edenhall« usw.). Das mag die Unmotivierbarkeit aristokratischer Legitimität als ihr Selbstgefühl symbolisieren – woher dann aber das allgemeine Interesse, die allgemeine Verbreitung und 'Anwendung' dieser Familien-Symbolik, die auch den deutschen Übersetzer Thüring – im Gegensatz zu ihrer 'historischen' Beglaubigung – nicht mit einem einzigen Gedanken zu beschäftigen scheint?

Hier hilft uns noch einmal Fontanes Instinkt oder Verstand. Sein Thema, das im Stechlin alles Disparate verbindet, ist die Ambivalenz des 'Alten' und des 'Neuen': personal im Adel selbst, in der Religion (Lorenzen), in der Politik (die Reichstagswahl u. a.), in der Kunst (Cujacius), der Musik (Wroschowitz) usf., all diese Bereiche zusammenlaufend in der Person der Melusine. Worauf er damit hinaus will, ist gerade nicht eine Entscheidung zwischen dem 'Alten' und dem 'Neuen' überall. Sondern die 'Zuschauerin' Melusine lebt und 'lehrt' überall die Ambivalenz zwischen beiden und in beidem. – Ist nun der 'Wert' des Romans nur unter dem Struktur-Kriterium der literarischen Stimmigkeit zu beurteilen, oder nachträglich aus dem realen Autor- und Leser-'Bewußtsein'? Keines von beiden, sondern der 'Wert' von Fontanes Kunst hier und sonst ist doch der 'Wert' eben dieser Ambivalenzen als solcher – man kann ihn mögen oder verurteilen, aber er ist, natürlich auch durch die Stimmigkeit der literarischen Elemente, ein Ort, eine Struktur, eine Erkenntnis im Moment dieses preußisch-deutschen Übergangs selbst, den Fontane festgemacht hat, und der auch durch alle späteren welthistorischen Entscheidungen zwischen dem 'Alten' und dem 'Neuen' nicht mehr verändert, nicht aufgehoben werden kann.

Etwas Entsprechendes aber hatte ja gerade der Melusine-Roman des 15. Jahrhunderts ausbalanciert. Raymond ist ein Aufsteiger, ein 'Neuer', und der Glanz seines nicht zu motivierenden Märchen-Glücks trägt die neue historische Familie ins Hohe und Weite. Aber eben dieses Glück ist vorbestimmt als Ambivalenz zwischen menschlicher und außermenschlicher ('Feen'- und 'Tier'-)

'Natur', zwischen christlicher Moral bei höfischem Glanz und 'Fee'-Frau-Tabu, Zorn, Tabu-Bruch, unmenschlicher Grausamkeit – zwischen 'Alt' und 'Neu'! Und Melusine begleitet es noch gegenwärtig – als 'zuschauendes' Gespenst! Wer die Unverfrorenheit tadeln will, mit der hier, um diese Ambivalenz zu demonstrieren, das als real und das als Märchen Gesetzte zusammengefügt sind, der bedient sich anachronistischer, ja naturalistischer Literatur-Normen. Denn gerade sie, diese Unverfrorenheit, ist es, die jetzt allein das allgemeine Interesse balanciert, die unbegreifliche Stellung eines 'historischen' Geschlechts zwischen Alt und Neu überhaupt einmal zu greifen, auszudrücken, einer zunächst nur irritierenden Reflexion zugänglich zu machen.

Ich will dieses irritierende Innehalten vor einer historischen Zeitenwende weder für die Melusine des 15. noch für Fontanes Melusine des 19. Jahrhunderts aufwerten gegenüber den historischen Machtkämpfen und folgenden Entscheidungen zwischen Alt und Neu. Aber man muß es zunächst einmal gesehen und gespürt haben als Hintergrund von literarischem Wert in diesen Zeiten, als vielleicht sogar dem 'freien' literarischen Wert besonders gemäße Basis, um überhaupt zu Kategorien einer Wertung in solchen Übergangszeiten zu kommen.

Dieses Wertungs-Experiment, wenn präzis genug kontrolliert, wäre nun auszudehnen auf weitere Texte (z. B. das Tannhäuser-Lied), auf die literarischen Typen, Gattungen, Faszinationsgebiete des 15. Jahrhunderts überhaupt. So könnten auch für diese, Normen nur verbrauchende Zeit Gebrauchs-Impulse aufgedeckt werden, die, mit den Formen und Strukturen vermittelt, Wert-Niveaus und Wert-Nuancen der Literatur aus dem Zeitpunkt heraus ergeben könnten, die zugleich historisch und, mit der überdauernden Textgestalt, überdauernd präsent sind.

III.

SPRACHE – LITERATUR – KULTUR
IM MITTELALTER UND HEUTE

Ein Versuch über die Sprache
der Studenten-Revolution

Wenn ich systematisch oder gar historisch über alle Begriffe – und Gedankenstriche – meines Themas sprechen sollte, dann müßte ich Sie, meine Damen und Herren, entweder überschütten mit einer Flut von Details oder langweilen mit blassen Allgemeinheiten. Keines von beiden darf ich Ihnen zumuten. Sondern: ich habe mein Thema nur darum in die Weite dieser Begriffe getaucht, weil ich sie erstens (1.) sogleich wie mit einem Brennglas auf einen Punkt zusammenziehen will, einen Punkt im Heute, in der Sprache und Literatur der Gegenwart – der dann freilich, um im Bild zu bleiben, ein heißer Punkt sein wird. Wenn ich ihn dann zweitens (2.) an einem entsprechenden Modell im europäischen Mittelalter messe, so will ich damit nicht aus der Gegenwartsverantwortung eskapieren in die Historie, vielmehr die Historie frei machen für eine höhere Aktualität. Daraus sollen schließlich drittens (3.) resultieren ein paar Gedanken über die Kulturrolle unserer 'Sprache im Übergang'.

Noch eine Vorbemerkung scheint mir – gerade auf diesen letzten Satz hin – nötig. Was ich versuchen will, kann sich nicht auf etablierte Wissenschaftlichkeit und nicht auf etablierte politische Überzeugungen berufen. Es ist da vielmehr nötig, wie im Flug nach etwas zu haschen, von dem noch niemand weiß, ob es nur vorüberweht oder sich für dauernd niederläßt; ob es unsere Hoffnungen trägt oder unsere Verzweiflung; ja, ob es überhaupt denkbar und durch Denken zu beeinflussen ist oder undenkbar unlenkbar.[1]

1. Der als Ansatz angekündigte erste – und heiße – Punkt meines Problems ist: die Sprache der gegenwärtigen sogenannten Studentenunruhen. Die gedanklich führenden Gruppen nennen sich selbst 'linksradikal', die Bewegung wurde letzthin auch von der Sowjetunion aus als 'Gauchismus' zusammengefaßt; sie hat in wenigen Jahren die Runde um die Erde gemacht, über alle politischen Barrieren hinweg vorrevolutionäre Situationen zustande gebracht, eine breite Sympathisierungs-Aura gewonnen und Veränderungen hervorgerufen, die bei uns schon tief in Forschung und Lehre und Organisation unserer Hochschulen sich eingraben, und allgemein, wie etwa der Pariser Mai, politische Krisen erzeugen.

Ich will mich hier nicht mit politischen, rechtlichen, historischen, soziologischen, psychologischen Analysen dieser Bewegung beschäftigen. Es gibt schon

eher zuviel davon. Sondern nur mit ihrer Sprache. Zwei Beobachtungen über
die Rolle der Sprache in dieser internationalen Kulturrevolution sollen zunächst
als Ausgangspunkte dienen – und genügen. Die erste Beobachtung: diese
Sprache ist eine neue internationale Spracheinheit, oder auch: ein neues internationales »Sprachsystem« (W. BOEHLICH), innerhalb jeder der vorhandenen
Sprachen. Das ist an sich nicht neu und nicht überraschend, gehört vielmehr zu
unserer heutigen Zivilisation überhaupt, zur Internationalität von Politik, Wirtschaft, Wissenschaft, Literatur und Kunst und Modepresse und Schallplattenin-
dustrie. Und neue Formen speziell von Jugend-Internationalen und Jugend-
Sprachen beschäftigen ja schon länger ganze Wirtschaftszweige und Presse-
typen.

Neues zeigt aber eine zweite Beobachtung: Die Sprachen-Internationale der
Studenten hat in allen Sprachen Barrieren des Mißverstehens errichtet, geradezu
Barrikaden zwischen jung und alt in Staaten und Gesellschaften, in Moral, in
Wissen und Wollen, in der Struktur der Persönlichkeit wie in ihrer Erscheinung
– Barrikaden, die rasch und leicht gebaut scheinen, aber rund um Universität,
Politik, Justiz, Gesellschaft schon erstaunlich fest geworden sind. Diese Sprache
ist einerseits so durchtheoretisiert, daß sie eine Art Sprachlähmung hervorruft
bei allen, die nicht ebenso damit umgehen können, d. h. nicht unaufhörlich auf
Definitionen und Beweise dringen, und andrerseits so einfach, daß sie sich für
Kinderkreuzzüge eignet.

Zu diesen zwei Beobachtungen, die selbstverständlich aber reichlich abstrakt
sind, seien einige wenige Illustrationen aus dem Wortschatz der neuen Sprache
hinzugegeben, – die Sie aber bitte nicht (noch nicht) als Urteile oder Wertungen
verstehen dürfen, sondern einfach als Versuch präziser Verständigung über den
ja allen bekannten Sachverhalt.

Zunächst: Die internationale Wirkung der neuen Sprache beruht nur zum
geringsten Teil auf den gemeinsamen Theorien und theoretischen Grundschrif-
ten, von denen ja jedermann weiß, die aber wenige gebraucht haben (COHN-
BENDIT). Sie beruht vielmehr – so wie sie sich demonstriert in Diskussionen, in
Parolen in Vers und Prosa, in Flugblättern, Wandzeitungen, in einer Flut von
Kleinst-Literatur, in Theater und Kunst, in revolutionären Aktionen jeder Art
und jeden Grades – auf einer neuen Funktion oder Rolle der Sprache in allen
Sprachen. Und diese neue Rolle der Sprache ist das, was so fast unbemerkt um
sich greift. Wer z. B. glaubt, er müsse in seinem Institut oder Staat die
etablierten Ordnungen, die Gesetze, Traditionen, Tabus usw. schützen gegen
die sogenannte 'Demokratisierung' – der gebraucht dasselbe Stichwort der
'Demokratisierung' für jenseits der Barrieren, d. h. für Ordnungen, Gesetze
usw., die ihm so schützenswert nicht scheinen, schon ganz unbedenklich im
Sinn der neuen Sprache: als Wort für den Mut, die Zivilcourage, aufzustehen
gegen eine verlogene Demokratie. Solche Sprachverwirrung mag jeder von uns
beim Zeitunglesen an sich selbst kontrollieren; sie hat sich heute aller politischen
Konfrontationen bemächtigt.

Weiter: Ganz wie die neuen Aktionstypen, die Go-in, Sit-in usw. aus der
Bürgerrechtsbewegung in den USA, nicht eigentlich mehr revolutionäre
Kampfsituationen sind im Sinne der europäischen Geschichte: Arm gegen

Reich, Idee gegen Tradition usw. –, sondern Kämpfe auf eine neue Art: indem nämlich lauter einzelne Individuen sich bloß ganz direkt, leiblich dorthin stellen-setzen-legen, wo sie nicht sein dürfen, wenn die alte Ordnung in Wahrheit noch gelten würde, und indem sie so passiv-aktiv jede Wiederherstelllung von Ordnung einfach auflaufen lassen als brutal, 'repressiv', psychopathisch usw. usw. – ganz ebenso läßt auch allein das '-ung' der 'Demokratisierung' sowohl alle Widerstände wie die 'progressiven' Mitmacher und politischen Zugeständnisse auflaufen: läßt Widerstände 'repressiv', 'autoritär' erscheinen und läßt selbst heiß erkämpfte Ziele wie die sogenannte Drittelparität an den Hochschulen hinter sich, sowie sie erst erreichbar scheinen.

Weiter: Mehrheit und Minderheit, im engsten wie im weitesten Rahmen, spielen hier eine ganz andere Rolle als noch in unserer jüngsten Geschichte, sogar während ihrer totalitären Verdunkelung. Mit der kleinsten Minderheit die Masse einer Wählerschaft, einer sogenannten Voll-Versammlung usw. zu schockieren, sie taub und stumm zu diskutieren, den Kampf ums Mikrophon zu gewinnen, bis schließlich die Mehrheit, sympathisierend oder abgeschreckt, der allein sich 'artikulierenden' Minderheit die Macht überläßt – dies ist die Strategie der neuen Sprache.

Oder: um Publizität, die Weltmacht Nummer eins, zu gewinnen, braucht man nicht mehr die massiven weltanschaulichen und finanziellen Werbe-Etats wie bisher: direkter, wirksamer – und billiger! – ist es, in publizistisch sowieso effektive Ereignisse einzusteigen, auf ihnen durch Provokationen zu reiten und so, durch 'parasitäre Publizität' (SCHEUCH), die höchste Wirkung zu behaupten.

Oder: für Thesen, die zu Demonstrationen, moralischen Kreuzzügen, zur Aufheizung 'rationaler' Emotionalität gegen irgendeine Person, Gruppe, Institution usw. gebraucht werden, sind keine Beweise mehr nötig, es muß keineswegs mehr richtig oder wahr sein in einem alten Sinn, was da geschrieben und geschrien wird, es muß statt dessen aber möglich sein in einem so allgemeinen Sinn, daß später sogar die Justiz auf den Sachgehalt der Behauptungen selbst gar nicht eingehen kann und sich in Formalien 'repressiv' verfangen muß.

Oder: bei allen Diskussionen über wissenschaftlichen, sozialen, politischen Fortschritt behalten die Revolutionäre ein letztes Wort: »Es ist aber nichts geschehen, bis wir auf die Straße gegangen sind!« Das ist schlagend. Aber wer macht sich in der Hitze des Gefechts schon klar, daß hier das Wort »geschehen« einen neuen Sinn erhält? Es meint nicht mehr eine mit dem Gewesenen wie auch immer verbundene Änderung, nicht einmal mehr die Geduld, Neues zu verstehen, sondern: die Setzung revolutionärer Wirklichkeit.

Das bedeutet weiter: Diskussionen im Sinne der neuen Sprachrolle sind es nicht mehr im Sinn der alten; Mitbestimmung, Paritäten usw. im Sinn der neuen Rolle sind es nicht im Sinn der alten. Damit wird jedes Zusammenwirken gegenstandslos, solange keine Klarheit besteht über die zwei Sprachen in einer, d. h. über den Unterschied ihrer Rollen.

Und schließlich: der psychologische Mechanismus, mit dem die neue Sprache wirkt, wird ausgelöst durch einen moralischen Affekt: Zivilcourage gegen Autoritäten, Mut gegen Tabus, Offenheit und Öffentlichkeit gegen dunkle Machenschaften, Befreiung von jeder Abhängigkeit – das sind die höchst wirksamen Emotionalitäten hinter der elitären Rationalität der neuen Sprache. Dieser psychologische Mechanismus funktioniert geradezu wie der Mechanismus der sogenannten 'Gehirnwäsche': Isolierung von allen bisherigen Bindungen, Erziehungen, Tabus usw. – Negierungsaffekt gegen alles bisher Positive – Auffüllung des Vakuums mit einer neuen Heilslehre.[2] Aber er wirkt in absoluter Freiheit, ohne jeden Zwang! Zwangshaft aktiviert scheint nur die Undurchsichtigkeit, die jeder kennt, der in eine neue Schule, einen neuen Betrieb, eine neue Krankenstation, eine neue Fakultät usw. usw. kommt: die Ordnungen, Spielregeln, Beziehungen sind undurchschaubar, die Sprache ist fremd, das eigene Ich verfremdet, unerklärter Behandlung ausgesetzt. Normalerweise gewöhnt man sich bald ein. Aber es gibt auch Psychosen. Eine derartige Verfremdung aktiviert die neue Sprache. Und ihr Mut, personalen Einsatz, d. h. Personalethik radikal anzuwenden auf die Öffentlichkeit, auf die Sozialethik und politische Moral, umgekehrt aber auch die Person radikal umzudefinieren zum nur-noch-sozialen Wesen, d. h. Personalethik nur noch als Sozialethik gelten zu lassen – dieser Mut erst erzeugt die kühle Leidenschaftlichkeit der Revolutionäre und weiter jenes Vorfeld von Mitziehenden auch bei politischer Enthaltsamkeit oder sogar Gegnerschaft, vor allem unter den Jüngeren, und erzeugt im weitesten Aktionsfeld das schockierte oder 'frustrierte' Verstummen von argumentierenden Gegenstimmen.

So bleibt als Gegner nur die Ordnung, die Ordnungsmacht, die gegenüber der neuen Sprache notwendigerweise ins Unverhältnismäßige, Legalistische, d. h. ins aushöhlbar weil sprachlos 'Autoritäre' gerät.

Auf historische oder systematische Ableitung oder Kritik der Begriffe der neuen Sprache und ihrer Rolle will ich – um es noch einmal zu sagen – hier nicht eingehen. Ebenso nicht auf das Verhältnis von 'Argumentation' und 'Gewalt'. Ich möchte nur das uns gegenwärtig neu Begegnende so kraß wie möglich eben als Sprachbarriere, die eine revolutionäre Barrikade schon ist und sein will, ins Bewußtsein bringen.

2. Ich habe bis jetzt noch keineswegs geurteilt oder gewertet. Das scheint bedenklich – von jeder Seite her gesehen. Darum wende ich mich zurück ins europäische Mittelalter. Es liefert ein Modell, das einerseits so vergleichbar, andrerseits aber durch die Entfernung so verfremdet ist, daß die hier vorfindlichen Sprachrollen unbedenklich als Fakten gesehen werden können und gerade dadurch bei der Rückkehr zum Heute Anhalt geben für weitere Perspektiven.

Auch im europäischen Mittelalter gibt es eine Barriere zwischen zwei Sprachrollen innerhalb derselben Kultur. Die zwei Rollen der Sprache sind aber damals verkörpert in zweierlei Sprachen: einerseits dem Latein der römischen Kirche (auf das 'griechische Mittelalter' Europas kann ich hier nicht eingehen) als europäischer Einheitssprache – und andrerseits den Volkssprachen, aus denen später die Kultursprachen der Neuzeit wurden. Die Sprachbarriere zwischen beiden ist keine soziale; im Grunde sogar nicht einmal eine der Bildung. Sie ist vielmehr eine Barriere zwischen zwei Kulturtypen, zwei Kulturrollen innerhalb der doch auch einheitlichen europäischen Kultur des Mittelalters. Denn: Wer Latein kann, kann schreiben, ist *litteratus*, seine Kultur ist Schriftkultur –

allerdings zulängst Manuskript-Kultur, an begrenzte Gebrauchskreise gebunden
–, spätantikes Erbe. Wer nicht Latein kann, ist *illiteratus*, kann nicht schreiben,
steht aber in der noch erstaunlich gut funktionierenden mündlichen Kultur der
Laien.[3] Für uns ist die lateinische Schriftkultur der *clerici litterati* von unüberbiet-
barem Wert, schon deshalb, weil sie allein in erhaltenen Schriftstücken uns
Kunde gibt, sogar von den Volkssprachen, soweit Texte auch aus ihnen von
'Literaten' aufgeschrieben wurden – zu welchem Zweck auch immer. Im
Mittelalter selbst sind die Wertungen ganz anders auf die beiden Kulturrollen
verteilt.

Der *clericus litteratus* weiß sich zwar – schon durch den sakralen Rang des
christlichen Kults und der hierarchischen wie der 'Volks'-Kirche und durch die
auctoriale Wissenschaftstradition aus der Antike – dem Laien voraus, der das
alles ja auch, bis in die Folklore hinein, braucht und benutzt. Im weltlichen
Leben aber, in Politik, Fehde und Krieg, in Erbe und Eigen ist der Kleriker dem
Laien gegenüber schwächeren Rechts; nur Rechtskonstruktionen verhelfen ihm
zur aktiven Rolle auch in dieser Welt. Welches Bewußtsein von sich, von ihrer
Rolle, die mündliche Kultur hatte, das können wir nur indirekt erschließen.
Auch die Geschichte belehrt uns da nicht sehr, weil ja z. B. in den politischen
Kämpfen zwischen Kirche und Staaten zwar im Grunde immer die beiden
Kulturrollen aufeinanderstoßen, aber mit zu vielen Mißverständnissen aus
zuviel gegenseitiger Vermischung durchtränkt. Eher läßt sich die Rolle der
Volkssprachen und ihrer mündlichen Kultur aus überlieferten Schrifttexten
dieser Sprachen selbst ablesen. Diese, also z. B. die alt- und mittelhochdeutschen
Texte im Deutschen, sind zwar als geschriebene Laiensprache auch immer
Ergebnisse eines Kompromisses mit der lateinischen Schriftkultur, einer 'Zwischenkultur' also – aus der sich freilich im Spätmittelalter jene europäische
Schriftkultur der Volkssprachen allmählich entwickelt, die dann die Geschichte
der Neuzeit bis gestern bestimmte. Die deutschen Texte sind im Mittelalter
natürlich zum großen Teil auch nur als Vermittlung der lateinischen Schriftkultur der Kirche an die Laien entstanden, sehr oft zum Vorlesen. Aber auch wo sie
stärker die Laienkultur zu bestimmen beginnen – die Rolle ihrer Sprache ist
immer viel direkter als die des Latein: sie gibt direkte Lebens*hilfen*, von Medizin
und Zauber bis zu religiöser und pragmatischer Praxis; gibt direkte Lebens*orientierung* für die Laien, meist religiös-historisch-didaktisch, aber auch in der Laien-
Ideologie und Ideologiekritik der höfischen Aventiure und Minne durchs Hoch-
und Spätmittelalter. Sie vermittelt schließlich in der Rolle einer Trivialliteratur,
d. h. als Unterhaltung verschiedensten literarischen Ranges und verschiedenster
Mischung mündlicher und schriftlicher Kulturelemente, eine so direkte Lebens-
steigerung, daß auch die Vitalsphären, vor allem die Sexualität, die – komplementär zur kirchlichen Askese – doch keinerlei Tabus kennt, dazu Essen,
Trinken usw., als literarische Rollen blühen können. Eine Literatur also von
einer Direktheit, wie wir sie, nach endgültigem Abschied von den europäischen
Klassiken, erst heute wieder kennen lernen.

3. Sprache – Literatur – Kultur im Mittelalter und heute: kehren wir zur
vergleichenden Frage zurück. Wenn im europäischen Mittelalter die Sprachbar-

riere zwischen den Volkssprachen und dem Latein der Kirche eine Kulturbarriere war zwischen mündlicher Kultur und Schriftkultur – ist dann unsere jüngste Sprachbarriere zwischen den bisherigen Kultur-Sprachen und z. B. der neuen internationalen Spracheinheit der revolutionären Studenten vielleicht wieder Symptom einer Kulturbarriere, diesmal aber umgekehrt: zwischen der Schriftkultur der europäischen Neuzeit und – einer kommenden neuen, internationalen, aber wieder viel direkter mündlichen Kultur?

Der Kenner jener heute verbreiteten kulturprophetischen Reflexionen hört hier sofort MARSHALL B. McLUHAN heraus, das Ende der Gutenberg-Ära.[4] Aber auch ohne aus McLUHANs aphoristischen Zitatensammlungen Nutzen zu ziehen – niemand zweifelt daran, daß wir in krisenhaften Übergängen stecken, Übergängen aus der klassischen und der nachklassischen europäischen Neuzeit in ein anderes Zeitalter. Soweit die Literatur hier mit symptomatisch sein kann, ist es insbesondere ihre Sprache, die uns aus dem abbildenden Zeitalter fort und fort in das Abenteuer einer neuen Rolle gerissen hat. Ob nun die allerneueste Sprachbarrikade, mit der wir uns heute beschäftigt haben, in diesem Übergang einen entscheidenden Einschnitt bedeutet, oder nur einen der vielen aufeinander folgenden Schritte in das neue Zeitalter, oder überhaupt nur eine vorübergehende Oberflächen-Bewegung – ich will das jedenfalls hier nicht diskutieren, geschweige denn entscheiden.

Ein Argument aber möchte ich zum Schluß anführen, aus dem, wie ich meine, ein Urteil, eine Wertung gewonnen werden kann – und meine eigene Wertung gewonnen ist.

Die nun auch schon hundertjährige Geschichte der 'Moderne' ist – wenn ich hier ausnahmsweise eine historische Anknüpfung versuchen darf – in Kunst, Wissenschaft und Technik zwei Wege aus der bisherigen Geschichte heraus gegangen, die insbesondere die neue Rolle der Sprache auch durch ihre neuen Medien manifest gemacht hat: einerseits zu einer 'Lebensreform' jeden Umfangs und Niveaus; andrerseits zu einer Abstraktion, die die europäischen Traditionen von Subjekt-Objekt aufgehoben hat in Formeln und Formelsprachen eines Funktionierens von Strukturen.

Das aber hat eine allgemeinste Sprachbarriere aufgerichtet: zwischen der Artistik leitender Funktionäre und der 'Normalsprache' erleidender Verbraucher – die sich allerdings im modernen Kulturbetrieb für jeden einzelnen ständig überschneiden und neu einspielen. So ist wenigstens der Anschein, und es klingt wie eine Bestätigung jener Kritik des 'Establishments', von der die revolutionäre Studentenbewegung lebt, noch dazu ohne ihre theoretischen Maximen. In Wirklichkeit lebt natürlich jeder einzelne seinen Ausgleich der Sprachen, der Rollen, der Abstraktionen mit seinen Bedürfnissen, Trieben, Süchten noch immer als Verantwortung, als Dialektik zwischen Personal- und Sozialethik bis hin zur Religion. In den letzten Jahren aber häufen sich die Versuche, solchen Ausgleich theoretisch und praktisch zu erzwingen. Sie beherrschen heute die Medien der öffentlichen Meinung. Darüber läßt sich nicht rechten, jedenfalls nicht mit Erfolg. Es läßt sich aber beurteilen, ob und wieweit es solchen Zwängen gelingt, diese allgemeinste Sprach- und Kulturbarriere zu überbrücken.

Um im Bereich der Literatur und der fast ganz literarisch gewordenen Kunst zu bleiben: was der Ausgleich zwischen Artistik und Folklore bedeutet, der aus dem kommunistischen Europa – wohl noch am wenigsten verfälscht – zu uns herüberdringt, ist schwer abzuschätzen. In der 'westlichen' Welt und insbesondere in Deutschland haben auch Pop- oder non-art-Kunst oder neuer 'sozialer Realismus' (Heinrich Böll) die Barriere nicht eingeebnet, sondern die Artistik noch mehr isoliert. So ist es aber auch mit der neuen, direkt zur Sprache der Aktion gewordenen Sprache der revolutionären Studenten. Sie ist ein Muster der sprachstrategischen Artistik, des 'Happenings', der provokatorischen Lebens- und Gesellschaftsveränderung. Daß dies ohne jede Rücksicht auf Haltung, Sicherheit und Bedürfnisse der bis fast zur Gänze überwiegenden Mehrheit geschieht, mag sogar eine revolutionäre Taktik sein, die nach Beispielen aus der Geschichte durchaus erfolgreich sein könnte. Daß es aber geschieht, ohne der Sprache den Raum zu lassen, den sie bereitstellt als jenes Zweifeln- und Wählenkönnen, das doch der anthropologische Kern jeder Grammatik – und jeder Verantwortung! – ist,[5] das richtet unter meinem Gesichtspunkt auch die von ihnen gemeinte kulturelle Wende, ihre neu errichteten Sprachbarrieren. Oder inhaltlich: solange die jüngsten Revolutionäre jede 'Objektivierung' nur negativ verstehen (Pseudo-Marx-Freud-Romantik), ungeachtet der anthropologischen Kriterien – solange wird es keine Diskussion mit ihnen über 'progressive' oder 'reaktionäre' Reaktionen oder Fortschritte in Wissenschaft, Politik und Gesellschaft geben können.

THESEN ZUR WISSENSCHAFTSTHEORIE DER GERMANISTIK

NACH ALTEM WISSENSCHAFTLICHEN BRAUCH habe ich zuerst mein Thema zu rechtfertigen. Praktisch kann das nur heißen, daß ich mich für die hochgestochene Formulierung entschuldige. Ich werde wohl alle Erwartungen und Befürchtungen enttäuschen. Eine unglückliche Liebe zur Philosophie hat mich zwar veranlaßt, das Theoretische in unserem Fach immer neu zu überlegen, ja sogar, es in alle konkreten Fragestellungen einzumischen. Was ich Ihnen hier und heute zur Erwägung anbieten möchte, ist aber keine Anwendung von Wissenschaftstheorie: weder alter Erkenntnis- und Hermeneutik-Probleme noch neuer formaler Logik noch neuester materieller Einverständnisse mit dem Hegelschen Weltgeist. Es ist viel bescheidener. Ich sähe eine heute wichtige Aufgabe erfüllt, wenn es mir gelänge, ein Einverständnis über Banalitäten herbeizuführen: Banalitäten, die jedem, der heute in der Germanistik arbeitet, selbstverständlich sind. Gerade das bedrückende Gefühl dieser Banalität hat die Formulierung des Themas kompensierend hochgetrieben.

Banalität: das Wort deckt freilich sehr unterschiedliche Funktionen. Am wenigsten klar ist in unseren Tagen die Grundbedeutung, die Trivialität. Denn gerade manche Trivialitäten, sogar Platitüden unseres Faches sind für manche zum Glaubensartikel geworden, andere zum Stein des Anstoßes weit über den Anlaß hinaus. Die Banalitäten, die ich meine, drohen unter solchen Kontroversen eher unterzugehen. Auch mit ihnen unterstelle ich mich allerdings einer Abstraktionsebene, die alle differenzierten Fortschritte in unserem Fach – von denen dieser Kongreß, wie ich hoffe, zeugen wird – so stark verallgemeinern muß, eben bis zur Banalität, daß ich nur darum bitten kann, mir auch meine Teilnahme und Teilhabe am Fortschritt der Germanistik zu glauben.

Ich möchte also, ausdrücklich in natürlicher Sprache, d. h. nicht formalisierter oder durchtheoretisierter Sprache, einige Vorbedingungen zur Sprache bringen, die jeder wissenschaftstheoretischen und jeder praxisbezogenen Analyse unseres Faches vorausliegen. Es handelt sich dabei – mit einer theoretisch veralteten aber im Gemeinten, wie ich meine, unüberholten Formulierung meines philosophischen Lehrers RICHARD HÖNIGSWALD – um die »Gegenständlichkeit« der »Gegenstände« unseres Faches, d. h. die Korrelation von Objekt- und Subjekt-Bedingtheit unserer Forschung, im allgemeinsten Sinn. Inwiefern und wie weit ich mich damit allen, buchstäblich allen *challenges* stelle, die es heute gibt, gerade darüber möchte ich eine Diskussion hervorrufen, die noch miteinander und schon von der Zukunft der Menschheit zu reden erlaubt. Verzeihung für das Schlagwort! Ich habe es nicht erfunden, ich zitiere es: als den weitesten Horizont der Ansprüche, die man an uns stellt und denen wir uns stellen.

Aus langen Ketten von Thesen, die ich immer neu probiert habe, ist für jetzt und hier schließlich nur eine provokative Dreiheit übrig geblieben:

1. Alle Stoff- und Methoden-Begriffe aus der Wissenschaftsgeschichte der Germanistik sind heute überholt – unbeschadet unserer Abhängigkeit von ihren Ergebnissen.

2. Es gibt Germanistik.

3. Germanistik ist eine historische Wissenschaft, aber sie arbeitet an präsenten Objekten, nämlich Kontexten mündlicher und schriftlicher Sprache.

Zum ersten: Alle Stoff- und Methoden-Begriffe aus der Wissenschaftsgeschichte der Germanistik sind heute überholt – unbeschadet unserer Abhängigkeit von ihren Ergebnissen.

Rede ich da nicht schlimmer als banal, nämlich pauschal? Lenke ich ein in die Einbahnstraßen unserer radikalsten Ideologiekritiker und unserer radikalsten Zukunftsforscher? Ich glaube, nein. Was ich meine, ist eine Veränderung, die zwar erst mit den germanistischen Richtungskämpfen der letzten Jahre unübersehbar geworden ist und doch, gerade auch wegen dieser Kämpfe, nicht voll ins Bewußtsein gehoben wurde. Lassen Sie mich diese Veränderung zunächst an einem Beispiel aus meinem eigenen Fach, der germanistischen Mediävistik, demonstrieren. Und verzeihen Sie, wenn ich dazu einen etwas zu aktuellen 'Aufhänger' benutze.

Die sogenannte sexuelle Befreiung nimmt in der öffentlichen Diskussion heute einen erstaunlich breiten Raum ein. Die einen, die Fortschrittlichen, wollen die Liebe zwischen Mann und Frau und ihre soziale Hauptinstitution, die Ehe, von religiösen und gesellschaftlichen Tabus befreien, sie entindividualisieren, kurz gesagt, Liebe und Ehe biologisieren, um sie zu sozialisieren – in welchem Sinn auch immer. Die andern, die Konservativen, wollen noch im freiesten biologischen Liebesakt den Eros bewahrt sehen, kurz gesagt, die Liebe humanisieren, um sie psychologisch zu individualisieren – in welchen Sozialstrukturen auch immer. Wer hat recht?

An diesem Punkt möchte ich Sie bitten, mir ins ferne europäische Mittelalter zu folgen. Auch damals hat eine breite Kunstliteratur von Laien in den Volkssprachen die Liebe zwischen Mann und Frau als Gesellschaftsproblem diskutiert: als *fin' amors*, als hohe Minne in Minnesang und Verserzählung. Minne ist freie Liebe außerhalb der Ehe, aber innerhalb der adligen Gesellschaft: eine *ars amandi*, eine der freien Künste der privilegierten Laienschicht, die sich das Problem der Freiheit leisten konnte. (So wird ja, nebenbei bemerkt, Ehebruch und freie Liebe bis zur »Anna Karenina« und zu Fontanes Romanen hin als Problem im Adelsmilieu diskutiert werden.)

Aus der Fülle französischer und deutscher Texte des Mittelalters greife ich hier nur die konsequenteste dialektische Zuspitzung des Problems heraus: die Erzählungen von Tristan und Isold. Ihre wissenschaftliche Analyse schwankte und schwankt noch immer zwischen ähnlichen Extremen wie die Stimmen zur sexuellen Befreiung heute. Den einen war und ist die brennende Liebesge-

schichte eine unterhaltsame oder auch dämonische Demonstration sexuellen
Zwangs: eben der Biologisierung der Liebe. Die andern versuchten und versuchen, auch noch die Tristan- und Isold-Liebe zu retten als ein psychologisches
Problem der Persönlichkeit: ihrer Humanisierung. Der Stein des Anstoßes ist
immer der Liebestrank. Als krasses Realitätsdetail steht er strukturell im Zentrum aller Tristanfassungen: ein Liebeszauber, also schwarze Magie, Zeichen für
den nackten Triebzwang, den Verlust des freien Willens, noch dazu versehentlich über Tristan und Isold verhängt. Das war und ist zuviel sowohl für die
Freunde erotischer Schwänke wie für die psychologischen Retter des Liebespaa-
res. Denn einerseits unterstehen die erotischen Schwankszenen einer unheimli-
chen dialektischen Struktur, auf die ich hier nicht näher eingehen kann: das Ende
ist immer der Liebestod. Zum anderen: Unmittelbar mit der biologischen *unio*
durch den Liebestrank beginnt nicht eine kausal verknüpfte Persönlichkeitsent-
wicklung im Sinn der Ehebruchsromane des 19. Jahrhunderts, sondern es
beginnt eine radikale Entpersönlichung der Liebenden. Wieder dialektisch kann
sie zwar bis zur Waldlebenszene Gottfrieds von Straßburg hochgespielt werden:
zur *unio*-Seligkeit einer Kompensation aller höfischen Rollen durch die mystische *abegescheidenheit* der absoluten Partnerbeziehung. Aber sie lebt und endet
doch eben nur als ungelöste Dialektik zwischen den einzelnen Bestandteilen
einer höfischen Rolle und einer Minne-Rolle Tristans und Isolds.

Worauf ich hinaus will: Nach dem heute nötigen und möglichen Verständnis
demonstrieren alle Tristanfassungen des Mittelalters weder eine humane noch
eine biologische Konzeption der sozialen Rolle im Liebesakt – sozusagen seine
Makropsychologie. Sondern sie demonstrieren, *wie* die einzelnen Bausteine
einer humanen Rolle – hier natürlich gesehen im Sinn der feudalen Ideologie des
höfischen Romans – unter dem *stress* des biologischen Triebzwangs sich verhalten, sich kritisieren und korrigieren, sich steigern und vernichten – eine Mikro-
psychologie der Geschlechterliebe.

Ob man nicht ähnlich auf die aktuelle Diskussion über die sexuelle Befreiung
antworten könnte? Es käme, würde ich sagen, weder auf eine konservative noch
auf eine fortschrittliche Makropsychologie des Liebesakts an. Sondern darauf,
wie die einzelnen Elemente einer künftigen humanen Rolle bis in den Liebesakt
hinein sich als Person-Struktur verlängern bzw. von ihm her sich aktivieren
ließen – jenseits auch von Freud und der aktuellen Gesellschaftskritik! Das wäre
also die erste Banalität, die ich anzubieten habe. Auch zur Analyse historisch
ferner Texte brauchen wir, anstelle psychologischer Makrostrukturen und ihres
Kausalnexus, neue psychologische Mikrostrukturen, deren Elemente und deren
Verbindungen für jede einzelne historische Situation eigens und neu rekonstru-
iert werden müssen. D. h. wir brauchen – und gebrauchen schon längst alle – ein
Verständnis auch jener Aura des nicht direkt Ausgesagten – das im Kontext als
Zitat, Konnotation, Struktur indirekt und doch zu stärkster Wirkung fixiert ist.
In der Linguistik ist diese Veränderung längst durchgedrungen. An die Stelle
traditioneller Makrostrukturen der Grammatik und Sprachgeschichte ist eine
verwirrende Diskussion von Mikrostrukturen der Systeme und der Kommuni-
kationssituationen getreten. Auch in der philologischen Tatsachenherstellung,
wo wir am stärksten von älteren Ergebnissen abhängig sind und bleiben

werden, z. B. schon mit Wörterbüchern und Editionen, haben wir uns längst gelöst von naiver Materialabgrenzung und naiver Fixierung auf Originale und Fassungen letzter Hand. Inner- und außersprachliche Differenzierungen – Differenzierungen von Sprach- und Literaturschichten, von Text- und Überlieferungsschichten: als Instrument zur Rekonstruktion jeweiliger spezifischer Textsituationen, je anderer Konstituenten für Sprache und Sprachtext, der je anders nötigen Auswahl aus dem überlieferten Gesamtbestand von Texten – sind längst entdeckt und in experimentellem Gebrauch. Denn auch die Frage: welche Texte Objekt unserer Sprach- und Literaturforschung sind – mündliche und schriftliche Sprache, nur Dichtung, oder die 'schöne Literatur', oder gerade auch die Trivialliteratur oder schlechthin alles Überlieferte – auch diese Stoffabgrenzung ist heute völlig offen und von der Rekonstruktion der jeweiligen Literatursituation abhängig.

Makrostrukturen – Mikrostrukturen, kausale Erklärung – situationelle Erklärung: ich weiß sehr wohl, wie gefährlich dieses Spiel mit physikalischen Analogien ist, die nur Metaphern sind und dazu noch falsche. Die Veränderung des physikalischen Weltbilds von kausaler zu quantentheoretischer Naturerklärung und all ihre Folgen, bis hinein in unseren Alltag und unsere Auslieferung an die Weltpolitik – sie hängen gewiß, wie bei kommunizierenden Röhren, mit den Veränderungen auch in unserem Fach zusammen. Aber allein schon die schwache Position unseres Faches in der modernen nominalistischen Logik macht deutlich, daß eine auch nur metaphorische Analogie zur Physik außerhalb jeder Beweisbarkeit liegt. Ich wollte auch nichts beweisen. Ich wollte nur demonstrieren, was in unserem Bewußtsein vorgeht. Und dazu mögen die physikalischen Metaphern eine simple Denkhilfe sein.

Nun zur zweiten These: Es gibt Germanistik. Auch sie ist nicht trivial. Denn es gibt Gegenthesen. Die allgemeinste brauche ich nur zu erwähnen: Philologien und Philologen wird man in der Gesellschaft der Zukunft nicht mehr brauchen. Zur Antwort: Solange es noch natürliche Sprachen gibt, wird es auch die wissenschaftliche Analyse dieser Sprachen und ihrer Literaturen geben müssen – obwohl wir erleben und erleben werden, daß der Platz dieser Wissenschaften in Erziehung und Unterricht und in der Wissenschaftssystematik sich von Grund auf ändert.

Mehr Gewicht hat eine zweite Gegenthese: nationale Philologien kann und darf es in Zukunft nicht mehr geben. In der Tat: alle normativen Begründungen der einzelnen Philologien, ihre Berufung auf ihre klassischen Epochen, sind dahin seit der weltliterarischen Moderne. Und ebenso vergangen sind alle nationalen Begründungen insbesondere für die Neuphilologien: der romantische Volksgeist der GRIMM-Zeit, die nationale Geschichte der GERVINUS- und SCHERER-Zeit, die geistesgeschichtliche Sprach- und Völkerpsychologie, in die z. B. Thomas Mann noch so tief verstrickt war. Sind also nur noch vergleichende Sprach- und Literaturwissenschaften legitim? Als Historie gesehen: synchron vergleichende Querschnittswissenschaften? Dagegen steht: Jede Sprache und Literatur entwickelt sich in spezifischen Sprach- und Literatursituationen, die passiv und aktiv ihre Rolle in spezifischen Kultursituationen haben. Ein Beispiel, wieder aus der Mediävistik: Wie die europäischen Sprachen und ihre

Literaturen sich entwickelt haben: aus ursprünglich mündlichen ethnischen Kulturen zur Schriftlichkeit unter der Dominanz der gelehrten lateinischen und griechischen Schriftkultur und in Wechselwirkungen mit ihr und weiter zu Trägern der neuzeitlichen Nationalsprachen und Kultursprachen – das geschieht für Deutsch, Niederländisch, die skandinavischen Sprachen, für Französisch, Italienisch, Spanisch, Englisch, die slawischen Sprachen usw. jeweils so spezifisch anders, daß nur die einzelnen Philologien adäquate Kategorien dafür gewinnen können. Natürlich unter ständigen typologischen und historischen Vergleichen – aber das gute Gewissen der Stoff- und Kategorien-Übersicht aus *einer* einzelsprachlichen Philologie ist die einzig mögliche Basis dafür. Es gibt also auch jetzt und in Zukunft Germanistik, sei sie von innen, von der Muttersprache her, oder aus der Perspektive der Fremdsprache betrieben – und diese Vielfalt führt uns ja hier zusammen –: als nicht mehr naiv normative oder nationale, aber als operationale spezifische Philologie.

Am weitesten in die Zukunft weist uns ein drittes Gegenargument: Generalisierende Theorien sind für die Sprach- und die Literaturwissenschaften so kopflastig geworden, daß die einzelnen Philologien sich nicht nur an den, oft schon nach Monaten zu messenden, Fortschritten der anderen orientieren müssen, sondern daß die einzelnen Sprachen und Literaturen fast nur noch als zufällige Stoff- und Beispiel-Mengen für die Theorie fungieren. Das ist genau die gleiche Lage wie in den Naturwissenschaften. Aus den Philologien führe ich an – nur als Beispiele, ohne daß ich über ihre Relevanz sprechen möchte –: in der Linguistik die generative Grammatik im Sinne CHOMSKYs, in der Literaturwissenschaft die Theorien über mündliche Literatur im Sinne von PARRY und LORD, wozu man vielleicht doch auch McLUHAN nehmen müßte, oder den neualten Pariser Literatur-Strukturalismus. Das Beispiel der Naturwissenschaften zeigt, daß wir uns auch als Germanisten diesen Herausforderungen durch theoretische Generalisierungen uneingeschränkt stellen müssen. Wir haben dabei aber die unüberhörbare Pflicht und das unüberhörbare Recht, von der Philologie *einer* natürlichen Sprache her, der deutschen samt ihren nahen Verwandten, von ihrem Stoff und ihren Kategorien, ihrer Faktenherstellung und ihrer Methodenreflexion aus, solche theoretischen Generalisierungen nicht nur zu kontrollieren, sondern selbst voranzutreiben und zu bremsen, auch: sie vom Modischen zu erlösen und zum Methodischen zu befreien.

Schließlich zu meiner dritten These: Germanistik ist eine historische Wissenschaft, aber sie arbeitet an präsenten Objekten, nämlich Kontexten mündlicher und schriftlicher Sprache.

Die These könnte *uns hier* als trivialste erscheinen. Ein Einverständnis scheint am billigsten zu erreichen. Aber passen wir auf! Seit dem Anfang der naturwissenschaftlichen und der literarischen Moderne, beide nun auch schon bald 100 Jahre alt, hat sich das Verhältnis zur Geschichte in unserer Welt von Grund auf geändert. Auch das historische, überlieferte oder erschlossene Sprach- und Text-Material ist nicht mehr die kausale Beweisbasis für den jetzigen Zustand, wie seit der 'historischen Schule' der SAVIGNY – GRIMM – RANKE. Im Gegenteil: Kategorien des gegenwärtigen Zustands der Sprachen und Literaturen überwiegen auch in unserem Fach, wie ich zu zeigen versuchte, so sehr, daß es denkbar wird, die Vergangenheit könnte zur Beschäftigung nur noch für Antiquare werden. Haben wir überhaupt noch das Recht auf die Geschichte dieser Sprachen und Literaturen? Können wir noch von ihren Epochen sprechen? Oder sind sie auch aus diesem Grund höchstens noch Steinbrüche, Beispielsammlungen für aktuelle Sprachkritik und Literaturkritik – Kritik natürlich im weitesten Sinn gemeint?

Dagegen steht: das Material unserer Beobachtungen und Schlüsse sind nicht historische Geschehnisse, wie in den allgemeinen Geschichtswissenschaften. Über Nutzen und Nachteil dieser Historie für das Leben will ich hier nicht streiten. Unser Material sind immer Texte, Kontexte. Sie sind präsente, durch Schrift oder Aufnahmetechnik fixierte Objekte oder 'Denkmäler', sogar wo sie z. B. zur Erschließung mündlicher Vor- oder Zwischen- oder Endstufen von Sprachen und Literaturen dienen. Insofern bilden sie eine gleichartige Menge. Und gleicher Art sind auch die notwendigen Kategorien zu ihrer Analyse. Zu jedem Kontext müssen wir immanent hinzudenken nicht nur seine Struktur, sondern auch seine Sprach- und Literatursituation, seine 'Gattung' in diesem Sinn, sein Autor- und Publikumsbewußtsein und damit auch eine ganze Typologie sprachlicher und textueller Zusammenhänge in der eigenen und in anderen Kulturen. Das ist mit unserem Material, der Sprache, gegeben. Darum arbeiten wir, paradox zugespitzt, historisch auch dann, wenn wir Gegenwärtiges analysieren: immer ist es ein schon Fixiertes, das wir in seine Situation hinein rekonstruieren müssen. Daß in den letzten Jahren gerade die Künstler, Musiker und Literaten dieser Fixierung der von ihnen geschaffenen Objekte zu entrinnen versuchen, daß sie sie in Handlung und Praxis herüberzwingen wollen, ist in Wirklichkeit nur ein Symptom *mehr* für diese Doppelexistenz, diese doppelte Gegenwärtigkeit aller Kunst-, Musik- und Sprach-Produkte: für ihre Fixierung auf die Dauer einerseits *und* ihre Aufforderung zu immer neuer Reproduktion, Rekonstruktion ihrer Aktualität, ihrer Handlungsimpulse.

In dieser Lage wird es kaum mehr möglich sein, Sprachgeschichte oder Literaturgeschichte als mehr oder weniger kausale Kette von Geschehnissen zu schreiben oder Epochen als mehr oder weniger organische Zustände zu verstehen. Aber – und das ist im Augenblick zumindest interessanter – wir sollen und dürfen Gegenwart wie Vergangenheit unserer Sprachen und Literaturen beschreibend-erklärend rekonstruieren als Folge anthropologischer Situationen in ihren Sprach-Handlungs-Modellen.

Ich darf Ihre Geduld nicht mehr dafür in Anspruch nehmen, daß ich Wortungetüme wie anthropologische Situation oder Sprach-Handlungs-Modell näher erkläre. Sie sollen auch nur stimulieren. Stimulieren wozu? Zu einem gemeinsamen guten Gewissen, daß der Gegensatz zwischen antiquarischen Spezialisten und zukunftsbesessenen Aktivisten, der seit ein paar Jahren die Diskussionen vergiftete, gerade auch in unserem Fach, ganz vordergründig ist. Weil nämlich wir alle, bewußt und weniger bewußt, in unserer germanistischen Arbeit den banalen Vorbedingungen, die ich zu skizzieren versuchte, Rechnung tragen. Daß wir es mit etwas besserem Bewußtsein tun, auch mit etwas besserem Gewissen, dazu möchte ich uns alle aufrufen.

DEUTSCH IST EIN EMANZIPATORISCHES FACH, hat es jedenfalls zu werden! Kritische Mündigkeit, Sprachkompetenz nicht in gutem Stil, sondern in einer Welt von Werbe- und Trivialliteratur, von Gebrauchsanweisungen und Medien-Verführungen, auch von literarisch-artistischen Verfremdungen – das fordert unsere Welt von heute und von morgen. Wer sich da nicht hineinstellt, wird zur Karikatur von gestern und vorgestern, vor allem der alte Literaturunterricht in Schule und Universität.

Der war zwar, bei guten Lehrern und guter Literatur, schon früher auch emanzipatorisch. In Kritik, Verfremdung, auch Publikumsbeschimpfung haben gerade 'Klassiker' excelliert – vielleicht stimmt die Richtung heute nicht mehr, aber auch da kann man Passendes finden, wie Beispiele zeigen, das Unpassende wenigstens als Menetekel an die Wand malen. Ich warte sogar darauf, daß auch für Deutsch das 19. Jahrhundert wieder entdeckt wird: nicht nur Hegel und Marx und Freud, sondern auch das »schöne alte 19. Jahrhundert«. Wann werden die germanistischen Denkmalschützer und Bürgerinitiativen auftreten, die das eine oder andere Stück gute alte Germanistik retten vor den menschenfeindlichen Systemplanern von heute und morgen? Es wäre schade, denn dann würde die falsche Alternative zementiert. Nicht etwa, weil der theoretische Elan gebrochen werden könnte – wer fürchtet sich heute als sozialer, kultureller, politischer Systemplaner vor einem Denkmalschützer? Sondern, weil so die Diskussion dieses Elans zugedeckt würde.

Denn es gibt ja – schon lange genug, um die Ignoranz der gegenwärtigen Diskussionen darüber zum Symptom zu machen – eine neue Germanistik und gerade auch Altgermanistik. Alles was die Systemplaner aller Couleurs theoretisch fordern: neue Funktions- und Inhaltsdefinitionen für Sprache und Literatur, neue Sprach- und Text-Kompetenz – all das ist hier längst erarbeitet und in Arbeit: nicht mehr kanonische, sondern nach Tradition und Rezeption, nach Binnen- und Außenrealität der Sprach- und Literatursituationen in Quer- und Längsschnitten differenzierte Literaturbegriffe, funktionale und inhaltsbezogene Theorien und Praktiken des linguistischen und philologischen Instrumentariums, Diskussion über die spezifische Hypothesenbildung und ihre Kritik usw. Warum wird dieser progressive Stand gerade der Altgermanistik buchstäblich nicht zur Kenntnis genommen in der Öffentlichkeit aller Systemplaner, der Unterrichts-Funktionäre, der politischen Veränderer, der öffentlichen Kritiker und Berichterstatter? Ich kann eine Ursache nur vermuten. All die progressive Arbeit gerade der Altgermanistik geht ja vor sich als direkte, als intime Auseinandersetzung mit überlieferten Texten, mit spezifischen konkreten Sprach- und Überlieferungstypen, Literaturbegriffen, Traditions- und Rezeptions-Situationen, Kommunikationsverhaltensweisen, Sprach- und Wirkungsstrategien usw. Die Systemplaner aber arbeiten auf einer höheren Abstraktionsstufe, sie können sich der Lust und Qual moderner historischer Textanalysen nicht auch noch widmen. Und so nehmen sie, was sie an konkretem Material doch noch in ihre Konzeptionen füttern müssen, halt aus dem Materialwissen, an das sie sich erinnern: aus der Germanistik von gestern und vorgestern – ob naiv oder bewußt polemisch, bleibe dahingestellt.

Aber auch das ist nicht mein Thema hier. Ich möchte einen Kurzschluß in den Blick bringen, ins Bewußtsein heben, der noch verdeckter, geradezu verdrängt sich durch alle heutigen Systemplanungen zieht: offiziellste curricula-Planungen, ob angeblich von 'links' oder 'rechts', Didaktikplanungen, Prüfungsordnungen, Lehr- und Forschungsdiskussionen, Praxisnäheforderungen usw.

Sei das legitime Ziel aller eine neue Sprach- und Text- und Kommunikations-Kompetenz für die Welt von heute und von morgen. Und sei es legitim, daß sie nicht mehr als Wissenssumme, sondern nur an Modellen erarbeitet werden kann. (Mit diesen Konjunktiven spare ich nur einen Bereich von sich selbst verantwortender Forschung aus, auf den ich hier aber auch nicht eingehen will.) Dann wäre es doch die zweite, noch wichtigere Aufgabe, die an solchen Modellen erworbene Kompetenz übertragbar zu machen auf andere, auf neue Modelle, dieses Übertragen mit zu reflektieren, in die Theorie als Problem einzubringen, es einzuüben für die Praxis. Denn die Welt von heute ändert sich wie jeder weiß rapide, alle fünf Jahre zuletzt oder in noch kürzeren Schüben, und wie sich unsere Zukunftsplanung zur Zukunft verhalten wird, wissen auch die immer nur partiell Planenden nicht gerade sicher.

Der heute allmächtige Kurzschluß nun, auf den ich hinauswill, besteht darin, daß man zur Erwerbung und Einübung der – legitimen – neuen Kompetenz nur die Moderne für geeignet hält und die Moderne auch nicht mit ihrer nun auch schon hundertjährigen Geschichte, sondern möglichst nah: nach 1918, nach 1945. Verstehen kann man das schon. Der Schüler, der Student bringt ja seine Gegenwart mit, daran können dann die Fremd- und Selbstreflexionen über seine Motivation ansetzen und daran die didaktischen Strategien, die sich gern als Psychotherapie des Lernprozesses verstehen möchten – beliebig verwertbar. Es gibt da allerdings Schwierigkeiten. Ob und wieweit die artistische literarische Moderne, die über all ihren Konkretisierungs-Experimenten doch elitär bleibt und immer elitärer wird, in dem mitgebrachten Sprach- und Text-Konsumverhalten schon aufgenommen ist, bliebe statistisch zu untersuchen, ebenso was und wieviel an älterer und alter Literatur seit der Kinderlektüre. Was aber mitgebracht wird, ist durch Sprach- und Literatur-Barrieren geschichtet, über die auch noch keine klaren Vorstellungen bestehen. Und was von Schule oder Universität mitgenommen wird in die spätere Gebrauchspraxis und in den Freizeitkonsum, wird wieder so geschichtet sein. Der mündige Bürger, der marxsche volle Mensch, der marcusesche musische Freie sind Utopien (was keineswegs ihre revolutionäre Durchsetzung hindert – fragt sich nur auf wessen Kosten). Bedenklicher noch: die Kompetenz, die jetzt an gegenwärtigen Modellen erworben wird, müßte zur Übertragbarkeit auf zukünftige Modelle geeignet und eingeübt sein. Da sieht man sicherlich Trends, aber wer erreicht die nötige Kenntnis und Abstraktionshöhe, wer weiß, ob in einiger Zeit auch nur eine der Kategorien von jetzt noch diskutabel ist – wie ihr immer rascherer Verbrauch eben jetzt zeigt? Wo bleibt dann die erworbene Kompetenz? Nur radikal entschlossene Deterministen können sich des getrösten.

Mich wundert, daß in all diesen Kompetenzplanungen nicht *einmal* das Prinzip der Verfremdung auftaucht, das doch sonst so gern B. Brecht aus dem Mund genommen wird. Er hat es verstanden als Aufforderung zu emanzipatorischer Selbstreflexion und Praxisveränderung. Und er hat es mit Vorliebe in seinen Stücken demonstriert an – historischen Stoffen! Das ist mein Stichwort auch für die Altgermanistik. Ich will nicht nochmals darauf eingehen, was man an Sprachen und Literaturen des Mittelalters, und gerade an den eigenen, lernen könnte für moderne und modernste Kategorien: Beziehungen zwischen schon durch die Sprache (Latein und Volkssprachen) getrennten Kulturen und Subkulturen, Sozialbindungen der Stoffe und Formen jeder Art, Schattierungen der Sprach- und Literaturbegriffe und -funktionen von der reinen Lebenssteigerung oder Ersatzhandlung in die Vital- und Sexualsphäre hinein, über Lebenshilfe, Lebensorientierung bis zur immer neuen und anderen sozialen und personalen Gesellschaftskritik usw. Ich will nur darauf hinweisen, daß hier an Modellen auch die Übertragbarkeit von Modell-Kompetenzen explizit zum methodischen Problem werden muß, explizit geübt und eingeübt werden kann und muß.

Warum redet heute niemand von dem eminenten pädagogischen und didaktischen Stimulans der historischen Verfremdung? (Sogar die exotische wäre wahrscheinlich noch leichter in curricula und Prüfungsordnungen hineinzubringen.) Warum wird nicht gerade die Qual mit zunächst sperrigem Material – Sprache, Fakten, Umwelt – benutzt, um den Erwerb der so dringlich geforderten heutigen Kompetenz dadurch methodisch durchsichtiger zu machen, theoretisch reflektierter (weil die Überlieferungslage dazu zwingt), freier von all den absichtlichen und unabsichtlichen Selbstidentifikationen mit der nie so abstrahierbaren Gegenwart, kurz: modellgemäßer? Die Funktionäre würden sofort sagen, dazu fehle Zeit und Interesse. Ich kenne Gegenbeispiele gegen beides an Schule und Universität – wenn nur die längst vorhandene neue Altgermanistik zur Kenntnis genommen wird. Öffentlichkeit und politisches Engagement stoßen sich am Nationalismus der alten Germanistik. Er ist dahin, vergangen wie ein Rauch; aber wie viele 'positivistische' Ergebnisse dieser alten Altgermanistik schmuggelt man, undankbar, in die modernsten Literaturgeschichten und Systemplanungen hinein! Noch ein Grund: in ihre Abstraktionshöhe paßt – s. o. – die Mühe progressiver differenzierter Textanalyse nicht hinein. Als progressiver Altgermanist gilt ja eher, wer deterministische Sozial- und Wirtschaftstheorien aus dem 19. Jahrhundert an mittelhochdeutschen Texten in Übersetzung beweisen kann.

Soviel zur Altgermanistik. Ich nehme für sie nicht in Anspruch die elitäre Isolierung als Fach »wie die Sinologie«. Auch nicht sentimentale Klagen: über

Verlust des Geschichtsbewußtseins, Verlust so unersetzlicher Kulturgüter, Verlust des Lern- und Leistungswillens. Ich nehme für sie in Anspruch, daß auch und gerade Modelle aus einer richtig verstandenen Altgermanistik nötig sind für Erwerb, Übertragbarkeit und Praxis der Gegenwarts-Kompetenz in einem neuen, einem progressiven Fach Deutsch an Schulen und Hochschulen.

ANMERKUNGEN

Die hêre frouwe

(S. 3–11)

[1] Manuskript einer Sendung des Bayerischen Rundfunks. [s. Nachweise.]
[2] ARTHUR T. HATTO, EOS. An Enquiry into the Theme of Lovers' Meetings and Partings at Dawn in Poetry, 1965.

Tristan, Nibelungenlied, Artusstruktur

(S. 12–35)

[1] Vgl. zum ganzen Komplex: MICHAEL CURSCHMANN, Spielmannsepik. Wege und Ergebnisse der Forschung von 1907–1965, Referate aus der DVjs., 1968; grundlegend ders., Der Münchener Oswald und die deutsche spielmännische Epik, 1964 (MTU 6).
[2] Dazu mein Versuch in: Text und Theorie, 1969, S. 206–215.
[3] Für Dietrich von Bern bereite ich diese Untersuchung vor; vgl. einstweilen in: Text und Theorie, 1969, S. 113 ff. und S. 126 ff.
[4] FRIEDMAR GEISSLER, Brautwerbung in der Weltliteratur, 1955, S. 54, S. 94.
[5] HANS-FRIEDRICH ROSENFELD, Handschuh und Schleier. Zur Geschichte eines literarischen Symbols, 1957 (Societas Scientiarum Fennica, Commentationes Humanarum Litterarum, Bd. 23, 2).
[6] Dazu zuletzt: HUGO KUHN, Über nordische und deutsche Szenenregie in der Nibelungendichtung, in: Dichtung und Welt im Mittelalter, ²1969, S. 196–219, hier S. 209.
[7] JAMES CARNEY, Studies in Irish Literature and History, Dublin Institute for Advanced Studies, 1955, S. 189–240, mit der Additional Note S. 240–242, die eine 'ganze' nicht-irische Tristanfabel als Anregung für irische Parallelen bekräftigt.
[8] Vgl. dazu HANS FROMM, Doppelweg, in: Werk-Typ-Situation, hrsg. v. INGEBORG GLIER, GERHARD HAHN, WALTER HAUG, BURGHART WACHINGER, 1969, S. 64–79.
[9] Siehe jetzt: KURT RUH, Höfische Epik des deutschen Mittelalters 1, 1967 (Grundlagen der Germanistik Bd. 7), S. 97 ff., 112 ff. [²1977, S. 101 ff., 115 ff.].
[10] Vorerst: Staatsexamensarbeit München 1972.
[11] Vgl. FELIX SCHLÖSSER, Andreas Capellanus. Seine Minnelehre und das christliche Weltbild um 1200, 1960, S. 121 ff.
[12] ECKART LOERZER, Eheschließung und Werbung in der 'Kudrun', 1971 (MTU 37).
[13] CURSCHMANN, Der Münchener Oswald (Anm. 1), S. 157 ff.
[14] So schließlich auch SCHLÖSSER (s. Anm. 11), S. 261 ff.
[15] Vgl. zuletzt in meinem Zusammenhang: KARL BERTAU, Deutsche Literatur im europäischen Mittelalter, Bd. 1, 1972, S. 265 ff., 292 ff.; HANS FROMM, Gottfried von Straßburg und Abaelard, in: Festschrift für Ingeborg Schröbler, hrsg. v. DIETRICH SCHMIDTKE u. HELGA SCHÜPPERT, 1973, S. 196–216.

[16] Wie zuletzt wieder BERTAU.

[17] Wie FROMM.

[18] Vgl. HERBERT GRUNDMANN, Religiöse Bewegungen im Mittelalter, [2]1961.

[19] 16*, Carmina Burana, Bd. I, 3, hrsg. v. OTTO SCHUMANN † u. BERNHARD BISCHOFF, 1970, S. 151 ff.

[20] Vgl. HERMANN SCHNEIDER, zusammenfassend Germanische Heldensage, Bd. 1, [2]1962, S. 222 f.

[21] Auf das problematische Verhältnis der französischen Fassungen gerade in diesen Partien – worauf mich in einem gemeinsamen Seminar ALFRED NOYER-WEIDNER aufmerksam machte – kann ich hier nicht eingehen.

[22] Z. B. bei ERICH KÖHLER.

[23] Siehe S. 12.

[24] Eine mustergültige Diskussion dieser Abgrenzung bietet PETER KOBBE, Mythos und Modernität. Eine poetologische Studie zum Werk Hans Henny Jahnns, 1973 (Studien zur Poetik und Geschichte der Literatur 23), insbesondere das Kapitel 1: »Argumente für einen literaturwissenschaftlichen Mythenbegriff«, mit umfassender kritischer Literatur-Revue.

[25] Nur in diesem Sinn möchte ich auch die 'augustinische' Analogie verstanden wissen, die ich seinerzeit für den Erec Chrétiens wie Hartmanns in Anspruch nahm: Dichtung und Welt im Mittelalter, [2]1969, S. 133–150.

[26] Mit Erlaubnis der Accademia Nazionale dei Lincei in Rom und der philosophisch-historischen Klasse der Bayerischen Akademie der Wissenschaften erschien parallel zu dieser (veränderten und um den Anmerkungsteil 6.1–6.8 erweiterten) Fassung in der Veröffentlichung des Colloquio italo-germanico sul tema I Nibelunghi der Accademia dei Lincei die dort im Mai 1973 vorgetragene Fassung der Teile 1.–5. dieses Versuchs.

Bemerkungen zur Rezeption des Tristan im deutschen Mittelalter

(S. 36–43)

[1] Dieser Versuch wurde zuerst bei der Tagung des deutschen Romanistenverbands am 10. Oktober 1975 in Mannheim vorgelegt. – Zur Rezeptionsdiskussion verweise ich hier nur auf die Einleitung von RAINER WARNING (Hrsg.), in: Rezeptionsästhetik, 1975 (UTB 303), S. 9–41.

[2] Eilhart von Oberg, Tristrant. Synoptischer Druck der ergänzten Fragmente mit der gesamten Parallelüberlieferung, hrsg. v. HADUMOD BUSSMANN, 1969 (ATB 70). – Gottfried von Straßburg, Tristan und Isold, Text, hrsg. v. FRIEDRICH RANKE, 1930; dass., hrsg. v. KARL MAROLD, 3. Abdruck mit einem durch FRIEDRICH RANKES Kollationen erweiterten und verbesserten Apparat besorgt und mit einem Nachwort versehen v. WERNER SCHRÖDER, 1969. – Tristrant und Isalde, Prosaroman, hrsg. v. ALOIS BRANDSTETTER, 1966 (ATB Erg.r. 3).

[3] Tristan und Isolde in mittelalterlichen Bildzeugnissen, S. 119–139, und: Katalog der Tristan-Bildzeugnisse, zusammengestellt von NORBERT H. OTT, S. 140–171, in: HELLA FRÜHMORGEN-VOSS, Text und Illustration im Mittelalter. Aufsätze zu den Wechselbeziehungen zwischen Literatur und bildender Kunst, hrsg. u. eingeleitet v. NORBERT H. OTT, 1975 (MTU 50).

[4] HUGO KUHN, Frühmittelhochdeutsche Literatur, in: MERKER-STAMMLERS RL 1, [2]1958, S. 500 f., wieder abgedruckt in: HUGO KUHN, Text und Theorie, 1969, S. 141–157, hier S. 147 f.

[5] FRIEDRICH RANKE, Die Überlieferung von Gottfrieds Tristan, ZfdA 55 (1917); Nachdruck 1974. Vgl. GESA BONATH, Untersuchungen zur Überlieferung des Parzival Wolframs von Eschenbach, 2 Bde., 1970–71 (German. Stud. 238/239).

[6] HUGO KUHN, Minnesangs Wende, [2]1967 (Hermaea N.F. 1), S. 159–196, wieder

abgedruckt in: Entwürfe zu einer Literatursystematik des Spätmittelalters, 1980, S. 19–56.

[7] HANS-FRIEDRICH ROSENFELD, »Herzog Ernst« und die deutsche Kaiserkrone. Vortrag in der Monatsversammlung der Societas Scientiarum Fennica am 17. Oktober 1960, 1961–1963 (Societas Scientiarum Fennica Årsbok-Vuosikirja XXXIX B N:0 9). Jetzt in: Ausgewählte Schriften zur deutschen Literaturgeschichte, germanischen Sprach- und Kulturgeschichte und zur deutschen Wort-, Mundart- und Volkskunde. Festschrift zum 75. Geburtstag von Hans-Friedrich Rosenfeld, 5. Dezember 1974, 1974 (GAG 124/125), S. 47–63.

[8] HUGO KUHN, Tristan, Nibelungenlied, Artusstruktur, 1973 (SB Bayer. Ak. d. Wiss., phil.-hist. Klasse, Jg. 1973, Heft 5), in diesem Band S. 12–35; WOLFGANG MOHR, Tristan und Isolde, GRM (NF) 26 (1976), S. 54–83.

[9] Nachtrag: Zur Gottfried-Rezeption in Texten des 13. Jahrhunderts: BURGHART WACHINGER, Zur Rezeption Gottfrieds von Straßburg im 13. Jahrhundert, in: Deutsche Literatur des späten Mittelalters. Hamburger Colloquium 1973, hrsg. v. WOLFGANG HARMS u. L. PETER JOHNSON, 1975, S. 56–82.

Wolframs Frauenlob

(S. 44–51)

[1] Siehe den gründlichen Bericht von JOACHIM BUMKE, Die Wolfram-von-Eschenbach-Forschung seit 1945, 1970, Register s. v. »Selbstverteidigung«; MICHAEL CURSCHMANN, Das Abenteuer des Erzählens, DVjs. 45 (1971), S. 627–667, hier S. 648–662; EBERHARD NELLMANN, Wolframs Erzähltechnik, 1973, Register s. v. »Selbstverteidigung«.

[2] Wie es WOLFGANG MOHR für Walther erwog: Die *frowe* Walthers von der Vogelweide, ZfdPh. 86 (1967), S. 1–10.

[3] So KARL KURT KLEIN, bei BUMKE (s. Anm. 1) zusammengefaßt S. 82 f. mit Anm. 199 und S. 288 f.

[4] Ich deute hier Ergebnisse an, die ich zu Walther 111, 22 ausführlich diskutiere in einem Walther-Kommentar, der die Neubearbeitung der LACHMANN-VON-KRAUS-Edition in der 14. Auflage begleiten soll. [Erscheint demnächst aus dem Nachlaß HUGO KUHNs, erarbeitet v. CHRISTOPH CORMEAU.]

[5] BUMKE (s. Anm. 1), S. 76–88.

[6] Vgl. dazu die raffinierte Pointe des Badezubers im Heinrich von Kempten Konrads von Würzburg: dem vor Heinrich schutzlosen Kaiser Otto des ersten Teils entspricht im zweiten Teil der gegenüber dem Kaiser schließlich im Bad als 'Un-Person' schutzlose Heinrich: als Retter des Kaisers.

[7] BUMKE (s. Anm. 1), S. 72 ff.; FRITZ PETER KNAPP, Der Lautstand der Eigennamen im »Willehalm« und das Problem von Wolframs Schriftlosigkeit, in: Wolfram-Studien II, hrsg. v. WERNER SCHRÖDER, 1974, S. 193–218.

[8] So vor allem BLANKA HORACEK, in: Festschrift Dietrich Kralik, 1954, S. 129–145; BUMKE (s. Anm. 1), S. 73 f.

[9] *Swaz an den buochen stêt geschriben:/ des bin ich künstelôs beliben./ niht anders ich gelêret bin:/ wan hân ich kunst, die gît mir sin.* (Wh. 2,19–25).

[10] FRIEDRICH OHLY, ZfdA 91 (1961–62), S. 1–37; HANS EGGERS, in: Festschrift Ulrich Pretzel, 1963, S. 162–172; beide wieder abgedruckt in: HEINZ RUPP (Hrsg.), Wolfram von Eschenbach, 1966 (Wege der Forschung 57), S. 455–518 und S. 533–548; EGGERS zu OHLY dort S. 533; BUMKE (s. Anm. 1), S. 326 ff. und S. 74 f.

[11] Bei Luther und in der Forschung Ps. 71, 15/16. *litteraturam* der Vulgata ist Mißverständnis für *litteram*. ARTUR WEISER übersetzt aus dem Urtext: »(Mein Mund soll deine Gerechtigkeit künden, deine Heilserweisung den ganzen Tag,) denn ich kenne ja nicht

ihre Z a h l. (15) Ich komme mit den Machttaten des Herrn [ins Gotteshaus], (will deiner Gerechtigkeit einzig gedenken.) (16)«: Die Psalmen, Das Alte Testament Deutsch. Neues Göttinger Bibelwerk, Tlbd. 14/15, 1959, S. 338 und 340.

[12] HERBERT GRUNDMANN, Arch. f. Kulturgesch. 49 (1967), S. 391–405; BUMKE (s. Anm. 1), S. 75 f.

[13] Vgl. zuletzt DIETZ-RÜDIGER MOSER, Kritik der oralen Tradition, Studia Fennica 20 (1976), S. 209–221.

[14] Vgl. BUMKE (s. Anm. 1), S. 198–250.

[15] Vgl. Hist. Wörterb. d. Philos., hrsg. v. JOACHIM RITTER, Bd. 1, 1971, Sp. 957–959 (HERIBERT M. NOBIS).

[16] Siehe HEDDA RAGOTZKY, Studien zur Wolfram-Rezeption, 1971 (Studien zur Poetik und Geschichte der Literatur 20).

[17] Vgl. HUGO KUHN, Determinanten der Minne, LiLi 7 (1977), Heft 26, S. 83–94; in diesem Band S. 52–59.

[18] Zum Begriff vgl. HUGO KUHN, Tristan, Nibelungenlied, Artusstruktur, 1973 (SB Bayer. Ak. d. Wiss., phil.-hist. Klasse, Jg. 1973, Heft 5), S. 31 ff.; in diesem Band S. 30 f.

Determinanten der Minne

(S. 52–59)

[1] Dr. DIETER PFAU und den Teilnehmern eines gemeinsamen Seminars im WS 76/77 über Probleme der Kooperation von Literatur- und Sozialwissenschaften habe ich für sehr anregende Diskussionen zu danken.

[2] Phänomenologie des Geistes, 1807, S. 121 ff.

[3] Auf die hermeneutische Problematik literaturwissenschaftlicher Beobachtungen gehe ich hier nicht ein. Nur soviel: gemeint ist eine 'Lesepraxis', die selbstverständlich insofern nicht »textimmanent« sein kann, als sie im Idealfall sowohl die gesamten Textüberlieferungen wie die Implikationen sämtlicher vorhandener Literaturtheorien – womöglich auch einer neuen – mit einbeziehen muß. – Daß ich das Folgende hier und einstweilen nur in der Form von Thesen anbieten kann, ohne die literaturhistorischen und sozialhistorischen Materialien auszubreiten, die zur Verfügung stehen, und ohne die historischen Differenzierungen, die überall nötig sind, bedaure ich selbst am meisten.

[4] Auf die Problematik historischer oder soziologischer Stichworte für literarische Gattungen oder Epochen und auf die Epochen-Problematik überhaupt braucht hier nicht eingegangen zu werden.

[5] Auch im Spruchsang nehmen allerdings Minne- und Hof-Didaxe breiten Raum ein. Zum 'Staatsroman' s. HUGO KUHN, Tristan, Nibelungenlied, Artusstruktur, 1973 (SB Bayer. Ak. d. Wiss., phil.-hist. Klasse, Jg. 1973, Heft 5), S. 31 ff.; in diesem Band S. 30 f.

[6] Siehe dazu SCHRÖDER-KÜNSSBERG, Lehrbuch der deutschen Rechtsgeschichte, [6]1919, S. 493, Anm. 106; KARL SCHMIDT, Jus primae noctis. Eine geschichtliche Untersuchung, 1881 (nur Materialien).

[7] Siehe HUGO KUHN, Bemerkungen zur Rezeption des Tristan im Mittelalter, in: Wissen aus Erfahrungen. Festschrift für Herman Meyer, 1976, S. 53–63; in diesem Band S. 36–43.

[8] Sowohl die naturalistischen Abbildungs- und die marxistisch-dialektischen Widerspiegelungstheorien wie die sozialpsychologischen Identifikationstheorien verstehen sich heute natürlich nicht mehr naiv, sondern werden literaturtheoretisch differenziert abgesichert. Wo immer aber »Standesdichtung« als Leitbegriff im Hintergrund steht, ist entweder ein Abbildungsverhältnis oder ein Identifizierungsverhältnis im Spiel.

⁹ Siehe zuletzt JOACHIM BUMKE, Ministerialität und Ritterdichtung, 1976.

¹⁰ Das dritte Sozialsystem im Mittelalter: Bürger, Stadt, Markt, Warenverkehr, Geld-
wirtschaft, wird gegenwärtig mehr aus Systemzwang in die Analyse »höfischer«
Literatur eingeschleust. PAUL-GERHARD VÖLKERS Sammlung von Marx-Zitaten zum
Thema Feudalismus zeigt zum mindesten das eine deutlich, daß Behauptungen einer
deterministischen Ablösung des Feudalismus durch das Bürgertum sich nicht auf Marx
berufen können: PAUL-GERHARD VÖLKER, Feudalismus als Problem materialistischer
Geschichtsbetrachtung, in: Literatur im Feudalismus, hrsg. v. DIETER RICHTER, 1975
(Literaturwissenschaft und Sozialwissenschaften 5), S. 297–339. Wenn hier andrerseits
auf Momente der »Naturwüchsigkeit« im Feudalismus verwiesen wird, so würde das
nicht nur eine Auseinandersetzung mit Marx' Ethnologie, und der heutigen Literatur
darüber, erfordern, auf die ich hier nicht eingehen kann, sondern ganz allgemein den
Ansatz einer »Ethnologie« des Mittelalters, besonders ihres mythischen Äquivalents,
für die noch wenig getan ist. – Auf jeden Fall können pseudo-geistesgeschichtlich-
soziologische Berufungen auf eine »bürgerliche« Wandlung der mittelalterlichen Literaturszene, die in vielen Variationen im Schwange sind, nichts zu den Texten und
nichts zu ihrer Situation beitragen, weil sie überall schon an den Fakten der Überlieferung scheitern.
    Auch auf die Rolle des Sozialsystems der Kirchen, Schulen, Universitäten, Gelehrten
vom Mittelalter bis ins 18. Jahrhundert kann ich hier nicht eingehen.

¹¹ Ins Interaktionsmodell von Herrschaft und Dienstbarkeit gehört sowohl der materielle
Aspekt der Privilegien: Machtausübung und wirtschaftliche Sicherung (z. B. auch
durch das Jagd- und Fischerei-Privileg), als auch ihr 'symbolischer' Aspekt: Status-
Sicherung durch Repräsentation, die ja im Mittelalter noch geradezu kultisch sanktioniert ist von der »Geblütsheiligkeit« bis in die vielerart liturgischen Weihen. Hier
kommt es darauf an, daß Herrschaft zwar eine gewisse Beherrschung und Benutzung
all der privilegierten und repräsentativen »Künste« voraussetzt, daß aber nicht umgekehrt die Beherrschung und Benutzung dieser »Künste« Herrschaft beeinflußt oder gar
verändert. Von seiten der Herrschaft gehört eher eine souveräne Verachtung für
»knechtische« Kunstfertigkeiten ins normale »Bewußtsein«, wobei Ausnahmen wie
z. B. das viel bemühte Falkenbuch Friedrichs II. differenzierter als bisher ins Gesamtbild
einzuordnen wären. Von seiten der »Künste« und der Künstler liegt eine Verachtung
der »artistischen« Inkompetenz der Herrschenden immer nahe, wie sie z. B. gerade
bezüglich der »Liebeskunst« französische Troubadours weit schärfer als deutsche
Minnesänger aussprechen: Marcabru, Cercamon, Raimbaut d'Orange, sogar Wilhelm
IX. (Lied III) greifen die »reichen Herren« und die »falschen Meister« in diesem
Zusammenhang an. (Den Hinweis verdanke ich Antonín Hrubý.) Beeinflussung oder
Veränderung des »Bewußtseins« in den »Künsten« oder durch die »Künste« – ein
Faktum sehr komplexer soziologischer Struktur – wird historisch (bedingt und bedin-
gend) vermittelt weit eher durch Umspringen der Thematik in andere Gebrauchsberei-
che (Institutionen, Gebrauchsfunktionen), im Mittelalter, bis hin zur Reformation,
z. B. den allgegenwärtigen religiösen Bereich, als in ihrem eigenen Gebrauchsbereich.

¹² Siehe MARTIN WIERSCHIN, Meister Johann Liechtenauers Kunst des Fechtens, 1965
(MTU 13).

¹³ Siehe zuletzt: JÜRGEN FREIHERR VON KRUEDENER, Die Rolle des Hofes im absoluten
Fürstenstaat am Beispiel des bayerischen Hofes zur Zeit des Kurfürsten Max Emanuel,
in: HUBERT GLASER (Hrsg.), Kurfürst Max Emanuel, Bd. 1, 1976, S. 113–124 (mit
Literatur).

¹⁴ Das Verhältnis von aristokratischer und kunstmeisterlicher Kompetenz nuanciert sich
hier noch einmal anders als in den »praktischen« Herrschafts- oder Status-Künsten.
Nicht nur, weil für das Mittelalter die Dunkelzone der Interferenzen zwischen Kunst,
Musik, Literatur der Klerikalkultur, mitsamt ihren schriftlichen Traditionen, und der
Laienkulturen noch breiter ist als z. B. in der Veterinärkunde. Sondern die Kunstob-

jekte haben ja von vornherein eine andere, überdauernde Gestalt-Autonomie, die auch in ihrer aristokratischen Gebrauchsfunktion sich als 'Qualität' verselbständigt und die Produzenten tiefer in 'Kunstberufe' hineinbindet: fast ausschließlich in Kunst und Architektur (dazu zuletzt: Romanischer Baubetrieb in zeitgenössischen Darstellungen, hrsg. v. G. BINDING, 2. Veröff. d. Abt. Architektur d. kunsthist. Inst. d. Univ. Köln, 1972, mit Literatur), dezidiert auch in der Literatur, soweit sie auf Schriftlichkeit angewiesen ist, am wenigsten in Musik-, Tanz- und Liedkunst, die am längsten dem aristokratischen Gebrauch ausgeliefert bleiben.

[15] Die zahllosen Belege, nicht nur aus historischer Überlieferung – zur politischen Institution des »Festes« z. B. gehört die Teilnahme der 'Asozialen' sowohl zur Heilssicherung durch Almosen als auch zur Status-'Repräsentation' durch zirzensische Unterhaltung: *êre umbe guot!* –, sondern auch aus der Ikonographie, aus der Musik und der lateinischen wie volkssprachlichen Literatur, sind weit verstreut und müßten erst durch einen Forschungsbericht erschlossen werden. Hier ist auch der Ansatz zur Lösung des stagnierenden Spielmann-Problems.

[16] Dazu ausführlich in diesem Band: Die Voraussetzungen für die Entstehung der Manesseschen Handschrift und ihre überlieferungsgeschichtliche Bedeutung, S. 80–105. Eine kürzere Fassung in: Codex Manesse. Die Große Heidelberger Liederhandschrift. [1] Faksimileausgabe, 1974–1979, [2] Kommentar, hrsg. v. WALTER KOSCHORRECK† u. WILFRIED WERNER, mit Beiträgen v. EWALD JAMMERS, WALTER KOSCHORRECK, HUGO KUHN, EWALD M. VETTER, MAX WEHRLI u. WILFRIED WERNER, 1980.

[17] Parz. 115, 30. HEDDA RAGOTZKY, Studien zur Wolfram-Rezeption, 1971 (Studien zur Poetik und Geschichte der Literatur 20); HUGO KUHN, Wolframs Frauenlob, ZfdA 106 (1977), S. 200–210, in diesem Band S. 44–51.

[18] HUGO KUHN, Zur Typologie mündlicher Sprachdenkmäler, in: Text und Theorie, 1969, S. 10–27, hier S. 24 f.; s. jetzt auch RAINER WARNING, Rezeptionsästhetik, 1975 (UTB 303), S. 37 f.

[19] Dieser Aspekt wäre z. B. dem von mir nur stilgeschichtlich beschriebenen »Formalismus« bei Neifen hinzuzufügen: HUGO KUHN, Minnesangs Wende, ²1967 (Hermaea N.F. 1).

[20] Das meint folgendes. Das absolute Kunstobjekt setzt seinen fiktionalen 'Kunst'-Status als Realität: die 'geniale' Subjektivität der Phantasie, die 'Kunst'-Bildungserwartung des Publikums, Museum, Konzertsaal, Theater, Buch als »moralische Anstalt«, als Bildungsinstitutionen, den Warencharakter der Kunstobjekte im Kunstmarkt usw. Dafür muß es seinen nichtfiktiven Gebrauchswert, seine Gebrauchsfunktion, ständig neu reflektieren, herstellen und durchsetzen. Das trieb die Entwicklung der Künste durch Aufklärung, Idealismus, Romantik, Realismus voran, und nach dem Ende der Bildungsbesitz-Ära verursachte es all die Revolutionen der »Moderne« bis heute (das Hauptthema des als 'Zeitgenossen' zu Unrecht vergessenen JULIUS MEIER-GRAEFE) – bis jetzt zuletzt die Künste nicht etwa eine 'progressive' Gebrauchssituation sich erzwungen haben, wie sie meinen, sondern umgekehrt jedes Gebrauchs- und sogar Natur-Element, sowie sie es berühren, in Kunst-Objekte verwandeln: in Galerie- und Museums-Objekte, in Literatur. Struktur des 'absoluten' Kunstobjekts bleibt seine Appell-Funktion! Für das Gebrauchskunst-Objekt ist umgekehrt die Gebrauchsfunktion real vorgegeben. Dafür muß es seine Form als Fiktionalität erst 'inszenieren', d. h. geradezu durchsetzen gegen seinen Verbrauch im Gebrauch. Das beste Beispiel ist hier das Fastnachtspiel. Seine Gebrauchsfunktion ist unmittelbar identisch mit seiner Gebrauchs-Umwelt: Fastnacht als »verkehrte Welt«, mit Lizenzen jeder Art, Umzügen, Masken usw. Was jedes Nürnberger Spiel mit den ersten Worten des Präcursors durchsetzen muß, ist die Form, die Fiktionalität als 'Kunst'-Realität: Erlaubnis des Wirts, Ruhe zum Zuhören, die ausgegrenzte Bühne zum 'Spielen', die Besetzung der Fastnachtsrollen mit Spiel-»Charakteren« usw. Es muß, im Umfeld der realen Fast-

nachts-Fiktion, die Möglichkeit der jetzt und hier unmöglichen 'Kunst'-Fiktion erst ermöglichen: nämlich des 'Spiel'-Raums, und die Ermöglichung des Unmöglichen ist dann auch seine Struktur: Gerichtsverhandlungen über juristisch 'Unmögliches', Arztbehandlungen für medizinisch 'Unmögliches', 'unmögliche' Überbietung der biologischen Pudenda usw. Als 'Sinn' bleibt ihm – vor Hans Sachs! – zunächst nur die Irritation der Fastnacht durch diese nur als 'unmögliche' mögliche Fiktionalität, also eine noch nicht aussagbare, sondern nur vollziehbare Deutungsdimension jenseits der sonst undurchdringlichen 'närrischen' Faktizität.

Ich diskutiere hier, wie man sieht, nicht eine systematische Unterscheidung von Gebrauchskunst und reiner Kunst, z. B. auch Volkskunst gegen hohe Kunst, Kunst gegen Kitsch, Trivialität usw., die – unter den Kautelen der o. a. Komplementarität – auch möglich ist, sondern eine historische Unterscheidung: Höfische (und kirchliche) Kunst ist von der Funktion her Gebrauchskunst bis zur Scheidelinie der Aufklärung; erst sie entzieht der Kunst politisch-sozial-kulturell mehr und mehr diese Dominanz des Gebrauchs und erzwingt die Dominanz der Gestalt, der 'Qualität': als 'freier' Setzung auch ihrer Gebrauchs-'Werte' und -'Bedeutungen'.

[21] Für die Auffassung des Heros ergeben sich wichtige Unterschiede aus der Darstellung der Breite und der Art seiner Kompetenz in den privilegierten Künsten. Bei Chrétien, Hartmann und auch Wolfram hat strukturelle Bedeutung fast nur die Waffen-Kompetenz: das Turnier nur als Indiz der Stufe, der oft blutige, auch unritterliche Zweikampf in der *âventiure*. Bezeichnend, daß Kalogreants 'technische' *âventiure*-Definition (Iwein 525 ff.) sich als die falsche erweist, noch bezeichnender der Zweikampf mit dem gleichrangigen, aber die falsche Seite vertretenden Spiegelbild als Schlußpunkt. Der soziale Aufsteiger Ruodlieb steigt auch durch die »Künste«, angefangen von seiner Fisch-»Kunst«, auf zur Märchen-Weisheit. Und Tristan wird durch seine allumfassende Kompetenz als 'Künstler' bereit fürs Erleiden der 'tragischen' Kompetenz der legitim-illegitimen Minne. – Für die Kompetenz der Dame ist Schönheit die Standard-Ausstattung, aber auch sie nach Umständen vielfach nuanciert bis zur 'Verteidigung' Wolframs für seine 'unschmeichlerische' Frauen-Galerie Parz. 112,9–116,14.

[22] Die Anziehungskraft des 'Knappen' von Riuwental auf Dorfmädchen in den Sommerliedern, die Konflikte mit den Dörpern um Dorfmädchen in den Winterliedern – nicht erzählt, sondern in seriellen Detail-Realismen szenisch inszeniert – spielen durchweg nur in der Szenerie des Tanzes, des freizeitlichen Festes, aristokratische und dörfliche Sozialstrukturen werden nur in diesem Zusammenhang benannt. Ausgespielt wird ausdrücklich die Inkompetenz der Dorfmädchen und -burschen für aristokratischen Privilegien-Luxus und aristokratische Liebes-Kunst. Struktur-Zentrum ist die Ich-Figur »von Riuwental«: sie vereinigt aristokratische Privilegien-Kompetenz, gerade auch in den Minne-Strophen, und Komplizenschaft mit dem nicht-»artistischen« jahreszeitlichen und sexuellen Brauchtum der Dörfler – völlig unvermittelt, ohne jeden Übergang. Hier bleibt nicht die geringste Andeutung offen für eine Vermittlung dieser Rolle als Ironie oder Parodie der aristokratischen hohen Liebeskunst, oder als Stellungnahme zu sozialen Prozessen zwischen Aristokratie, niederer Ritterschaft und Bauern, wie jetzt häufig behauptet wird. Auch Neidharts Bauern-Rollen stehen eben nicht im Interaktionsmodell der Herrschaft, sondern in dem der »artistischen« Privilegien-Kompetenz. Sie lassen sich damit eher zurückbeziehen auf die schon alte, auch christliche Tradition, die den Bauern und die Bauernarbeit als Indiz für den »natürlichen«, sozusagen biologischen Lebens- und Jahresablauf darstellt, z. B. in den Monatsbildern von Kalendarien noch bis in die hochhöfischen burgundischen Stundenbücher hinein.

Diese Bauernrolle wird seit je durchaus ambivalent bewertet: positiv, wie schon in Vergils Georgica oder in der Anakreontik, oder negativ, als »Narrenrolle« wie in den Fastnachtsspielen, aber auch als kritische Korrektur höfischer »Weisheit«, wie schon in der Salomon- und Markolf-Tradition (vgl. den mittellateinischen Dialogus Salomonis et Marcolfi und seinen weiten Quellen- und Wirkungs-Hintergrund). In dieser letzteren Weise dürften auch Neidharts Bauernrollen (und die Neidhart-Traditionen und -Überlieferungen!) funktionieren: Indem sie das »artistische« Lustprinzip auch der hohen Minne (s. dazu u.) unvermittelt konfrontieren mit dem 'Natur'-Lustprinzip des bäuerlichen Jahreszeiten- und Sexual-Brauchtums, erreichen sie eine freie 'kritische' Irritierung des höfischen Liedes, die jedoch noch nicht auf stabilisierendes oder revolutionierendes »Bewußtsein« festgelegt werden kann, sondern eher zunächst noch als modische Erweiterung des aristokratischen Liedgebrauchs wirkt (wie ja auch die als Luxus arbeitsferne Kleidermode sich immer wieder regeneriert durch die Herübernahme von Elementen der Arbeitskleidung). Ob und wie hier soziale Prozesse zur Zeit Neidharts einwirken, kann jedenfalls nur innerhalb dieses – oder eines noch präziseren – Struktur-Modells erwogen werden.

[23] Siehe dazu jetzt ARNO BORST (Hrsg.), Das Rittertum im Mittelalter, 1976 (Wege der Forschung Bd. 349).

[24] Zu »Lehnswesen« usw. siehe die Artikel von V. RÖDEL und KARL-HEINZ SPIESS im Handwörterb. z. dt. Rechtsgeschichte, Bd. 2, 1978.

[25] Wird z. B. das Schwerttragen literarischer Bauernrollen auf zeitgenössisch dokumentierte Kriegslagen, Kleiderordnungen usw. bezogen und seine Verurteilung aus dem Interesse des davon am meisten betroffenen Kleinadels erklärt, dann ist nicht nur soziale Mobilität im Mittelalter viel zu punktuell aufgefaßt (wie es etwa auch dem vielbemühten »Übergang zur Geldwirtschaft« geschieht) – es wird auch das alte literarisch-»artistische« Gebrauchsmodell der Bauernrolle (s. Anm. 21) mit der mehr oder weniger zufälligen Dokumentation allgemeinster Herrschafts-Normenkonflikte ohne jede Vermittlung kontaminiert.

[26] Auf eine Diskussion dieser 'Analogie' muß ich hier verzichten. Vgl. die Andeutung o. Anm. 11.

[27] Also im 'Material' von Literatur etwa im Sinn TYNJANOVs oder ADORNOs.

Liebe und Gesellschaft in der Literatur

(S. 60–68)

[1] Marie Madelaine de LaFayette, »Die Prinzessin von Clèves«, übertragen von EVA und GERHARD HESS, mit einem Nachwort versehen von GERHARD HESS, 1946.

[2] Max Frisch, »Montauk«, 1975.

[3] Siehe Anm. 1.

[4] NORBERT ELIAS, Die höfische Gesellschaft, 1969.

Herzeliebez frowelîn

(S. 69–79)

[1] Zur »materiellen« und zur »elokutionellen« Stiltheorie vgl. ERICH KLEINSCHMIDT, Minnesang als höfisches Zeremonialhandeln, Arch. f. Kulturgesch. 58 (1976), S. 35–76, hier S. 45, Anm. 47.

[2] H. REINER u. a., Art. Gut, in: Hist. Wörterb. d. Philos., hrsg. v. JOACHIM RITTER, Bd. 3, 1974, Sp. 937–972 (Sp. 951–960: III. Mittelalter, K. RIESENHUBER).

[3] Gottfried, Trist. 17803; vgl. Freidank 104, 20 f.

[4] Vgl. z. B. die Minnenovellen 'Das Auge' (GA I, Nr. 12) und Herrands von Wildonie 'Die treue Gattin' (hrsg. v. HANNS FISCHER, 1959 [ATB 51], Nr. 1).

[5] So mit JELLINEK bei WILMANNS/MICHELS (s. Anm. 13) z. St.

⁶ Die Wörterbücher (Lexer III, 273) bieten nur *über ein vertragen, under ein vertragen* in diesem Sinn; aber vielleicht wäre auch Gottfrieds, ebenfalls sentenzartiges, abs. *vertragen* Trist. 269 so 'juristisch' zu verstehen?

⁷ V. Rödel, Art. Lehnsgebräuche, in: Handwörterb. z. dt. Rechtsgeschichte, Bd. 2, 1978, Sp. 1712–1714, hier Sp. 1712.

⁸ Karl-Heinz Spiess, Art. Lehnspflichten, ebd. Sp. 1722–1725, hier Sp. 1724.

⁹ Weil ich hier keinen Forschungsbericht geben kann, der auch die Differenzierungen zu erörtern hätte, weise ich nur auf die wichtigsten Bibliographien hin: Manfred Günter Scholz, Bibliographie zu Walther von der Vogelweide, 1969 (Bibliographien zur deutschen Literatur des Mittelalters 4), S. 21–32: Ausgaben, Übersetzungen, S. 107: zum Lied; Kurt Herbert Halbach, Walther von der Vogelweide, ³1973 (Slg. Metzler 40), s. Register.

¹⁰ L. XIII,11 ist Kopie.

¹¹ R. Spaemann, Art. Gut, höchstes, in: Hist. Wörterb. d. Philos., hrsg. v. Joachim Ritter, Bd. 3, 1974, Sp. 973–976. – Ernst Robert Curtius' Invektive gegen das »ritterliche Tugendsystem« der Germanisten (in: Europäische Literatur und lateinisches Mittelalter, ²1954, S. 506–521, wieder in: Ritterliches Tugendsystem, hrsg. v. Günter Eifler, 1970 [Wege der Forschung 56], S. 116–145) bleibt, wie die ganze folgende Diskussion (s. Eifler), unserem Lied und seinen Problemen gegenüber interessanterweise viel zu allgemein 'geistesgeschichtlich': Curtius führt unser 'Güterternar' denn auch nicht in seiner Sammlung von 'Zahlenspiel' bei Walther an (ebd. S. 515 ff. bzw. S. 135 ff.). Er hat aber insofern recht, als Walther eben nirgends auf *ein* 'System' rekurriert, sondern immer anders und neu mit 'Systemelementen' spielt.

¹² Vgl. für Frankreich z. B. Silvia Ranawake, Höfische Strophenkunst. Vergleichende Untersuchungen zur Formentypologie von Minnesang und Trouvèrelied an der Wende zum Spätmittelalter, 1976 (MTU 51), S. 159–173.

¹³ Ebd. S. 200–206. Vergleichbares bei Walther stellt Victor Michels in der Vorbemerkung zu 49, 25 zusammen in: Walther von der Vogelweide, hrsg. und erklärt v. W. Wilmanns, Bd. 2, ⁴1924.

¹⁴ Arthur Hatto, Walther von der Vogelweide's Ottonian Poems: a New Interpretation, Speculum 24 (1949), S. 542–553; Hugo Kuhn, Minnesangs Wende, ²1967 (Hermaea N.F. 1). Die lebhafte Forschung, besonders zum Spätmittelalter, bedürfte in dieser Hinsicht eines eigenen Referats.

¹⁵ Die kommende Textrevision der Lachmannschen Walther-Ausgabe (14. Aufl.) grundsätzlich zu rechtfertigen, ist hier nicht der Ort, ich verweise dazu auf meine diesbezüglichen Bemerkungen in Vorwort und Einleitung der 13. Ausgabe – nun auch gegenüber der Neuausgabe von »Minnesangs Frühling«: 36., neugestaltete und erweiterte Auflage, bearbeitet v. Hugo Moser u. Helmut Tervooren, 1977.

¹⁶ Siehe Wilmanns/Michels (Anm. 13), S. 21–24.

¹⁷ Carl von Kraus, Neue Bruchstücke einer mittelhochdeutschen Liederhandschrift, in: Germanica. Festschrift für Eduard Sievers, 1925, S. 504–529.

¹⁸ Carl von Kraus, Berliner Bruchstücke einer Waltherhandschrift, ZfdA 70 (1933), S. 81–120.

¹⁹ von Kraus (Anm. 17), S. 520.

²⁰ Das Stichwort in Kuhn, wie Anm. 14.

²¹ Wie Anm. 19.

²² Ich gebe aber hier Seite und Nummer der Tabellen und der Facsimilia des Bandes Litterae 7 (Walther von der Vogelweide. Die gesamte Überlieferung der Texte und Melodien. Abbildungen, Materialien, Melodietranskriptionen, hrsg. v. Horst Brunner, Ulrich Müller, Franz Viktor Spechtler, 1977), weil sie die Einordnung und die zusammenhängende Lektüre jeder Fassung nun in einem Band zugänglich machen, so daß man sie nicht mehr aus den kritischen Apparaten oder aus den einzelnen Abdrucken bzw. Facsimiles mühsam zusammenfügen muß. Daß diese Apparate trotz-

dem für eine kritische Edition nötig und in ihr auch durch höchst subjektiv ausgewählte Parallelabdrucke nicht zu ersetzen sind, ist jedem Einsichtigen klar.

A: S. 14★ Str. 121–125; Facs. S. 112

C: S. 21★ Str. 166–170; Facs. C Bl. 132^{rv}

E: S. 30★ Str. 58–62; Facs. S. 212 f.

G: S. 34★ Str. 4–8; Facs. S. 246 f.

O: S. 39★ Str. 18–22; Abdr. S. 270

s: S. 41★ Ged. 41,6; Facs. S. 278.

[23] VON KRAUS (Anm. 18), S. 103.

Die Voraussetzungen für die Entstehung der Manesseschen Handschrift und ihre überlieferungsgeschichtliche Bedeutung

(S. 80–105)

[1a] [Hugo Kuhn plante eine allgemeine Einführung in den Minnesang, in die dieser Aufsatz, allgemeiner und ausführlicher gefaßt, als überlieferungsgeschichtlicher Teil aufgenommen werden sollte. Eine kürzere Fassung u. d. T. Die Liedersammlung in: Codex Manesse (s. Anm. 1).]

[1] Codex Manesse. Die Große Heidelberger Liederhandschrift. [1] Faksimileausgabe, 1974–1979, [2] Kommentar, hrsg. v. WALTER KOSCHORRECK † u. WILFRIED WERNER, mit Beiträgen v. EWALD JAMMERS, WALTER KOSCHORRECK, HUGO KUHN, EWALD M. VETTER, MAX WEHRLI, WILFRIED WERNER, 1980. [im Druck.]

[2] Zu den Wappen JOACHIM BUMKE, Ministerialität und Ritterdichtung. Umrisse der Forschung, 1976, S. 30–42.

[3] Vgl. ebd. S. 22–30.

[4] Siehe dazu EWALD JAMMERS, Die Handschrift und die Musik, in: Codex Manesse (Anm. 1).

[5] Siehe dazu MAX WEHRLI, Zur Geschichte der Manesse-Philologie, ebd.

[6] MELCHIOR GOLDAST von Haiminsfeld, In S. Isidori de Praelatis Collectanea, Genf 1601; ders., Paraeneticorum veterum Pars I, Lindau 1604; [JOHANN JACOB BODMER u. JOHANN JACOB BREITINGER], Sammlung von Minnesingern aus dem Schwæbischen Zeitpuncte, 2 Bde., Zürich 1758–59.

[7] [Johann Wilhelm Ludwig Gleim], Gedichte nach Walter von der Vogelweide, 1779, S. 17 (u. d. T. Die Erinnerung).

[8] Das »Deutschland-Lied« von Hoffmann von Fallersleben: HUGO KUHN, Walther von der Vogelweide und seine 'deutsche' Rezeption, in: Text und Theorie, 1969, S. 332–343.

[9] Die Gedichte Walthers von der Vogelweide, hrsg. v. KARL LACHMANN, 1827; 13., aufgrund der 10. v. CARL VON KRAUS bearbeiteten Ausgabe neu hrsg. v. HUGO KUHN, 1965.

[10] HEDWIG HEGER, Das Lebenszeugnis Walthers von der Vogelweide. Die Reiserechnungen des Passauer Bischofs Wolfger von Erla, 1970; MICHAEL CURSCHMANN, Waltherus cantor, Oxford German Studies 6 (1971), S. 5–17.

[11] Carmina Burana, Bd. I, 3, hrsg. v. OTTO SCHUMANN † u. BERNHARD BISCHOFF, 1970, Nr. 3★, 6★, 9★; vgl. auch Nr. 10★ und im Anhang S. 189 f. die übrigen lateinischen Gedichte des Marners.

[12] CARL VON KRAUS, Geleitwort zu: Die kleine Heidelberger Liederhandschrift. In Nachbildung, 1932, S. XII f.

[13] Sorgfältig zusammengestellt zu den einzelnen Dichtern in A bei BLANK (s. Anm. 18), worauf ich mich auch später ohne Einzelnachweise beziehe. – Ein neuartiger Versuch, auch Textdifferenzen unserer Handschriften auf die Differenz von Autor-Fassungen

vor verschiedenem Publikum zurückzuführen, muß, im Rahmen dieser Überlegungen, erst noch ausdiskutiert werden; vgl. GÜNTHER SCHWEIKLE, zuletzt in der Einführung zu: Die mittelhochdeutsche Minnelyrik. I. Die frühe Minnelyrik, 1977.

14 Ulrich von Lichtenstein, Frauendienst (mit Anmerkungen v. THEODOR VON KARAJAN hrsg. v. KARL LACHMANN, 1841), 60, 1 ff.

15 Siehe HUGO KUHN, Wolframs Frauenlob, ZfdA 106 (1977), S. 200–210, bes. S. 205 ff.; in diesem Band S. 44–51.

16 Wirnt von Grafenberg, Wigalois (hrsg. v. J. M. N. KAPTEYN, 1926), V. 6346. Vgl. HEDDA RAGOTZKY, Studien zur Wolfram-Rezeption. Die Entstehung und Verwandlung der Wolfram-Rolle in der deutschen Literatur des 13. Jahrhunderts, 1971 (Studien zur Poetik und Geschichte der Literatur 20), S. 27 ff. und zu »Wolfram als Idealtypus eines *leien* im 'Rätselspiel'« des Wartburgkriegs S. 48 ff.

17 Ein Überblick über die sonstigen Liederhandschriften bei EWALD JAMMERS, Das Königliche Liederbuch des deutschen Minnesangs. Eine Einführung in die sogenannte Manessische Handschrift, 1965, S. 115–117.

18 Die Kleine Heidelberger Liederhandschrift. Cod. Pal. Germ. 357 der Universitätsbibliothek Heidelberg. [1] Faksimileausgabe, [2] Einführung v. WALTER BLANK, 1972 (Facsimilia Heidelbergensia 2).

19 Die Weingartner Liederhandschrift. [1] Faksimileausgabe, [2] Textband, mit Beiträgen v. WOLFGANG IRTENKAUF, KURT HERBERT HALBACH, RENATE KROOS und Transkription v. OTFRID EHRISMANN, 1969.

20 Die Lieder Reinmars und Walthers von der Vogelweide aus der Würzburger Handschrift 2° Cod. ms. 731 der Universitätsbibliothek München. I: Faksimile, mit einer Einführung v. GISELA KORNRUMPF, 1972, [II: Transkription, 1980].

21 WILHELM WISSER, Das Verhältnis der Minneliederhandschriften B und C zu ihrer gemeinschaftlichen Quelle, Beilage zum Programm Eutin Nr. 628, 1889; ders., Das Verhältnis der Minneliederhandschriften A und C zu ihren gemeinschaftlichen Quellen, Beilage zum Programm Eutin Nr. 692, 1895.

22 Walther von der Vogelweide, hrsg. u. erklärt v. W. WILMANNS, Bd. 2, 4., vollständig umgearbeitete Aufl. besorgt v. VICTOR MICHELS, 1924, S. 20–39.

23 Siehe ebd. S. 36–39; vgl. auch die Überlieferungskonkordanz in: Walther von der Vogelweide. Die gesamte Überlieferung der Texte und Melodien. Abbildungen, Materialien, Melodietranskriptionen, hrsg. v. HORST BRUNNER, ULRICH MÜLLER, FRANZ VIKTOR SPECHTLER, 1977 (Litterae 7), S. 18*–27*.

24 KURT MARTIN, Einleitungen zu: Minnesänger, Bd. 1–3, ²1960, 1964, 1972; JAMMERS (s. Anm. 17); HELLA FRÜHMORGEN-VOSS, Rez. zu Jammers, Beitr. (Tüb.) 88 (1967), S. 371–380, wieder abgedruckt in: Text und Illustration im Mittelalter. Aufsätze zu den Wechselbeziehungen zwischen Literatur und bildender Kunst, hrsg. u. eingeleitet v. NORBERT H. OTT, 1975 (MTU 50), S. 89–99; HALBACH (s. Anm. 19); BLANK (s. Anm. 18); KORNRUMPF (s. Anm. 20); HERTA-ELISABETH RENK, Der Manessekreis, seine Dichter und die Manessische Handschrift, 1974 (Studien zur Poetik und Geschichte der Literatur 33); INGO F. WALTHER, »Interimstexte« zu den einzelnen Lieferungen der Faksimileausgabe des Codex Manesse (s. Anm. 1); ders., Eine direkte Vorlage der Manessischen Liederhandschrift, in: INGEBORG GLIER u. I.F.W., Minnesänger, Bd. 4, 1977, S. 9–12.

25 Die Jenaer Liederhandschrift, in Abb. hrsg. v. HELMUT TERVOOREN u. ULRICH MÜLLER, 1972 (Litterae 10).

26 Rein statistisch – was natürlich im einzelnen ganz unzureichend und für alle Fragmente unsicher ist – nennen seinen Namen neben und nach A B C E noch die Sammlungen, Fragmente und Streuüberlieferungen D (!), q, r, s, t, Z, die beiden letzten mit Melodien, ferner m; anonym werden Lieder und Sprüche Walthers überliefert in a, F, G, H (aber Namensnennung im Text), i, i², L, M, N (neumierte Melodie), n, O, o, p, U, w und α sowie in Handschriften und Drucken der Möringer-Ballade

und der Leich in k, k², l. Beschreibung der Handschriften, Vergleichslisten und vollständige Facsimilia s. jetzt in: BRUNNER/MÜLLER/SPECHTLER (s. Anm. 23).

[27] Heidelberger Handschrift cpg 329. [Hugo von Montfort. I: Die Heidelberger Handschrift cpg 329 und die gesamte Streuüberlieferung, in Abb. hrsg. v. EUGEN THURNHER, FRANZ V. SPECHTLER, ULRICH MÜLLER, II: Transkription v. FRANZ V. SPECHTLER, 1978 (Litterae 56/57).]

[28] Oswald von Wolkenstein. Handschrift A. Vollständige Faksimile-Ausgabe im Originalformat des Codex Vindobonensis 2777 der Österreichischen Nationalbibliothek. Kommentar: FRANCESCO DELBONO, 1977 (Codices selecti 59), hier das Vollbild; Oswald von Wolkenstein. Die Innsbrucker Wolkenstein-Handschrift B, hrsg. v. HANS MOSER u. ULRICH MÜLLER, 1972 (Litterae 12), hier das Brustbild.

[29] Die Kolmarer Liederhandschrift der Bayerischen Staatsbibliothek München (cgm 4997), in Abb. hrsg. v. ULRICH MÜLLER, FRANZ VIKTOR SPECHTLER, HORST BRUNNER, 2 Bde., 1976 (Litterae 35).

[30] Siehe HORST BRUNNER, Die alten Meister. Studien zu Überlieferung und Rezeption der mittelhochdeutschen Sangspruchdichtung im Spätmittelalter und in der frühen Neuzeit, 1975 (MTU 54).

[31] Locheimer Liederbuch und Fundamentum organisandi des Conrad Paumann, in Faksimiledruck hrsg. v. KONRAD AMELN, 1925; Das Lochamer-Liederbuch. Einführung und Bearbeitung der Melodien v. WALTER SALMEN. Einleitung und Bearbeitung der Texte v. CHRISTOPH PETZSCH, 1972 (Denkmäler der Tonkunst in Bayern N.F. Sonderband 2).

[32] Liederbuch der Clara Hätzlerin, hrsg. v. CARL HALTAUS, mit einem Nachwort v. HANNS FISCHER, 1966 (Deutsche Neudrucke, Reihe: Texte des Mittelalters).

[33] Die geistlichen Lieder des Mönchs von Salzburg, hrsg. v. FRANZ VIKTOR SPECHTLER, 1972 (QF N.F. 51).

[34] Ob wegen der Liebeslieder? Auch die Limburger Chronik (hrsg. v. ARTHUR WYSS, 1883 [MGH Dt. Chroniken 4, 1]) erwähnt für die Zeit um 1370 prononciert die Verbreitung von Liedern eines »aussätzigen Barfüßer-Mönchs auf dem Main«, ohne Namen (S. 70 f.), gibt allerdings auch sonst kaum einen Namen.

[35] Carmina Burana. [1] Faksimile-Ausgabe der Handschrift der Carmina Burana und der Fragmenta Burana (Clm. 4660 und 4660a) der Bayerischen Staatbibliothek in München, hrsg. v. BERNHARD BISCHOFF, [2] ders., Einführung, 1967; Carmina Burana, krit. hrsg. v. ALFONS HILKA, OTTO SCHUMANN, BERNHARD BISCHOFF, Bd. I, 1–3: Text, 1930–1970, Bd. II, 1: Kommentar, 1940; Carmina Burana. Die Gedichte des Codex Buranus lateinisch und deutsch. Übertragen v. CARL FISCHER. Übersetzung der mittelhochdeutschen Texte v. HUGO KUHN. Anmerkungen und Nachwort v. GÜNTER BERNT, 1974. Zur Lokalisierung und Datierung BISCHOFF, Einführung zur Faksimile-Ausgabe, S. 13 ff.; ders., Textausgabe, Bd. I, 3, S. X ff.

[36] Z. B. im Lochamer-Liederbuch (s. Anm. 31) und im Königsteiner Liederbuch, hrsg. v. PAUL SAPPLER, 1970 (MTU 29).

[37] Erkennbare Ausnahmen: Nr. 48a: Otto von Botenlauben KLD 41, XIII, Str. 2 (in AC Str. 3!); Nr. 151a und 169a: Walther von der Vogelweide 51, 13, Str. 3 und 4.

[38] Die Fakten und die bisherige Argumentation bei BLANK (s. Anm. 18) zu den einzelnen Dichtern. Ich gebe hier nur neue Ergebnisse wieder.

[39] Neidhart aber noch nicht umgestaltet in Richtung der späteren 'Neidhart'-Legende, als Schwankfigur des echten Riuwentalers, wie dann schon in B und C – der 'echteste' und vollständigste Neidhart findet sich überhaupt nicht in den Liedersammlungen, sondern in einer Epen-Sammlung um 1300 (R), schon da zusammen mit Strickers Pfaffen Amis! [Zur Neidhart-Überlieferung in A s. jetzt: HANS BECKER, Die Neidharte, 1978 (GAG 255), S. 20–23.]

[40] Dasselbe, nur in C, bei dem Namen Kürenberg: Der Name, in MF 8, 5 zitiert, ist offenbar nur ein 'Ton'-Name: *in Kürenberges wîse!*

[41] Die Haager Liederhandschrift. Faksimile des Originals mit Einleitung und Transskription, hrsg. v. E. F. KOSSMANN, 2 Bde., 1940; vgl. fol. 14rb, ^{va} (Nr. 29, 30).

[42] Es gibt sogar Verbindungsfäden: M 48a = Niune A 31 (und Botenlauben C); M 151a = Liutolt A 45 (und Walther C); M 166a = Gedrut A 25 (und Reimar C); dazu ist M 143a nur in dem wohl ursprünglich ebenfalls anonymen Anhang e zu Reimar E überliefert. Die Frage bedarf umfassender Klärung.

[43] Falls nicht sie und Walthers schon damals nicht mehr erhaltene Grabschrift in lateinischen Hexametern bereits 'Literatursage' sind. Denn so wie fol. 191 neben Walthers Grab auch das des Spruchsängers Reimar von Zweter (mit dem Liedsänger Reimar verwechselt!) in Franken lokalisiert ist, so werden im 15. Jahrhundert die Gräber des Palästinareisenden Johann von Mandeville und Wolframs von Eschenbach lokalisiert, die Püterich von Reichertshausen sogar besucht haben will: in dem Wappen- und Literatur-'Ehrenbrief', den der neuadlige bairische Standesherr der Pfalzgräfin Mechthild nach Rottenburg dichtete – in Wolframs Titurel-Ton (dazu CHRISTELROSE RISCHER, Literarische Rezeption und kulturelles Selbstverständnis in der deutschen Literatur der »Ritterrenaissance« des 15. Jahrhunderts, 1973 [Studien zur Poetik und Geschichte der Literatur 29]).

[44] KORNRUMPF (Anm. 20), S. 14, 18 f.

[45] HERMANN SCHNEIDER, Eine mittelhochdeutsche Liedersammlung als Kunstwerk, Beitr. 47 (1923), S. 225–260, wieder abgedruckt in: Kleinere Schriften zur germanischen Heldensage und Literatur des Mittelalters, 1962, S. 195–221.

[46] VICTOR MICHELS in seiner Vorrede zu WILMANNS/MICHELS (Anm. 22), S. VII.

[47] EDUARD HANS KOHNLE, Studien zu den Ordnungsgrundsätzen mittelhochdeutscher Liederhandschriften, 1934 (Tübinger german. Arbeiten 20).

[48] Z. B. noch KURT HERBERT HALBACH, Walther von der Vogelweide, ^{3}1973 (Slg. Metzler 40).

[49] Siehe z. B. die Andeutung von GISELA KORNRUMPF (Anm. 20), S. 16 f.

[50] Überblick s. HUGO KUHN, Minnesangs Wende, ^{2}1967 (Hermaea N.F. 1), S. 159–196, wieder abgedruckt in: Entwürfe zu einer Literatursystematik des Spätmittelalters, 1980, S. 19–56.

[51] HUGO KUHN, Tristan, Nibelungenlied, Artusstruktur, 1973 (SB Bayer. Ak. d. Wiss., phil.-hist. Klasse, Jg. 1973, Heft 5); in diesem Band S. 12–35.

[51a] [Vgl. jetzt jedoch für die Parzival- und die Tristan-Handschrift ULRICH MONTAG im Textband zu: Gottfried von Straßburg. Tristan und Isolde. Mit der Fortsetzung Ulrichs von Türheim. Faksimile-Ausgabe des Cgm 51 der Bayerischen Staatsbibliothek München, 1979, S. 5–71, hier S. 43 ff.]

[52] Siehe RAGOTZKY (Anm. 16); BURGHART WACHINGER, Sängerkrieg. Untersuchungen zur Spruchdichtung des 13. Jahrhunderts, 1973 (MTU 42), bes. S. 86 ff.

[53] CHRISTOPH PETZSCH, Text-Form-Korrespondenzen im mittelalterlichen Strophenlied. Zur Hofweise Michel Beheims, DVjs. 41 (1967), S. 27–60, hier S. 55 ff.

[54] WACHINGER (s. Anm. 52).

[55] GUSTAV ROETHE, Die Gedichte Reinmars von Zweter, 1887, bes. S. 111.

[56] RAGOTZKY (Anm. 16), S. 64 ff.; WACHINGER (Anm. 52), S. 33 ff.

[57] KUHN, Minnesangs Wende (s. Anm. 50).

[58] JAMMERS (Anm. 17), S. 121 f.; vgl. Dichter über Dichter in mittelhochdeutscher Literatur, hrsg. v. GÜNTHER SCHWEIKLE, 1970 (Deutsche Texte 12), Nr. 5, 12, 14.

[59] JAMMERS, S. 121, 175 ff.

[60] Rudolf von Ems, Willehalm von Orlens (hrsg. v. VICTOR JUNK, 1905 [DTM 2]), V. 2279 ff. FRIEDRICH RANKES Hypothese einer Tristan- und Parzival-Bearbeitung durch *meister Hesse* ist fraglich geworden durch GESA BONATH, Untersuchungen zur Überlieferung des Parzival Wolframs von Eschenbach, 2 Bde., 1970–71 (German. Stud. 238/239).

[61] INGE LEIPOLD, Die Auftraggeber und Gönner Konrads von Würzburg, 1976 (GAG

176); [PETER GANZ, »Nur eine schöne Kunstfigur«. Zur »Goldenen Schmiede« Konrads von Würzburg, GRM 60 (1979), S. 27–45].

[62] Rudolf von Ems, Alexander (hrsg. v. VICTOR JUNK, 1928–29 [Bibl. d. Stuttg. Lit. Vereins 272. 274]), V. 20621–31. Die Forschung sieht in der in C unter Ulrich von Lichtenstein überlieferten Strophe KLD 16, II den von Rudolf zitierten Spruch.

[63] Ausgabe der Lieder: KARL BARTSCH, Die Schweizer Minnesänger, 1886 (Nachdruck 1964), Nr. XXVII.

[64] [JOHANN JACOB BODMER], Proben der alten schwäbischen Poesie des Dreyzehnten Jahrhunderts, 1748, S. III.

[65] Siehe RENK (Anm. 24), S. 160–176 zu den 'Romanzen' Hadlaubs.

[66] Umfassende Nachweise bei RENK, Teil A.

[67] Siehe zuletzt RENK, wie Anm. 65.

[68] Siehe HUGO STEGER, David rex et propheta. König David als vorbildliche Verkörperung des Herrschers und Dichters im Mittelalter, nach Bilddarstellungen des 8. bis 12. Jahrhunderts, 1961 (Erlanger Beiträge zur Sprach- und Kunstwissenschaft 6), S. 133–138; JAMMERS (Anm. 17), S. 86 f.

[68a] [Vgl. jetzt WILFRIED WERNER, Die Große Heidelberger (»Manessesche«) Liederhandschrift, Heidelberger Jahrbücher 22 (1978), S. 35–48, hier S. 37 ff.]

[69] Siehe HELLA FRÜHMORGEN-VOSS, Bildtypen in der Manessischen Liederhandschrift, in: Werk – Typ – Situation, hrsg. v. INGEBORG GLIER, GERHARD HAHN, WALTER HAUG, BURGHART WACHINGER, 1969, S. 184–216, wieder abgedruckt in: Text und Illustration (Anm. 24), S. 57–88, hier S. 59 ff.

[70] RENK (s. Anm. 24).

[71] Zu ihm ebd. S. 81 ff.

[72] LEIPOLD (s. Anm. 61).

Allegorie und Erzählstruktur

(S. 106–117)

[1] MARIANNE WÜNSCH, Allegorie und Sinnstruktur in Erec und Tristan, DVjs. 46 (1972), S. 513–538.

[2] CHRISTEL MEIER, Überlegungen zum gegenwärtigen Stand der Allegorie-Forschung. Mit besonderer Berücksichtigung der Mischformen, Frühmittelalterliche Studien 10 (1976), S. 1–69.

[3] CHRISTEL MEIER, Zum Problem der allegorischen Interpretation mittelalterlicher Dichtung. Über ein neues Buch zum »Anticlaudianus« des Alan von Lille, Beitr. (Tüb.) 99 (1977), S. 250–296.

[4] HUGO KUHN, Tristan, Nibelungenlied, Artusstruktur, 1973 (SB Bayer. Ak. d. Wiss., phil.-hist. Klasse, Jg. 1973, Heft 5), S. 36 ff.; in diesem Band S. 33 f.

[5] Einer der Aspekte in JANTSCHs lange verkanntem Buch: HEINZ G. JANTSCH, Studien zum Symbolischen in frühmittelhochdeutscher Literatur, 1959; s. jetzt MEIER (s. Anm. 2), S. 8 u. ö.

[6] Siehe zuletzt MICHAEL TITZMANN, Strukturale Textanalyse. Theorie und Praxis der Interpretation, 1977 (UTB 582).

[7] ERNST SCHEUNEMANN, Artushof und Abenteuer, 1937 (Nachdruck 1973).

[8] Siehe WÜNSCH (s. Anm. 1), S. 515.

[9] Zu ihren geistlichen und weltlichen Parallelen s. zuletzt kurz PETER GANZ in der Einleitung zur Neuausgabe von BECHSTEINs Tristan, 1978 (Dt. Klass. d. Mittelalters 4), S. XLII f.

[10] THEODOR FRINGS u. MAX BRAUN, Brautwerbung, 1. Teil, 1947 (SB Sächs. Ak. d. Wiss., phil.-hist. Klasse, Bd. 96, Heft 2). Weiteres Material: FRIEDMAR GEISSLER, Brautwerbung in der Weltliteratur, 1955.

[11] Ob die – z. T. abweichenden – Schema-Elemente hier sich so eng mit denen des Nibelungenlieds berühren, wie ich vermutet habe in: Tristan, Nibelungenlied, Artusstruktur (s. Anm. 4), kann dabei durchaus offen bleiben.

[12] MICHAEL CURSCHMANN, Der Münchener Oswald und die deutsche spielmännische Epik. Mit einem Exkurs zur Kultgeschichte und Dichtungstradition, 1964 (MTU 6).

[13] PETER F. GANZ, »Die Hochzeit«: Fabula und Significatio, in: Studien zur frühmittelhochdeutschen Literatur. Cambridger Colloquium 1971, hrsg. v. L. PETER JOHNSON, HANS-HUGO STEINHOFF, ROY A. WISBEY, 1974, S. 58–73.

[14] Der heilige Geist 'ist' nicht, wie man aus dieser Stelle geschlossen hat, der Bräutigam überhaupt, sondern 'bezeichnet' die 'Ankunft' Gottes in den Menschen mit der Geburt des Kindes, d. h. mit dem Anfang seines irdischen Lebens. (Zu erwägen bleibt VON KRAUS' Konjektur atem statt ende 344.)

Versuch einer Literaturtypologie des deutschen 14. Jahrhunderts

(S. 121–134)

[1] Die Anregungen MAX WEHRLIS zur Literatursystematik möchte ich hier vorweg bedanken.

[2] Vorläufige Ergebnisse: HUGO KUHN, Aspekte des 13. Jahrhunderts in der deutschen Literatur, 1968 (SB Bayer. Ak. d. Wiss., phil.-hist. Klasse, Jg. 1967, Heft 5) und Aspekt des 13. Jahrhunderts, als Nachtragskapitel zu HUGO KUHN, Minnesangs Wende, 2., vermehrte Aufl., 1967 (Hermeae N.F. 1), S. 159–196. Beides wieder abgedruckt in: Entwürfe zu einer Literatursystematik des Spätmittelalters, 1980, S. 1–18 und S. 19–56.

[3] An Handbüchern und bibliographischen Hilfsmitteln wurden benutzt: ¹Verf.Lex.; ²MERKER-STAMMLERS RL; ²STAMMLERS Aufriß; DE BOOR, Bd. 3, 1; GUSTAV EHRISMANN, Geschichte der deutschen Literatur bis zum Ausgang des Mittelalters, Schlußband, 1935; FRIEDRICH RANKE, Von der ritterlichen zur bürgerlichen Dichtung, 1230–1430, in: HEINZ OTTO BURGER (Hrsg.), Annalen der deutschen Literatur, 1952, S. 179–253; HANNS FISCHER, Neue Forschungen zur deutschen Dichtung des Spätmittelalters, DVjs. 31 (1957), S. 303–345; KURT RUH, Bonaventura deutsch, Bern 1956; ders., Franziskanisches Schrifttum im deutschen Mittelalter, Bd. 1, 1965 (MTU 11); HANNS FISCHER, Studien zur deutschen Märendichtung, 1968; ders. (Hrsg.). Die deutsche Märendichtung des 15. Jahrhunderts, 1966 (MTU 12); AREND MIHM, Überlieferung und Verbreitung der Märendichtung im Spätmittelalter, 1967; TILO BRANDIS, Mittelhochdeutsche, mittelniederdeutsche und mittelniederländische Minnereden, 1968 (MTU 25); INGEBORG GLIER, Nachwort in: Mittelhochdeutsche Minnereden, hrsg. v. KURT MATTHAEI (Bd. I) und GERHARD THIELE (Bd. II), Nachdruck Dublin/ Zürich 1967; HANS PYRITZ (Hrsg.), Die Minneburg, 1950 (DTM 43); KARL STACKMANN (Hrsg.), Die kleineren Dichtungen Heinrichs von Mügeln, 1959 (DTM 50/52); HEINRICH NIEWÖHNER (Hrsg.), Die Gedichte Heinrichs des Teichners, 1953–56 (DTM 44/48); Bibliothekskataloge, insbesondere HERMANN MENHARDT, Verzeichnis der altdeutschen literarischen Handschriften der Österreichischen Nationalbibliothek, 3 Bde., 1960–61; Gotik in Österreich. Ausstellungskatalog, 2., verbesserte Aufl., Krems 1967. Dieser Versuch muß hier weithin ohne Belege und Literaturangaben einhergehen, die den Rahmen sprengen würden. In der Regel können Titel, Namen und Stichworte ohne nähere Angabe in den aufgeführten Handbüchern aufgefunden werden. Sie erwiesen sich freilich auch als widerspruchsvoll, korrektur- und ergänzungsbedürftig. Von einer zuverlässigen Gesamtaufnahme aller überlieferten Texte des 14., geschweige des 15. Jahrhunderts sind wir noch weit entfernt.

[4] Vgl. Die Handschriften der Universitätsbibliothek München, Bd. 1. Die deutschen

mittelalterlichen Handschriften, beschrieben v. GISELA KORNRUMPF u. PAUL-GERHARD VÖLKER, 1968.

[5] Vgl. jetzt den Überblick und die Typensonderung, die allerdings Entwicklungsstadien zusammenzieht, bei FISCHER, Studien (Anm. 3), S. 29–92.

[6] EDMUND E. STENGEL u. FRIEDRICH VOGT, Zwölf mittelhochdeutsche Minnelieder und Reimreden. Aus den Sammlungen des Rudolf Losse von Eisenach, 1956; Rez. HUGO KUHN, Beitr. (Tüb.) 80 (1958), S. 317–323.

[7] Meine Vermutungen dazu s. HUGO KUHN, Aspekt des 13. Jahrhunderts (s. Anm. 2), S. 185; wieder abgedruckt in: Entwürfe zu einer Literatursystematik des Spätmittelalters (s. Anm. 2), S. 46.

[8] In Seminar- und Staatsexamensarbeiten helfen meine Schüler einstweilen, Lücken zu schließen.

[9] STACKMANN (Hrsg.), s. Anm. 3; ders., Der Spruchdichter Heinrich von Mügeln. Vorstudien zur Erkenntnis seiner Individualität, 1958; JOHANNES KIBELKA, Der ware meister. Denkstile und Bauformen in der Dichtung Heinrichs von Mügeln, 1963 (Philol. Stud. u. Quellen 13); [JÖRG HENNIG, Chronologie der Werke Heinrichs von Mügeln, 1972 (Hamburger Philol. Studien 23); HERIBERT A. HILGERS, Die Überlieferung der Valerius-Maximus-Auslegung Heinrichs von Mügeln, 1973 (Kölner german. Stud. 8); KARL STACKMANN, Heinrich von Mügeln, in: [2]Verf.Lex. 3, voraussichtlich 1980.]

[9a] [Zur Problematik der Zuschreibungen an Stainreuter vgl. G. H. BUIJSSEN, Durandus' Rationale in spätmittelhochdeutscher Übersetzung, Assen 1966 (Studia theotisca 6), S. 55–67; zur »Wiener Schule«: THOMAS HOHMANN, Heinrichs von Langenstein »Unterscheidung der Geister« lateinisch und deutsch, 1977 (MTU 63), S. 257–276.]

[10] JOHANNES JANOTA, Studien zu Funktion und Typus des deutschen geistlichen Liedes im Mittelalter, 1968 (MTU 23).

[11] Vielleicht könnte das Volksliedarchiv in Freiburg hier einmal erste Übersichten veröffentlichen?

[12] Vgl. dazu HUGO KUHN, Aspekte des 13. Jahrhunderts in der deutschen Literatur (s. Anm. 2), S. 11; wieder abgedruckt in: Entwürfe zu einer Literatursystematik des Spätmittelalters (s. Anm. 2), S. 7.

[13] FISCHER, Studien (Anm. 3), S. 138–279.

[14] Den abschließenden Band zur Ausgabe von HILKA-SCHUMANN mit den geistlichen Spielen hat B. Bischoff herausgegeben: Carmina Burana, Bd. I, 3, hrsg. v. OTTO SCHUMANN† u. BERNHARD BISCHOFF, 1970.

[15] Auf die wichtige Literatur gerade der letzten Jahre zum geistlichen Spiel kann ich hier nicht ohne zu große Ausführlichkeit eingehen.

[16] Für Neidhart: DIETRICH BOUEKE, Materialien zur Neidhart-Überlieferung, 1967 (MTU 16).

[16a] [Differenzierter jetzt KURT RUH, [2]Verf.Lex. 2, 1980, Sp. 327–348, bes. Sp. 331 f.]

[17] KURT RUH, Altniederländische Mystik in deutschsprachiger Überlieferung. in: Dr. L. Reypens-Album, Antwerpen 1964, S. 357–382; auch ders. (Hrsg.), Altdeutsche und altniederländische Mystik, 1964 (Wege der Forschung 23).

[18] KLAUS BERG, Der tugenden bûch. Untersuchungen zu mittelhochdeutschen Prosatexten nach Werken des Thomas von Aquin, 1964 (MTU 7).

[19] GERHARD EIS, dem unstreitig das größte Verdienst um diesen Komplex zukommt (vgl. GERHARD EIS, Mittelalterliche Fachliteratur, [2]1967 [Slg. Metzler 14]; ders., Mittelalterliche Fachprosa der Artes, in: STAMMLERs Aufriß 2, [2]1960, Sp. 1103–1216), gibt eine etwas fragwürdige Abstraktion als System.

[20] Vgl. auch zum Folgenden wiederholt: EMIL PLOSS, Ein Buch von alten Farben, 1962, vor allem S. 155–157.

[21] KLAUS GRUBMÜLLER, Vocabularius Ex quo. Untersuchungen zu lateinisch-deutschen Vokabularen des Spätmittelalters, 1967 (MTU 17).

[22] Vor allem KURT LINDNERs Quellen und Studien zur Geschichte der Jagd, 1955 ff., sind zu nennen.

[23] MARTIN WIERSCHIN, Meister Johann Liechtenauers Kunst des Fechtens, 1965 (MTU 13).

Versuch über das 15. Jahrhundert in der deutschen Literatur

(S. 135–155)

[1] Ich gebe diesem ersten Entwurf nur z. T. Belege und keinerlei Nachweise mit: sie bleiben einer künftigen ausführlichen Neufassung vorbehalten.

[2] [Vgl. HUGO KUHN, Determinanten der Minne, LiLi 7 (1977), Heft 26, S. 83–94, dort S. 89, Anm. 20; in diesem Band S. 184 f.]

[3] MARTIN GRABMANN, Die Geschichte der scholastischen Methode, Bd. 2, 1911 (Nachdruck 1957), S. 13.

[4] [Vgl. HUGO KUHN, Tristan, Nibelungenlied, Artusstruktur, 1973 (SB Bayer. Ak. d. Wiss., phil.-hist. Klasse, Jg. 1973, Heft 5), S. 31–33; in diesem Band S. 30 f.

[5] [Siehe HUGO KUHN, Zur Typologie mündlicher Sprachdenkmäler, in: Text und Theorie, 1969, S. 10–27, hier S. 24 f.; ders., Determinanten der Minne (Anm. 2), S. 88; in diesem Band S. 55.]

Sprache – Literatur – Kultur im Mittelalter und heute

(S. 159–165)

[1] Aus diesem Grund muß ich auch verzichten auf Dokumentation vieler Anführungen und Zitate. Die Quellen sind meist halb- und unterliterarisch, dazu so im Fluß einer immer neu überholten Aktualität, daß Zitate als falsches genre erscheinen. Gelegentlich führe ich Autorennamen an, die dem Kenner die Herkunft eines Stichworts signalisieren mögen.

[2] Vgl. PHILIPP LERSCH, Zur Psychologie der Indoktrination, 1969 (SB Bayer. Ak. d. Wiss., phil.-hist. Klasse, Jg. 1968, Heft 3).

[3] Vgl. vorläufig meinen »Versuch einer Theorie der deutschen Literatur im Mittelalter«, in: Text und Theorie, 1969, S. 3–9. Dort auch Literatur, insbesondere HERBERT GRUNDMANNs und ERICH AUERBACHs Arbeiten.

[4] MARSHALL B. MCLUHAN, The Gutenberg Galaxy, 1962; deutsch unter dem Titel: Die Gutenberg-Galaxis. Das Ende des Buchzeitalters, 1968. Auf die Thesen MCLUHANs will ich hier nicht eingehen. Für meinen Gedankengang macht sie schon die Tatsache suspekt, daß das europäische Mittelalter im ganzen als Manuskript-Kultur gesehen wird, der Anteil der mündlichen Laienkultur damals also außer Betracht bleibt.

[5] Vgl. zur Auffüllung dieser These meine Aufsätze »Die verfälschte Wirklichkeit«, in: Text und Theorie, 1969, S. 304–331 und: »Germanistik als Wissenschaft«, in: Dichtung und Welt im Mittelalter, [2]1969, S. 70–90.

NACHWEISE

Die *hêre frouwe*: Manuskript einer Sendung des Bayerischen Rundfunks in der Reihe »Frauen in ihrer Zeit« vom 17. März 1970, ungedruckt.

Tristan, Nibelungenlied, Artusstruktur: Sitzungsberichte der Bayerischen Akademie der Wissenschaften, phil.-hist. Klasse, Jg. 1973, Heft 5. München: C. H. Beck 1973.

Bemerkungen zur Rezeption des Tristan im deutschen Mittelalter: Wissen aus Erfahrungen. Werkbegriff und Interpretation heute. Festschrift für Herman Meyer zum 65. Geburtstag. In Verbindung mit Karl Robert Mandelkow u. Anthonius H. Touber hrsg. v. Alexander von Bormann. Tübingen: M. Niemeyer 1976, S. 53–63.

Wolframs Frauenlob: Festgabe zum 70. Geburtstag von Wolfgang Mohr. Hrsg. v. Herbert Kolb u. Kurt Ruh. Zeitschrift für Deutsches Altertum und Deutsche Literatur 106, Heft 3, 1977, S. 200–210.

Determinanten der Minne: Höfische Dichtung oder Literatur im Feudalismus? Hrsg. v. Wolfgang Haubrichs. Zeitschrift für Literaturwissenschaft und Linguistik 7, 1977, Heft 26, S. 83–94.

Liebe und Gesellschaft in der Literatur: Gerhard Hess zum 70. Geburtstag. Reden und Bilder. Beilage zu Konstanzer Blätter für Hochschulfragen. Konstanz: Universitätsverlag Konstanz 1978, S. 26–35.

Herzeliebez frowelîn: Medium aevum deutsch. Beiträge zur deutschen Literatur des hohen und späten Mittelalters. Festschrift für Kurt Ruh zum 65. Geburtstag. Hrsg. v. Dietrich Huschenbett, Klaus Matzel, Georg Steer, Norbert Wagner. Tübingen: M. Niemeyer 1979, S. 199–213.

Die Voraussetzungen für die Entstehung der Manesseschen Handschrift und ihre überlieferungsgeschichtliche Bedeutung: Kürzere Fassung u. d. T. Die Liedersammlung in: Codex Manesse. Die Große Heidelberger Liederhandschrift. Vollständiges Faksimile des Codex Palatinus Germanicus 848 der Universitätsbibliothek Heidelberg, Kommentarband. Hrsg. v. Walter Koschorreck † u. Wilfried Werner. Kassel: Ganymed 1980. [im Druck.]

Allegorie und Erzählstruktur: Formen und Funktionen der Allegorie. Symposion Wolfenbüttel 1978. Hrsg. v. Walter Haug. Stuttgart: J. B. Metzler 1979, S. 206–218.

Versuch einer Literaturtypologie des deutschen 14. Jahrhunderts: Typologia litterarum. Festschrift für Max Wehrli. Hrsg. v. Stefan Sonderegger, Alois M. Haas, Harald Burger. Zürich u. Freiburg i. Br.: Atlantis 1969, S. 261–280. Abdruck nach dem von Burghart Wachinger betreuten Band Hugo Kuhn: Entwürfe zu einer Literatursystematik des Spätmittelalters. Tübingen: M. Niemeyer 1980, S. 57–75.

Versuch über das 15. Jahrhundert in der deutschen Literatur: Literatur- und Sozialgeschichte des Spätmittelalters. Hrsg. v. Hans-Ulrich Gumbrecht. Heidelberg: C. Winter (im Erscheinen). Abdruck nach dem von Burghart Wachinger betreuten Band Hugo Kuhn: Entwürfe zu einer Literatursystematik des Spätmittelalters. Tübingen: M. Niemeyer 1980, S. 77–101.

Sprache – Literatur – Kultur im Mittelalter und heute: Festrede, gehalten in der öffentlichen Jahressitzung der Bayerischen Akademie der Wissenschaften in München am 30. November 1968. München: C. H. Beck 1969.

Thesen zur Wissenschaftstheorie der Germanistik: Dichtung – Sprache – Gesellschaft. [Festrede.] Akten des IV. Internationalen Germanisten-Kongresses 1970 in Princeton. Hrsg. v. Victor Lange u. Hans-Gert Roloff. Beihefte zum Jahrbuch für Internationale Germanistik 1. Frankfurt/M.: H. Lang 1971, S. 11–17.

Ein 'Leitartikel' zur Altgermanistik: Jahrbuch für Internationale Germanistik 5. Frankfurt/M.: H. Lang 1973, S. 124–127.

SCHRIFTENVERZEICHNIS
HUGO KUHN

Vorbemerkung

Manuskripte für Rundfunksendungen und kleinere Zeitungsbeiträge
sind nur in Auswahl aufgenommen worden.

1935

1. Walthers Kreuzzugslied (14,38) und Preislied (56,14). Phil. Diss.
   Tübingen 1935. [V], 46, [I] S. [Teildruck.]
   Im Buchhandel: Würzburg: Triltsch 1936. [V], 46 S.

1936

2. Mittelalterliche Kunst und ihre »Gegebenheit«. Kritisches zum geisteswissenschaftlichen Frage-Ansatz. DVjs 14 (1936), S. 223–245.
   Wieder abgedruckt in: Text und Theorie [Nr. 116], S. 28–46, 354 f.
   u. d. T. Mittelalterliche Kunst und ihre 'Gegebenheit'. Kritisches zum
   geisteswissenschaftlichen Frage-Ansatz anhand der Überlieferung als
   Strukturproblem des Minnesangs.

1939

3. Rilke und Rilke-Literatur. DVjs 17 (1939), S. 90–136.

1941

4. »Warum gabst du uns die tiefen Blicke . . .«. Dichtung und Volkstum
   41 (1941), S. 406–424.
   Wieder abgedruckt in: Text und Theorie [Nr. 116], S. 227–245, 368.

1944

5. Rechtsgeschichte als Problemgeschichte. [Rez. von: Walther Schön-
   feld, Die Geschichte der Rechtswissenschaft im Spiegel der Metaphy-
   sik, 1943.] Tübinger Chronik, Nr. 306 vom 30. Dezember 1944.

1946

6. Die verfälschte Wirklichkeit, Stuttgart: Deutsche Verlagsanstalt 1946.
47 S. (Der Deutschenspiegel. Schriften zur Erkenntnis und Erneue-
rung 3.)
Wieder abgedruckt in: Text und Theorie [Nr. 116], S. 303–331, 374.

1947

7. Ist für uns politischer Realismus möglich? Manuskript einer Sendung
von Radio Stuttgart in der Reihe »Volk und Staat« vom 3. September
1947. [ungedruckt.]

1948

8. Erec. In: Fs. Paul Kluckhohn und Hermann Schneider [Nr. 9], S.
122–147.
Wieder abgedruckt in: Dichtung und Welt [Nr. 64, 115], S. 133–150,
265–270.
Wieder abgedruckt in: Hartmann von Aue [Nr. 130], S. 17–48.

9. Fs. Paul Kluckhohn und Hermann Schneider. Gewidmet zu ihrem 60.
Geburtstag. Hrsg. von ihren Tübinger Schülern, Tübingen: Mohr
1948. VI, 539 S.

1949

10. Zur Deutung der künstlerischen Form des Mittelalters. Studium Gene-
rale 2 (1949), S. 114–121.
Wieder abgedruckt in: Dichtung und Welt [Nr. 64, 115], S. 1–14, 249.
Veränderte Fassung: Nr. 74.

11. Virginal. PBB 71 (1949), S. 331–386; dazu: Berichtigungen. PBB 72
(1950), S. 508.
Wieder abgedruckt in: Dichtung und Welt [Nr. 64, 115], S. 220–248,
283–297.

1950

12. Zum neuen Bild vom Mittelalter. DVjs 24 (1950), S. 530–544.

13. Dichtungswissenschaft und Soziologie. Studium Generale 3 (1950), S.
622–626.
Wieder abgedruckt in: Methoden der deutschen Literaturwissenschaft.
Eine Dokumentation. Hrsg. von Viktor Žmegač, Frankfurt a. M.
1971 (Schwerpunkte Germanistik 1), S. 205–215; durchgesehene und
ergänzte Ausgabe ebd. 1972 (Fischer Athenäum Taschenbuch 2001),
hier S. 137–147.
Wieder abgedruckt in: Methodenfragen der deutschen Literaturwissen-

schaft. Hrsg. von Reinhold Grimm und Jost Hermand, Darmstadt 1973 (Wege der Forschung 290), S. 450–462.

14. Hrotsviths von Gandersheim dichterisches Programm. DVjs 24 (1950), S. 181–196.
Wieder abgedruckt in: Dichtung und Welt [Nr. 64, 115], S. 91–104, 255 f.

15. Minne oder reht. In: Studien zur deutschen Philologie des Mittelalters. Friedrich Panzer zum 80. Geburtstag am 4. September 1950 dargebracht. Hrsg. von Richard Kienast, Heidelberg 1950, S. 29–37.
Wieder abgedruckt in: Dichtung und Welt [Nr. 64, 115], S. 105–111, 256–258.

16. Poetische Synthesis oder ein kritischer Versuch über romantische Philosophie und Poesie aus Novalis' Fragmenten. Zs. f. philosophische Forschung 5 (1950/51), S. 161–178, 358–384.
Wieder abgedruckt in: Text und Theorie [Nr. 116], S. 246–283, 369–373.

1951

17. Wissenschaftliche Bibliographie. Schwäbisches Tagblatt, Nr. 33 vom 28. Februar 1951.

18. Graduierte Distanz und das Problem der menschlichen Sprachdistanz. Studium Generale 4 (1951), S. 258–264. [Teil III von: Hans M. Peters, Georg Scheja und H. K., Probleme der produzierten Form. Ebd. S. 247–264.]
Zusammen mit der Vorbemerkung S. 247 wieder abgedruckt in: Text und Theorie [Nr. 116], S. 47–58, 355 f. u. d. T. Probleme der produzierten Form.

19. Minnesänger von 1950. [Leserzuschrift von H. K. zu Wilhelm Lehmanns Rez. von: Carl von Kraus, Heinrich von Morungen, ²1950. In: Das literarische Deutschland 1 (1950), Nr. 4, S. 14.] Das literarische Deutschland 2 (1951), Nr. 2, S. 8. [Entgegnung von Lehmann. Ebd. 2 (1951), Nr. 3, S. 7.]

1952

20. Minnesangs Wende. Mit 7 Tafeln, Tübingen: Niemeyer 1952. VII, 170 S. (Hermaea N.F. 1.) [Habilitationsschrift.]
2. Auflage: Nr. 104.

21. Umgang mit altdeutschen Handschriften. Schwäbisches Tagblatt, Nr. 229 vom 5. November 1952.

22. Die Klassik des Rittertums in der Stauferzeit. 1170–1230. In: Annalen der deutschen Literatur. Geschichte der deutschen Literatur von den

Anfängen bis zur Gegenwart. Eine Gemeinschaftsarbeit zahlreicher Fachgelehrter. Hrsg. von Heinz Otto Burger, Stuttgart 1952, S. 99–177.
2. Auflage: Nr. 82.

23. Soziale Realität und dichterische Fiktion am Beispiel der höfischen Ritterdichtung Deutschlands. In: Soziologie und Leben. Die soziologische Dimension der Fachwissenschaften. Hrsg. von Carl Brinkmann, Tübingen 1952, S. 195–219.
Wieder abgedruckt in: Dichtung und Welt [Nr. 64, 115], S. 22–40, 250 f.
Wieder abgedruckt in: Das Rittertum im Mittelalter. Hrsg. von Arno Borst, Darmstadt 1976 (Wege der Forschung 349), S. 172–197.

24. Über nordische und deutsche Szenenregie in der Nibelungendichtung. In: Edda, Skalden, Saga. Fs. zum 70. Geburtstag von Felix Genzmer. Hrsg. von Hermann Schneider, Heidelberg 1952, S. 279–306.
Wieder abgedruckt in: Dichtung und Welt [Nr. 64, 115], S. 196–219, 277–283.

25. Zugang zur deutschen Heldensage. In: Jahresgabe [1953] des Ensslin und Laiblin Verlags, Reutlingen 1952, S. 36–58.
Wieder abgedruckt in: Dichtung und Welt [Nr. 64, 115], S. 181–195.

26. Rez. von: Joachim Kirchner, Germanistische Handschriftenpraxis, 1951. Universitas 7 (1952), S. 866.

27. Deutsche Liederdichter des 13. Jahrhunderts. Hrsg. von Carl von Kraus. Bd. I Text, Tübingen: Niemeyer 1952. XXIV, 646 S. [Schlußlieferung und Vorspann besorgt von H. K.]

28. Deutsche Liederdichter des 13. Jahrhunderts. [Zur Ausgabe von Carl von Kraus, Bd. I, 1952.] Schwäbisches Tagblatt, Nr. 57 vom 8. April 1952.

1953

29. Brunhild und das Krimhildlied. In: Kurt Wais, Frühe Epik Westeuropas und die Vorgeschichte des Nibelungenliedes. Bd. 1. Die Lieder um Krimhild, Brünhild, Dietrich und ihre frühen außerdeutschen Beziehungen. Mit einem Beitrag von H. K., Tübingen 1953 (Beihefte zur Zs. f. romanische Philologie 95), S. 9–21.

30. Zwei mittelalterliche Dichtungen vom Tod. ›Memento mori‹ und der ›Ackermann von Böhmen‹. DU 5 (1953), H. 6, S. 84–93.

31. Gestalten und Lebenskräfte der frühmittelhochdeutschen Dichtung. Ezzos Lied, Genesis, Annolied, Memento mori. DVjs 27 (1953), S. 1–30.

Wieder abgedruckt in: Dichtung und Welt [Nr. 64, 115], S. 112–132, 258–264.

32. Hartmann von Aue als Dichter. DU 5 (1953), H. 2, S. 11–27.
Wieder abgedruckt in: Text und Theorie [Nr. 116], S. 167–181, 364.
Wieder abgedruckt in: Hartmann von Aue [Nr. 130], S. 68–86.

33.–44. Zwölf Artikel in: Die deutsche Literatur des Mittelalters. Verfasserlexikon. Bd. 4, Berlin 1953.
›Sigenot‹, Sp. 209–212; Thomasin von Zerklaere, Sp. 466–472; ›Udo von Magdeburg‹, Sp. 554 f.; ›Virginal‹, Sp. 701–705; ›Weinschlund‹, Sp. 889; ›Weinschwelg‹, Sp. 890 f.; Wetzel von Bernau, Sp. 936 f.; ›Wigamur‹, Sp. 962–964; ›Winsbecke‹, Sp. 1011–1015; ›Winsbeckin‹, Sp. 1016; ›Wolfdietrich‹, Sp. 1046–1049; Wyssenherre, Michel, Sp. 1107–1110.

45. Minnesang des 13. Jahrhunderts. Aus Carl von Kraus' »Deutschen Liederdichtern« ausgewählt von H. K. Mit Übertragung der Melodien von Georg Reichert, Tübingen: Niemeyer 1953. XI, 160 S.
2. Auflage: Nr. 83.

1954

46. Zur modernen Dichtersprache. Wort und Wahrheit 9 (1954), S. 348–359.
Wieder abgedruckt in: Münchener Universitäts-Woche an der Sorbonne zu Paris vom 13. bis 17. März 1956. Hrsg. von Jean Sarrailh, Alfred Marchionini unter Mitwirkung von Walter Trummert, München-Gräfelfing 1956, S. 144–159.
Wieder abgedruckt in: Text und Theorie [Nr. 116], S. 284–299, 373 f.

47. Sprach- und Literaturwissenschaft als Einheit? In: Fs. f. Jost Trier zu seinem 60. Geburtstag am 15. Dezember 1954. Hrsg. von Benno von Wiese und Karl Heinz Borck, Meisenheim/Glan 1954, S. 9–33.
Wieder abgedruckt in: Dichtung und Welt [Nr. 64, 115], S. 70–90, 254 u. d. T. Germanistik als Wissenschaft.
Wieder abgedruckt in: Methodenfragen der deutschen Literaturwissenschaft. Hrsg. von Reinhold Grimm und Jost Hermand, Darmstadt 1973 (Wege der Forschung 290), S. 204–231.

1955

48. Bligger von Steinach. In: Neue Deutsche Biographie. Bd. 2, Berlin 1955, S. 304.

49. Germanistische Handbücher. DVjs 29 (1955), S. 122–130.

50. Struktur und Formensprache in Dichtung und Kunst. In: Actes du Cinquième Congrès International des Langues et Littératures Moder-

nes. Les langues et littératures modernes dans leurs relations avec les beaux-arts. Florence, 27–31 mars 1951, Firenze 1955, S. 37–45.
Wieder abgedruckt in: Dichtung und Welt [Nr. 64, 115], S. 15–21, 250.

1956

51. Gattungsprobleme der mittelhochdeutschen Literatur, München: Beck 1956. 32 S. (Sitzungsberichte der Bayerischen Akademie der Wissenschaften, Phil.-hist. Kl., Jg. 1956, H. 4.)
Wieder abgedruckt in: Dichtung und Welt [Nr. 64, 115], S. 41–61, 251–254.

52. Kudrun. In: Münchener Universitäts-Woche an der Sorbonne zu Paris vom 13. bis 17. März 1956. Hrsg. von Jean Sarrailh, Alfred Marchionini unter Mitwirkung von Walter Trummert, München-Gräfelfing 1956, S. 135–143.
Wieder abgedruckt in: Text und Theorie [Nr. 116], S. 206–215, 367.
Wieder abgedruckt in: Nibelungenlied und Kudrun. Hrsg. von Heinz Rupp, Darmstadt 1976 (Wege der Forschung 54), S. 502–514.

53. Friedrich Panzer. 4. 9. 1870 – 18. 3. 1956. [Nachruf.] Jahrbuch der Bayerischen Akademie der Wissenschaften 1956, S. 207 f.

54. Parzival. Ein Versuch über Mythos, Glaube und Dichtung im Mittelalter. In: Paul Kluckhohn zum 70. Geburtstag. Eine Festgabe der Deutschen Vierteljahrsschrift für Literaturwissenschaft und Geistesgeschichte. DVjs 30 (1956), H. 2/3, S. 17/161–56/200.
S. 161–198 wieder abgedruckt in: Dichtung und Welt [Nr. 64, 115], S. 151–180, 271–277.

55. Eine Sozialgeschichte der Kunst und Literatur. (Kritische Reflexionen zu Arnold Hauser, Sozialgeschichte der Kunst und Literatur [...], München 1953.) Vierteljahrschrift für Sozial- und Wirtschaftsgeschichte 43 (1956), S. 19–43.
Wieder abgedruckt in: Text und Theorie [Nr. 116], S. 59–79, 356 f.
u. d. T. Eine Sozialgeschichte der Kunst und Literatur. Kritische Reflexionen zu Arnold Hauser, Sozialgeschichte der Kunst und Literatur, München 1953.

56. Walther von der Vogelweide: Muget ir schouwen. In: Wege zum Gedicht. [Bd. 1.] Mit einer Einführung von Edgar Hederer. Hrsg. von Rupert Hirschenauer und Albrecht Weber, München und Zürich 1956, [8]1972, S. 54–63.
Wieder abgedruckt in: Text und Theorie [Nr. 116], S. 191–198, 366 u. d. T. Walther von der Vogelweide 51,13: *Muget ir schouwen.*

1957

57. Dietmar von Eist (Aist). In: Neue Deutsche Biographie. Bd. 3, Berlin 1957, S. 675.

58. Rez. von: Friedrich Panzer, Das Nibelungenlied, 1955. Zs. f. bayer. Landesgeschichte 20 (1957), S. 357–360.

1958

59. Frühmittelhochdeutsche Literatur. In: Reallexikon der deutschen Literaturgeschichte. 2. Auflage. Bd. 1, Berlin 1958, S. 494–507.
Wieder abgedruckt in: Text und Theorie [Nr. 116], S. 141–157, 362 f.

60. Versuch über Interpretation schlechter Gedichte. In: Konkrete Vernunft. Fs. f. Erich Rothacker. Hrsg. von Gerhard Funke, Bonn 1958, S. 395–399.
Wieder abgedruckt in: Text und Theorie [Nr. 116], S. 104–109, 358 u. d. T. Versuch über schlechte Gedichte.

61. Rez. von: Edmund E. Stengel und Friedrich Vogt, Zwölf mittelhochdeutsche Minnelieder und Reimreden, 1956. PBB (Tüb.) 80 (1958), S. 317–323.

62. Rez. von: Hans Furstner, Studien zur Wesensbestimmung der höfischen Minne, 1956. Ebd. S. 323–327.

63. Deutsche Liederdichter des 13. Jahrhunderts. Hrsg. von Carl von Kraus. Bd. II Kommentar. Besorgt von H. K., Tübingen: Niemeyer 1958. XVIII, 724 S.

1959

64. Dichtung und Welt im Mittelalter, Stuttgart: Metzler 1959. VII, 304 S.
[Darin: Nr. 8, 10, 11, 14, 15, 23, 24, 25, 31, 47, 50, 51, 54, 67.]
2. Auflage: Nr. 115.

65. Ezzo (von Bamberg). In: Neue Deutsche Biographie. Bd. 4, Berlin 1959, S. 716.

66. Germanistik. In: Geist und Gestalt. Biographische Beiträge zur Geschichte der Bayerischen Akademie der Wissenschaften vornehmlich im zweiten Jahrhundert ihres Bestehens. Bd. 1. Geisteswissenschaften, München 1959, S. 164–167.

67. Stil als Epochen-, Gattungs- und Wertproblem in der deutschen Literatur des Mittelalters. In: Stil- und Formprobleme in der Literatur. Vorträge des VII. Kongresses der Internationalen Vereinigung für moderne Sprachen und Literaturen in Heidelberg [1957]. Hrsg. im Auftrag der F.I.L.L.M. von Paul Böckmann, Heidelberg 1959, S. 123–129.
Zugleich in: Dichtung und Welt [Nr. 64, 115], S. 62–69, 254.

68. Der gute Sünder – der Erwählte? In: Hüter der Sprache. Perspektiven der deutschen Literatur. Hrsg. von Karl Rüdinger, München 1959 (Das Bildungsgut der höheren Schule. Deutschkundliche Reihe 1), S. 63–73. Zugleich in: Hartmann von Aue, Gregorius. der gute sünder. mittelhochdeutscher text nach der ausgabe von Friedrich Neumann. übersetzung von Burkhard Kippenberg. nachwort von H. K.: »der gute sünder – der erwählte?«, Ebenhausen bei München 1959, S. 255–271; dasselbe Stuttgart 1963, zuletzt 1976 (Reclams Universal-Bibliothek Nr. 1787), hier S. 235–249.

69. Zur zwölften Ausgabe. In: Die Gedichte Walthers von der Vogelweide. 12. unveränderte Ausgabe mit Bezeichnung der Abweichungen von Lachmann und mit seinen Anmerkungen hrsg. von Carl v. Kraus †, Berlin 1959, S. V f.

70. Walther von der Vogelweide, Gedichte. Hrsg. von Hermann Paul. Nach der 6.–8. Auflage von Albert Leitzmann. In 9. durchgesehener Auflage besorgt von H. K., Tübingen: Niemeyer 1959. XXXIX, 183 S. (Altdeutsche Textbibliothek 1.)
10. Auflage: Nr. 98.

1960

71. Zur Typologie mündlicher Sprachdenkmäler, München: Beck 1960. 32 S. (Sitzungsberichte der Bayerischen Akademie der Wissenschaften, Phil.-hist. Kl., Jg. 1960, H. 5.)
Wieder abgedruckt in: Text und Theorie [Nr. 116], S. 10–27, 351–354.

72. Heinrich von Morungen (um 1200): Dô taget ez. Die Zeit, Nr. 33 vom 12. August 1960.
Wieder abgedruckt in: Mein Gedicht. Hrsg. von Dieter E. Zimmer, Wiesbaden 1961, S. 165–169.

73. Gegenwärtige Poetik? Die Zeit, Nr. 52 vom 23. Dezember 1960.

1961

74. Zur inneren Form des Minnesangs. In: Der deutsche Minnesang. Aufsätze zu seiner Erforschung. Hrsg. von Hans Fromm, Darmstadt 1961, ⁵1972 (Wege der Forschung 15), S. 167–179.
Erste Fassung: Nr. 10.

75. Geleitwort. [Zu: Münchener Texte und Untersuchungen . . .] In: Hans Folz, Die Reimpaarsprüche. Hrsg. von Hanns Fischer, München 1961 (Münchener Texte und Untersuchungen zur deutschen Literatur des Mittelalters 1), S. VII f.

76. Europäische Reflexionen in Australien. Der Zwang und die Lust zu Verallgemeinerungen aus der Ferne. Die Zeit, Nr. 12 vom 17. März 1961.

77. Interpretationslehre. In: Unterscheidung und Bewahrung. Fs. f. Hermann Kunisch zum 60. Geburtstag, 27. Oktober 1961. Hrsg. von Klaus Lazarowicz und Wolfgang Kron, Berlin 1961, S. 196–217.
Wieder abgedruckt in: Text und Theorie [Nr. 116], S. 80–103, 358.
Wieder abgedruckt: Interpretationslehre [Nr. 101].

78. Hermann Schneider. 12. 8. 1886–9. 4. 1961. [Nachruf.] Jahrbuch der Bayerischen Akademie der Wissenschaften 1961, S. 182–187.
Wieder abgedruckt in: Forschungen und Fortschritte 35 (1961), H. 11, S. 349 f.
Gekürzt: Nr. 96.

79. Rez. von: Friedrich von der Leyen, Leben und Freiheit der Hochschule. Erinnerungen, 1960. Germanistik 2 (1961), S. 484 f.

80. Sprache für sich oder Sprache für etwas? Podiumsgespräch. [Nach Tonbandaufnahme; H. K. als Teilnehmer.] Sprache im technischen Zeitalter 1 (1961/1962), S. 298–313.

1962

81. Rittertum und Mystik. Vortrag, gehalten beim 490. Stiftungsfest am 30. Juni 1962, München: Hueber [1962]. 14 S. (Münchener Universitätsreden N.F. 33.)
Wieder abgedruckt in: Text und Theorie [Nr. 116], S. 216–226, 367 f.

82. Felix Genzmer, Helmut de Boor, H. K., Friedrich Ranke und Siegfried Beyschlag: Geschichte der deutschen Literatur von den Anfängen bis zum Ende des Spätmittelalters (1490) (aus: Annalen der deutschen Literatur, 2. Auflage), Stuttgart: Metzler 1962. [VIII], 286, [8*] S., S. 99–177: H. K., Die Klassik des Rittertums in der Stauferzeit. 1170–1230.
1. Auflage: Nr. 22.

83. Minnesang des 13. Jahrhunderts. Aus Carl von Kraus' »Deutschen Liederdichtern« ausgewählt von H. K. Mit Übertragung der Melodien von Georg Reichert. 2., korrigierte Auflage, Tübingen: Niemeyer 1962. XI, 160 S.
1. Auflage: Nr. 45.

84. Literatur im Mittelalter. Zu Helmut de Boors neuem Band der Geschichte der deutschen Literatur. [Rez. von: H. de B., Die deutsche Literatur im späten Mittelalter, Zerfall und Neubeginn, 1. Teil, 1250–1350, München 1962.] Die Zeit, Nr. 50 vom 14. Dezember 1962.

1963

85. Julius Schwietering. 25. 5. 1884 – 21. 7. 1962. [Nachruf.] Jahrbuch der Bayerischen Akademie der Wissenschaften 1963, S. 192–195.

86. Statt einer Würdigung [Friedrich von der Leyens]. Ansprache bei der Feier in der Universität München am 18. Juli 1963. In: Märchen, Mythos, Dichtung [Nr. 87], S. IX–XIV.
Wieder abgedruckt in: Jahres-Chronik der Ludwig-Maximilians-Universität München 1962/1963, [München 1963], S. 102–106.

87. Märchen, Mythos, Dichtung. Fs. zum 90. Geburtstag Friedrich von der Leyens am 19. August 1963. Hrsg. von H. K. und Kurt Schier, München: Beck 1963. XIV, 519 S.

88. Josef Hanika. 30. 10. 1900 – 29. 7. 1963. [Nachruf.] Jahres-Chronik der Ludwig-Maximilians-Universität München 1962/1963, [München 1963], S. 16 f.

1964

89. Felix Stephan Hermann Genzmer. In: Neue Deutsche Biographie. Bd. 6, Berlin 1964, S. 195 f.

90. Gottfried v. Neif(f)en (Neuffen). Ebd. S. 671 f.

91. Gottfried von Straßburg. Ebd. S. 672–676.
Wieder abgedruckt in: Text und Theorie [Nr. 116], S. 199–205.

92. Die deutsche Literatur. In: Die Literaturen der Welt in ihrer mündlichen und schriftlichen Überlieferung. Hrsg. von Wolfgang v. Einsiedel, Zürich 1964, S. 507–530.
Wieder abgedruckt in: Kindlers Literaturlexikon. Bd. 7, Zürich 1965, S. 256–267; dasselbe 1970 (Einmalige zwölfbändige Sonderausgabe), Bd. 1, S. 256–267; zuletzt 1974 (Kindlers Literatur Lexikon im dtv Nr. 5999), Bd. 1, S. 256–267.

93. Walther Rehm. 13. 11. 1901–6. 12. 1963. [Nachruf.] Jahrbuch der Bayerischen Akademie der Wissenschaften 1964, S. 170–173.

94. In memoriam Dr. h. c. Hermann Niemeyer. Börsenblatt für den Deutschen Buchhandel (Frankfurter Ausgabe) 20, Nr. 87 (1964), S. 2120 f.

1965

95. Leich. In: Reallexikon der deutschen Literaturgeschichte. 2. Auflage. Bd. 2, Berlin 1965, S. 39–42.

96. Hermann Schneider. [Nachruf.] Bulletin Bibliographique de la Société Internationale Arthurienne 17 (1965), S. 122–125. Vgl. Nr. 78.

97. Die Gedichte Walthers von der Vogelweide. Hrsg. von Karl Lachmann. 13., aufgrund der 10. von Carl von Kraus bearbeiteten Ausgabe neu hrsg. von H. K., Berlin: de Gruyter 1965. XLVII, 255 S.

98. Walther von der Vogelweide, Gedichte. Hrsg. von Hermann Paul. Nach der 6.–8. Auflage von Albert Leitzmann. In 10. Auflage besorgt von H. K., Tübingen: Niemeyer 1965. XXXII, 183 S. (Altdeutsche Textbibliothek 1.)
9. Auflage: Nr. 70.

1966

99. Auferstehung. [Interpretation von: Marie Luise Kaschnitz, Auferstehung.] In: Doppelinterpretationen. Das zeitgenössische deutsche Gedicht zwischen Autor und Leser. Hrsg. und eingeleitet von Hilde Domin, Frankfurt a. M., Bonn 1966, S. 139 f.; dasselbe Frankfurt a. M. 1969; zuletzt 1977 (Fischer Taschenbuch 1060), hier S. 96 f.

100. Gegen die Politisierung einer Wissenschaft. Die Welt, Nr. 259 vom 5. November 1966.
Wieder abgedruckt in: Text und Theorie [Nr. 116], S. 375–377.

101. Interpretationslehre, Tokio: Nankodo 1966. IV, 58, II S. [Lizenzausgabe von Nr. 77; mit japanischen Erläuterungen von Y. Ito: S. 54–58.]

102. Die Manessische Handschrift. Eine Buchbesprechung. [Rez. von: Ewald Jammers, Das Königliche Liederbuch des deutschen Minnesangs, 1965.] Börsenblatt für den Deutschen Buchhandel (Frankfurter Ausgabe) 22, Nr. 62 (1966), S. 1531 f.

103. Rez. von: Gerhard Hahn, Die Einheit des Ackermann aus Böhmen. Studien zur Komposition, 1963. Bohemia-Jahrbuch 7 (1966), S. 416 f.

1967

104. Minnesangs Wende. 2., vermehrte Auflage, Tübingen: Niemeyer 1967. X, 199 S. und 7 Faksimile-Tafeln.
1. Auflage: Nr. 20.

105. Aspekt des 13. Jahrhunderts. In: Minnesangs Wende [Nr. 104], S. 159–196.
Wieder abgedruckt in: Entwürfe zu einer Literatursystematik des Spätmittelalters [Nr. 152], S. 19–56.

106. Walther von der Vogelweide und Deutschland. In: Nationalismus in Germanistik und Dichtung. Dokumentation des Germanistentages in München vom 17.–22. Oktober 1966. Hrsg. von Benno von Wiese und Rudolf Henß, Berlin 1967, S. 113–125.
Wieder abgedruckt in: Text und Theorie [Nr. 116], S. 332–343, 375–378 u. d. T. Walther von der Vogelweide und seine 'deutsche' Rezeption.

107. Wilhelm Wissmann. 27. 2. 1899 – 21. 12. 1966. [Nachruf.] Jahrbuch der Bayerischen Akademie der Wissenschaften 1967, S. 196–198.

Wieder abgedruckt in: Jahres-Chronik der Ludwig-Maximilians-Universität München 1966/1967, [München 1968], S. 44–46.

108. Rez. von: Carl von Kraus, Walther von der Vogelweide. Untersuchungen, ²1966. Germanistik 8 (1967), S. 570.

1968

109. Aspekte des dreizehnten Jahrhunderts in der deutschen Literatur, München: Beck 1968. 25 S. (Sitzungsberichte der Bayerischen Akademie der Wissenschaften, Phil.-hist. Kl., Jg. 1967, H. 5.)
Wieder abgedruckt in: Entwürfe zu einer Literatursystematik des Spätmittelalters [Nr. 152], S. 1–18.
Auszug in: Text und Theorie [Nr. 116], S. 3–9, 347–351 u. d. T. Versuch einer Theorie der deutschen Literatur im Mittelalter.
Auszug wieder abgedruckt in: La actual ciencia literaria alemana [Nr. 125], S. 163–179 u. d. T. Esbozo de una teoría de la literatura medieval alemana.

110. Minnesang als Aufführungsform. In: Fs. f. Klaus Ziegler. Hrsg. von Eckehard Catholy und Winfried Hellmann, Tübingen [1968], S. 1–12.
Wieder abgedruckt in: Text und Theorie [Nr. 116], S. 182–190, 364–366.
Wieder abgedruckt in: Hartmann von Aue [Nr. 130], S. 478–490.
Erste (englische) Fassung: Nr. 120.

111. Eine Stiftungsnotiz für ein deutsches Lied? In: Literatur und Geistesgeschichte. Festgabe für Heinz Otto Burger. Hrsg. von Reinhold Grimm und Conrad Wiedemann, Berlin 1968, S. 11–20.
Wieder abgedruckt in: Text und Theorie [Nr. 116], S. 158–166, 363 f. u. d. T. Eine Stiftungsnotiz für ein deutsches Lied.

112. Kolloquium über Probleme altgermanistischer Editionen. Marbach am Neckar, 26. und 27. April 1966. Referate und Diskussionsbeiträge. Hrsg. von H. K., Karl Stackmann, Dieter Wuttke, Wiesbaden 1968. 180 S. (Deutsche Forschungsgemeinschaft. Forschungsberichte 13.)

113. Die neue Sprach-Internationale. Revolutionäre Studenten haben eine Kultur-Barriere errichtet. Münchner Merkur, Nr. 294 vom 7./8. Dezember 1968.

1969

114. Theodor Frings. 23. 7. 1886–6. 6. 1968. [Einleitung von H. K. zu einem Nachruf für Th. F. von Siegfried Morenz.] Jahrbuch der Bayerischen Akademie der Wissenschaften 1969, S. 195.

115. Dichtung und Welt im Mittelalter. 2., unveränderte Auflage, Stuttgart: Metzler 1969. VII, 304 S. (H. K., Kleine Schriften Bd. 1.)
1. Auflage: Nr. 64.

116. Text und Theorie, Stuttgart: Metzler 1969. VIII, 389 S. (H. K., Kleine Schriften Bd. 2.)
[Darin: Nr. 2, 4, 6, 16, 18, 32, 46, 52, 55, 56, 59, 60, 71, 77, 81, 91, 100, 106, 109 (Auszug), 110, 111, 119, 121.]

117. Sprache – Literatur – Kultur im Mittelalter und heute. Ein Versuch über die Sprache der Studenten-Revolution. Festrede, gehalten in der öffentlichen Jahressitzung der Bayerischen Akademie der Wissenschaften in München am 30. November 1968, München: Beck 1969. 12 S.
Wieder abgedruckt in: Liebe und Gesellschaft [Nr. 158], S. 159–165, 195.

118. Heinrich Appelt, H. K.: Heinrich IV., Herzog von Schlesien-Breslau. In: Neue Deutsche Biographie. Bd. 8, Berlin 1969, S. 394–396.

119. Hildebrand, Dietrich von Bern und die Nibelungen. In: Text und Theorie [Nr. 116], S. 126–140, 360 f.

120. *Minnesang* and the Form of Performance. [Translated by Stanley N. Werbow.] In: Formal Aspects of Medieval German Poetry. A Symposium [1966]. Edited with an Introduction by Stanley N. Werbow, Austin and London 1969, S. 27–41.
Deutsche (z. T. neu formulierte) Fassung: Nr. 110.

121. Stoffgeschichte, Tragik und formaler Aufbau im Hildebrandslied. [1946.] In: Text und Theorie [Nr. 116], S. 113–125, 358–360.

122. Versuch einer Literaturtypologie des deutschen 14. Jahrhunderts. In: Typologia litterarum. Fs. f. Max Wehrli. Hrsg. von Stefan Sonderegger, Alois M. Haas, Harald Burger, Zürich und Freiburg i. Br. 1969, S. 261–280.
Wieder abgedruckt in: Entwürfe zu einer Literatursystematik des Spätmittelalters [Nr. 152], S. 57–75.
Wieder abgedruckt in: Liebe und Gesellschaft [Nr. 158], S. 121–134, 193–195.

1970

123. Die hêre frouwe. Manuskript einer Sendung des Bayerischen Rundfunks in der Reihe »Frauen in ihrer Zeit« vom 17. März 1970. [ungedruckt.]
Gedruckt in: Liebe und Gesellschaft [Nr. 158], S. 3–11, 179.

124. Alte und neue Altgermanistik. Informationen der Seminare für Deutsche Philologie, Universität München, Nr. 6 vom Sommersemester 1970, S. 1.

1971

125. Hans Robert Jauss, Hans Ulrich Gumbrecht, Harald Weinrich, Erich Köhler, H. K., Rolf Grimminger: La actual ciencia literaria alemana. Seis estudios sobre el texto y su ambiente, Salamanca: Ediciones Anaya 1971. 194 S.
S. 163–179: H. K., Esbozo de una teoría de la literatura medieval alemana.
Deutsche Fassung: Auszug von Nr. 109.

126. Thesen zur Wissenschaftstheorie der Germanistik. In: Dichtung – Sprache – Gesellschaft. Akten des IV. Internationalen Germanisten-Kongresses 1970 in Princeton. Hrsg. von Victor Lange und Hans-Gert Roloff, Frankfurt a. M. 1971 (Beihefte zum Jahrbuch für Internationale Germanistik 1), S. 11–17.
Wieder abgedruckt in: Liebe und Gesellschaft [Nr. 158], S. 166–171.

1972

127. Rez. von: Maria Therese Sünger, Studien zur Struktur der Wiener und Millstätter Genesis ⟨Mss. Wien 2721 u. Klagenfurt 6/19⟩ , 1964. Erasmus 24 (1972), Nr. 1/2, Sp. 18–23.

1973

128. Tristan, Nibelungenlied, Artusstruktur, München: Beck 1973. 39 S. (Sitzungsberichte der Bayerischen Akademie der Wissenschaften, Phil.-hist. Kl., Jg. 1973, H. 5.)
Wieder abgedruckt in: Liebe und Gesellschaft [Nr. 158], S. 12–35, 179 f.
Erste (kürzere) Fassung: Nr. 131.

129. Ein »Leitartikel« zur Altgermanistik. Jahrbuch für Internationale Germanistik 5 (1973), H. 1, S. 124–127.
Wieder abgedruckt in: Liebe und Gesellschaft [Nr. 158], S. 172–175.

130. Hartmann von Aue. Hrsg. von H. K. und Christoph Cormeau, Darmstadt: Wissenschaftliche Buchgellschaft 1973. VIII, 571 S. (Wege der Forschung 359.) [Darin u. a.: Nr. 8, 32, 110.]

1974

131. Tristan, Nibelungenlied, Artusstruktur. [Mit Diskussion.] In: Colloquio italo-germanico sul tema: I Nibelunghi organizzato d'intesa con la Bayerische Akademie der Wissenschaften (Roma, 14–15 maggio 1973), Roma 1974 (Accademia Nazonale dei Lincei. Atti dei Convegni Lincei 1), S. 7–17; discussione: S. 18–21.
Zweite (veränderte und erweiterte) Fassung: Nr. 128.

132. Gattung. In: Handlexikon zur Literaturwissenschaft. Hrsg. von Diether Krywalski, München 1974, ²1976, Reinbek bei Hamburg 1978 (rororo Taschenbuch 6221. 6222), S. 150 f.

133. Methodenlehre. Ebd. S. 306–310.

134. Sektion II [Rezeption und Geschichte (1. Teil). Sektionsbericht.] In: Historizität in Sprach- und Literaturwissenschaft. Vorträge und Berichte der Stuttgarter Germanistentagung 1972. In Verbindung mit Hans Fromm und Karl Richter hrsg. von Walter Müller-Seidel, München 1974, S. 155.

135. Geschichten aus der Geschichte. Karl Bertaus Versuch einer Neu-Interpretation der mittelalterlichen Literatur. [Rez. von: K. B., Deutsche Literatur im europäischen Mittelalter, Bd. 1. 2, 1972. 1973.] Süddeutsche Zeitung, Nr. 40 vom 16./17. Februar 1974.

136. [Übersetzung der mittelhochdeutschen Texte in den Carmina Burana.] In: Carmina Burana. Die Gedichte des Codex Buranus lateinisch und deutsch. Übertragen von Carl Fischer. Übersetzung der mittelhochdeutschen Texte von H. K. Anmerkungen und Nachwort von Günter Bernt, Zürich und München 1974. [Nachbemerkung von H. K.: S. 983.]
Wieder abgedruckt in: Carmina Burana. Die Lieder der Benediktbeurer Handschrift in vollständiger deutscher Übertragung. Übersetzung der lateinischen Texte von Carl Fischer, der mittelhochdeutschen Texte von H. K. nach der von B. Bischoff abgeschlossenen kritischen Ausgabe von A. Hilka und O. Schumann, Heidelberg 1930–1970. Anmerkungen und Nachwort von Günter Bernt, München 1975; zugleich Deutscher Bücherbund Stuttgart. [Nachbemerkung von H. K.: S. 573.]
Zuletzt: München 1979 (dtv weltliteratur 2063.). [Nachbemerkung von H. K.: S. 983.]

137. Hans-Friedrich Rosenfeld: Ausgewählte Schriften zur deutschen Literaturgeschichte, germanischen Sprach- und Kulturgeschichte und zur deutschen Wort-, Mundart- und Volkskunde nebst Bibliographie aller Publikationen des Autors 1923–1974. Fs. zum 75. Geburtstag von H.-F. R., 5. Dezember 1974. Hrsg. von H. K., Hellmut Rosenfeld, Hans-Jürgen Schubert. Bd. 1. 2, Göppingen: Kümmerle 1974. Zs. XI, 854 S. (GAG 124. 125.)

1975

138. [Einleitende Worte.] In: Schriftenverzeichnis Emil Ploss. Zum 50. Geburtstag. Als Privatdruck aufgelegt von Herta Ploss, München 1975, ungez. S. 5 f.

139. Waz ist minne. [Rez. von: Peter Wapnewski, Waz ist minne, 1975.] Süddeutsche Zeitung, Nr. 257 vom 8./9. November 1975.

1976

140. Bemerkungen zur Rezeption des Tristan im deutschen Mittelalter. Ein Beitrag zur Rezeptionsdiskussion. In: Wissen aus Erfahrungen. Werkbegriff und Interpretation heute. Fs. f. Herman Meyer zum 65. Geburtstag. In Verbindung mit Karl Robert Mandelkow und Anthonius H. Touber hrsg. von Alexander von Bormann, Tübingen 1976, S. 53–63.
Wieder abgedruckt in: Liebe und Gesellschaft [Nr. 158], S. 36–43, 180 f.

141. Richard Brinkmann, H. K.: Zum 50. Band der Deutschen Vierteljahrsschrift für Literaturwissenschaft und Geistesgeschichte. DVjs 50 (1976), S. [I]–[IV].

142. Der Paläograph. Bernhard Bischoff wird heute 70. Süddeutsche Zeitung, Nr. 295 vom 20. Dezember 1976.

1977

143. Wolframs Frauenlob. In: Festgabe zum 70. Geburtstag von Wolfgang Mohr. Hrsg. von Herbert Kolb und Kurt Ruh. ZfdA 106 (1977), H. 3, S. 200–210.
Wieder abgedruckt in: Liebe und Gesellschaft [Nr. 158], S. 44–51, 181 f.

144. Determinanten der Minne. In: Höfische Dichtung oder Literatur im Feudalismus? Hrsg. von Wolfgang Haubrichs. LiLi 7 (1977), H. 26, S. 83–94.
Wieder abgedruckt in: Liebe und Gesellschaft [Nr. 158], S. 52–59, 182–186.

145. Geleitwort. In: Walther von der Vogelweide. Die gesamte Überlieferung der Texte und Melodien. Abbildungen, Materialien, Melodietranskriptionen. Hrsg. von Horst Brunner, Ulrich Müller, Franz Viktor Spechtler. Mit Beiträgen von Helmut Lomnitzer und Hans-Dieter Mück, Göppingen 1977 (Litterae 7), S. 1*.

1978

146. [Liebe und Gesellschaft in der Literatur.] In: Gerhard Hess zum 70. Geburtstag. Reden und Bilder, Konstanz 1978 (Beilage zu Konstanzer Blätter für Hochschulfragen), S. 26–35.
Wieder abgedruckt in: Liebe und Gesellschaft [Nr. 158], S. 60–68, 186.

147. Burkhard von Hohenfels. In: Die deutsche Literatur des Mittelalters. Verfasserlexikon. 2. völlig neubearbeitete Auflage. Bd. 1, Berlin 1978, Sp. 1135 f.

148. Joachim Gruber, Peter Christian Jacobsen, H. K.: Akrostichon. In: Lexikon des Mittelalters. Bd. 1, 2. Lieferung, München 1978, Sp. 257.

1979

149. Herzeliebez frowelîn (Walther 49,25). In: Medium aevum deutsch. Beiträge zur deutschen Literatur des hohen und späten Mittelalters. Fs. f. Kurt Ruh zum 65. Geburtstag. Hrsg. von Dietrich Huschenbett, Klaus Matzel, Georg Steer, Norbert Wagner, Tübingen 1979, S. 199–213.
Wieder abgedruckt in: Liebe und Gesellschaft [Nr. 158], S. 69–79, 186–188.

150. Allegorie und Erzählstruktur. In: Formen und Funktionen der Allegorie. Symposion Wolfenbüttel 1978. Hrsg. von Walter Haug, Stuttgart 1979, S. 206–218.
Wieder abgedruckt in: Liebe und Gesellschaft [Nr. 158], S. 106–117, 192 f.

1980

151. ›Dietrichs Flucht‹ und ›Rabenschlacht‹. In: Die deutsche Literatur des Mittelalters. Verfasserlexikon. 2. völlig neubearbeitete Auflage. Bd. 2, Berlin 1980, Sp. 116–127.

152. Entwürfe zu einer Literatursystematik des Spätmittelalters, Tübingen: Niemeyer 1980. XII, 108 S.
[Darin: Nr. 105, 109, 122, 154. Mit einem Vorwort von Burghart Wachinger, S. VII–XI.]

153. Die Liedersammlung. In: Codex Manesse. Die Große Heidelberger Liederhandschrift. Vollständiges Faksimile des Codex Palatinus Germanicus 848 der Universitätsbibliothek Heidelberg. Kommentarband. Hrsg. von Walter Koschorreck† und Wilfried Werner, Ganymed: Kassel 1980. [im Druck.]
Längere Fassung in: Liebe und Gesellschaft [Nr. 158], S. 80–105, 188–192 u. d. T. Die Voraussetzungen für die Entstehung der Manesseschen Handschrift und ihre überlieferungsgeschichtliche Bedeutung.

154. Versuch über das 15. Jahrhundert in der deutschen Literatur. In: Literatur und Sozialgeschichte des Spätmittelalters. Hrsg. von Hans-Ulrich Gumbrecht, Heidelberg 1980. [im Druck.]
Vorabdruck in: Entwürfe zu einer Literatursystematik des Spätmittelalters [Nr. 152], S. 77–101.
Wieder abgedruckt in: Liebe und Gesellschaft [Nr. 158], S. 135–155, 195.

155. Paul Kluckhohn. In: Neue Deutsche Biographie. Bd. 12, Berlin 1980, S. 132 f.

156. H. K., Norbert H. Ott: Carl von Kraus. Ebd. S. 692 f.

157. Die Voraussetzungen für die Entstehung der Manesseschen Hand-
schrift und ihre überlieferungsgeschichtliche Bedeutung. In: Liebe und
Gesellschaft [Nr. 158], S. 80–105, 188–192.
Kürzere Fassung: Nr. 153 u. d. T. Die Liedersammlung.

158. Liebe und Gesellschaft, Stuttgart: Metzler 1980. VIII, 222 S. (H. K.,
Kleine Schriften Bd. 3.) [Darin: Nr. 117, 122, 123, 126, 128, 129, 140,
143, 144, 146, 149, 150, 154, 157.]

159. Gottfried von Straßburg. In: Die deutsche Literatur des Mittelalters.
Verfasserlexikon. 2. völlig neubearbeitete Auflage. Bd. 3, [1. Lieferung.], Berlin 1980, Sp. 153–168.

HERAUSGEBERTÄTIGKEIT

(Reihen, Zeitschriften, Lexika)

Herausgeber von:
Altdeutsche Textbibliothek. (1882 ff.) Seit 1951.
Altdeutsche Textbibliothek, Ergänzungsreihe. 1963 ff.

Mitherausgeber von:
Deutsche Vierteljahrsschrift für Literaturwissenschaft und Geistesge-
schichte.
(1923 ff.) Seit 1949. [Zus. mit Paul Kluckhohn und Erich Rothacker.
Seit 1956: H. K. und Friedrich Sengle. Seit 1960: Richard Brinkmann,
H. K. und Friedrich Sengle. Seit 1962: Richard Brinkmann und H. K.]

Münchener Texte und Untersuchungen zur deutschen Literatur des
Mittelalters.
1960 ff. [Hrsg. von der Kommission für deutsche Literatur des Mittelalters der Bayerischen Akademie der Wissenschaften.]

Germanistik. Internationales Referatenorgan mit bibliographischen
Hinweisen.
1960 ff. [H. K. zus. mit zahlreichen Fachgelehrten.]

Studien zur Poetik und Geschichte der Literatur. 1966–1976.
[Hrsg. von Hans Fromm, H. K., Walter Müller-Seidel, Friedrich
Sengle.]

Lexikon des Mittelalters. 1977 ff.
[H. K. zus. mit zahlreichen Fachgelehrten.]

REGISTER

Kursiv gesetzte Ziffern bedeuten, daß das Stichwort hier und auf den folgenden Seiten mehrmals oder ausführlicher behandelt ist.